C'est quoi, ce petit boulot ?

NICOLE DE BURON

Nicole de Buron

C'est quoi, ce petit boulot?

Éditions J'ai lu

Chapitre premier

A Pâques, la nouvelle vous explose au nez.

Petite Chérie a décidé de passer triomphalement son bac.

Cela vous stupéfie d'autant plus que, on le sait [1], votre fille cadette n'a jamais, depuis la maternelle, manifesté le moindre intérêt pour ses études. Certes, elle s'était rendue gracieusement, tous les jours, à l'école retrouver ses copines et ses copains. Et en était revenue, du même pas léger, accompagnée d'un nombre considérable de zéros et de quelques 1 ou 2. Eu égard à son charmant sourire, précisaient certains professeurs. L'un d'eux, poète, avait même écrit sur son carnet scolaire : « Butine mais n'a pas encore fait son miel. »

Vous avez bien essayé de réagir par de violentes admonestations. Des appels à la raison : « Que feras-tu plus tard dans la vie ? » Des phrases-chocs : « Celui qui ne travaille pas ne mérite pas de manger. » Des punitions : « Si tu n'obtiens pas au moins un 5 en histoire, tu ne regarderas pas à la télévision

1. Lire *Qui c'est, ce garçon ?*, du même auteur.

la vingt-cinquième rediffusion de *L'Aile ou la Cuisse.* »

Vous lui aviez soigneusement dissimulé le fait que, lorsque vous aviez son âge, les remarques sur vos propres bulletins n'étaient pas toujours aussi élogieuses qu'elles auraient dû l'être. Vous avez encore sur l'estomac un : « Élève vivante (euphémisme pour chahuteuse) mais dont la fantaisie convient mal aux mathématiques. » Il convient d'admirer au passage l'inlassable imagination du Corps Enseignant concernant les mentions scolaires. Ont-ils des manuels secrets : *Mille Remarques pour cancres* ? A noter cependant les paresseux qui se contentent systématiquement d'inscrire : « Peut mieux faire » et *démerdassek*, comme l'aurait dit votre pauvre papa.

Toujours est-il qu'en ce qui concerne votre Joséphine, ni l'Éducation nationale ni vous n'avez réussi à entamer son rejet de toute activité à l'école autre que le *pipeau* (trad. bavardage). Vos discours indignés glissaient sur les ailes de votre bébé canard comme une pluie printanière. De rage, vous avez même enfermé votre enfant, tout un samedi, dans sa chambre avec un plateau de repas ne comportant que du pain et de l'eau. Elle n'avait même pas mangé le pain et s'était réjouie de ce régime imposé à ses rondeurs.

Bref, vous avez vécu le calvaire d'une mère de mauvaise élève. Inquiète pour son avenir. Méprisée des profs. Humiliée par les directeurs. Vous avez dû inscrire votre héritière dans des écoles de moins en moins bonnes et de plus en plus chères. Le fait d'avoir tenté de noyer une rivale dans les W.-C., au temps de ses amours avec le Comanche, s'était propagé chez les proviseurs de la moitié ouest de Paris, celle où vous vivez. Il vous a fallu l'envoyer au diable Vauvert, à l'est, où sa notoriété n'était pas encore parvenue — de justesse.

A votre mécontentement légitime, Petite Chérie opposait un visage affable et trois réponses au choix :

1. Les réformes incessantes de l'Éducation nationale bouleversaient inlassablement les programmes et lui faisaient apprendre dix fois la vie des pharaons et jamais celle de Louis XIV. De Napoléon, elle ne savait qu'une comptine :

> *Napoléon est mort à Sainte-Hélène,*
> *Son fils Léon lui a crevé le bidon...*

Ce qui, on l'avouera, est peu de chose, même pour l'indulgent Alain Decaux.

2. Les profs étaient tous fous, débiles, tarés, alcooliques. Naturellement, vous ne l'avez pas cru. Vous avez été élevée dans le respect des maîtres. Cependant la lecture de certains hebdomadaires vous avait révélé les réalités d'un stress existentiel chez les enseignants gorgés, paraît-il, d'antidépresseurs divers. La vue d'un défilé revendicatif où une grosse directrice dansait en tête, en relevant ses jupes, vous avait flanqué un coup. Vous aviez préféré croire qu'il s'agissait d'une folle passant là par hasard.

3. La lecture globale avait définitivement et orthographiquement traumatisé votre héritière en son enfance (un mot/une faute).

Vous avez craqué et — vous devez l'avouer, à votre grande honte — fini par renoncer lâchement à vos grandes colères scolaires.

Vous n'avez même poussé qu'un zéphir de soupir douloureux lorsque Petite Chérie avait obtenu des notes peu glorieuses aux épreuves de français, à la fin de sa classe de première. Sujet à l'écrit :

Commentez : « L'être humain ne saurait se priver du passé. » Votre cadette avait arraché un 6 grâce à des citations de proverbes chinois (« Le passé a plus de parfum qu'un bosquet de lilas en fleur ») et russe (« Regretter le passé, c'est courir après le vent ») que vous lui aviez fait apprendre par cœur, dans votre livre des *Proverbes du monde entier,* avec mission de les insérer dans n'importe quel sujet (proverbe malgache de secours : « Le zébu maigre n'est pas léché par ses congénères » ce qui signifie, paraît-il : « Le malheureux n'a pas d'amis »). Les citations — vraies et fausses — sont votre marotte depuis que vous avez passé votre propre bac — en des temps lointains — en inventant des passages entiers de Péguy ; ce qui avait épaté le prof.

Quant à l'oral de français de votre fille, l'examinateur avait vicieusement glissé d'un texte de Pierre-Jakez Héliaz à la question : « Le folklore est-il une contestation permanente ? » Joséphine n'en avait pas la moindre idée. Vous non plus.

Et voilà qu'au moment de discuter des vacances de Pâques, Petite Chérie vous annonce qu'elle a décidé de s'enfermer vingt-quatre heures sur vingt-quatre, dans sa chambre, pour faire ses révisions du bac. Comment ça, des révisions ? Elle n'a rien appris. Eh bien, elle ingurgitera en trois mois ce qu'elle n'a pas entonné en quatorze ans !

Vous ne pouvez que féliciter votre adolescente d'une aussi splendide résolution.

Une hésitation vous vient cependant. Un petit séjour d'une semaine en montagne et huit heures de ski par jour ne seraient-ils pas profitables avant un grand effort intellectuel ? Non. Petite Chérie prétend qu'elle risque de se casser le bras droit — idée qui ne lui était jamais venue auparavant — et de compromettre ainsi son avenir.

Vous l'entendez distinctement prononcer le mot *avenir...*

Vous vous repliez alors sur une deuxième proposition. Votre Jeanne d'Arc ne pourrait-elle pas s'enfermer avec ses livres, dans votre petite maison du Lot, et y consacrer une heure par jour au jogging sur le Causse afin d'oxygéner ses cellules grises ? Vous allez même jusqu'à promettre de l'accompagner avec le chien Roquefort pour l'encourager. Bien que vous ayez une sainte horreur du jogging, sport qui secoue désagréablement votre noble poitrine et que vous préférez la marche tranquille avec observation des oiseaux et rêveries dans les nuages.

Mais Petite Chérie s'obstine. Elle ne peut tout simplement pas travailler dans le Lot. Pourquoi ? Mystère. Vous croyez savoir que quantité de jeunes gens étudient dans le Lot. Mais votre fille cadette reste implacable. Elle n'ira dans le Lot que bâillonnée, ficelée, raptée, dans le coffre de votre voiture.

Alors, vous décidez de rester, vous aussi, à Paris, pour veiller sur votre héroïne. Et surtout la nourrir convenablement. Vous savez que, laissée à elle-même, votre adolescente se livrera à des orgies de pizzas surgelées, de bananes et de Coca-Cola dont vous retrouverez les bouteilles vides camouflées sous son lit. A moins qu'elle n'adopte son régime préféré : quelques heures de jeûne (pour maigrir) suivies de l'engloutissement avide d'immenses tartines (recette connue : une épaisse tranche de pain, une monstrueuse couche de beurre, recouverte de chocolat en poudre). Vous accompagnerez l'effort intellectuel inouï de Petite Chérie par un régime de champion. C'est votre devoir de mère, non ?

Ce n'est pas l'avis de l'Homme. Il avait justement envie, lui, d'aller passer quelques jours de vacances à la campagne.

Vous voilà déchirée entre votre devoir maternel et votre devoir conjugal. Vous choisissez le premier.

Votre époux est indigné. Il n'envisage pas une seconde un séjour rural sans vous. Pas question de cuisiner lui-même ses repas. Ce qui serait pourtant un excellent exercice et lui rappellerait combien une présence féminine est indispensable dans la vie d'un représentant du sexe mâle, ce que les vieux maris ont parfois tendance à oublier. Il ne veut pas non plus affronter tout seul les gouttières qui ont coulé dans le salon, les lits humides de l'hiver à réchauffer à la bassinoire — au préalable, allumer un feu dans la cheminée qui enfume vicieusement toute la maison — et les boîtes de conserve périmées. A noter qu'autrefois, les indications sur les boîtes étaient incompréhensibles et que vous mangiez de très vieilles conserves sans inconvénient. Vous avez farouchement milité pour que les fabricants inscrivent des dates précises sur leurs produits. Et vous passez votre temps à jeter des petits pois et des cassoulets qui ont mystérieusement vieilli en votre absence.

Le père de vos enfants a une idée infernale. Il essaie de vous tenter avec un petit voyage d'amoureux à Marrakech. Là, vous manquez craquer. Mais vous avez été élevée par les bonnes sœurs, n'est-ce pas ? Le devoir d'abord. Et votre devoir aujourd'hui, c'est d'aider votre fille à passer son bac. *Vade retro Satanas* Marrakech.

— Moi, quand j'ai passé le mien d'examen, on n'a pas fait tant d'histoires, remarque l'Homme furieux, en balançant ses chaussures à travers la chambre.

— C'était moins difficile autrefois et moins important, répondez-vous. Aujourd'hui, sans le bac, tu ne peux même pas être balayeur.

— Même avec le bac, notre fille est incapable de balayer sa chambre, grogne le Père.

C'est vrai, hélas. Heureusement, la sonnerie du téléphone le sauve d'une réplique cinglante du type : « J'en connais un autre qui... »

— Quoi ? Qu'est-ce que j'apprends ? Tu ne vas pas dans le Lot pour les vacances de Pâques ! piaille la voix aiguë de Fille Aînée. (Vous vous demandez bien comment elle l'a appris si vite. Elle a dû poser des micros dans votre appartement.) Qu'est-ce que je vais faire des enfants ?

Vous expliquez une fois de plus la situation. Petite Chérie. Bac. Devoir maternel. Que Fille Aînée aille seule dans le Lot, avec ses petits, se colleter avec les gouttières, les lits humides, les boîtes de conserve à jeter à l'heure du dîner, etc.

Justine est indignée à son tour.

— Pour le mien de bac, tu n'as pas fait tant d'histoires ! (tiens, la même phrase que son père).

Vous lui rappelez qu'elle avait, elle, travaillé comme une folle, toute l'année, contre votre promesse de la laisser quitter l'appartement familial pour s'installer dans la chambre du sixième. Vous n'aviez aucune inquiétude. Quand Fille Aînée veut quelque chose, elle l'obtient.

Elle raccroche en vous traitant de grand-mère indigne.

Vous voilà brouillée avec la moitié de votre famille bien-aimée.

Cela ne vous empêche pas de commencer, dès le lendemain matin, votre job d'entraîneuse sportive de haut niveau.

D'abord les horaires.

Petite Chérie adore travailler la nuit. Elle prétend qu'elle se sent inspirée par l'aube se levant sur ses livres de classe. Grâce à quoi, elle dort toute la journée. Vous vous opposez violemment à cette méthode, au cri extrêmement bourgeois de : « La nuit, c'est fait pour dormir et le jour pour travailler. » Vous vous faites traiter de réac. Vous avez l'habitude.

Armistice signé sur un compromis : Joséphine éteindra à 2 heures du matin. Pour veiller au respect de l'accord, vous lisez de sanglants polars jusqu'à extinction des feux. Ensuite, vous faites des cauchemars. Le lendemain, vous promenez un air hagard, au grand désarroi de la concierge, Mama Raviolis. Qui sort même de sa loge pour s'enquérir de votre santé d'un air inquiet. Bac. Travail la nuit. Dur d'être une mère... marmonnez-vous d'une voix faible.

Les repas donnent lieu à de terribles discussions.

— Je HAIS les épinards, clame votre adolescente.

— Tu ne manges jamais de légumes verts et tu te bourres de chocolat, accusez-vous.

— Le chocolat, c'est plein de magnésium bon pour la mémoire.

— Non. C'est le phosphore. Mange du poisson.

— Je HAIS le poisson.

Vous vous rabattez sur d'énormes steaks-frites ornés de vitamines A, pardon de persil, que Petite Chérie laisse obstinément sur le bord de l'assiette : le persil, ça fait crever les perroquets.

Vous téléphonez à toutes vos copines pour savoir ce qu'elles donnent à leurs enfants en cas d'effort intellectuel intense. Surprise. Chacune a son médicament miracle. Votre pharmacien est effaré par votre liste. Il y a de quoi survolter toute une promotion de l'ENA. Joséphine avale sans sourciller ampoules, comprimés, gélules, granules, vitamines A, B, C, B1, B12 et même des tisanes de Rika Zaraï. Vous ne notez aucune amélioration dans la vivacité de son esprit.

Votre cadette se tient tapie, le dos rond, l'air égaré, dans le fouillis habituel de sa chambre auquel sont venus s'ajouter des tas épars de feuilles de brouillon, des montagnes de classeurs, des colonnes chancelantes jusqu'au plafond de livres ouverts (manuels, annales, guides, dicos, etc.), des haies de dossiers, des buissons de feutres de couleur, etc.

De temps en temps, sort de son repaire votre zombie à la coiffure rasta pleine de nœuds (pas le temps de se brosser les cheveux), vêtue d'une salopette d'électricien (pas le temps de s'habiller), les yeux dans le vague, maugréant des paroles incompréhensibles (pas le temps de dire bonjour en français).

L'Homme crie que ces apparitions manquent de lui donner un infarctus et terrorisent son chien.

— J'en ai marre de cet opéra-bac, gronde-t-il. Après tout, ce n'est pas si grave si elle échoue à ce maudit examen. Des gens très bien ne l'ont jamais passé, comme le président Pinay (ah bon?), le ministre Bérégovoy, le publiciste milliardaire Bleustein-Blanchet, le gentil Michel Drucker, Malraux lui-même (oh?)... De toute façon, on ne leur apprend que des conneries dans ces écoles!

Vous menacez votre époux de lui arracher les yeux et de ne plus jamais lui cuisiner de pot-au-feu s'il continue à tenir des thèses anarchistes.

— Bon, bon, je me tais, fait-il prudent... mais de toute façon, elle peut le repasser l'année prochaine.

C'est au tour de Joséphine de menacer d'arracher les yeux de son père. Elle ne veut pas entendre parler d'une année scolaire supplémentaire. Si je dois redoubler, je me TUE. Jamais, jamais, je ne retournerai en classe. J'ai gâché mon enfance dans ces putains d'écoles. N, i ni, finie la galère.

Elle se ronge les ongles. Vous aussi.

Voyant que vous prenez au sérieux vos responsabilités maternelles, votre héritière numéro deux vous prie de l'aider à faire ses révisions.

La vérité apparaît. Vous en êtes incapable. Vous séchez. Les sujets de philo vous laissent désemparée :

« Peut-on dire du travail qu'il fait violence à la nature humaine ? »

Tout ce que vous trouvez à répondre c'est : « Ça dépend des jours... »

Petite Chérie lève les yeux au ciel et passe à une autre question.

« Suis-je ce que j'ai conscience d'être ? »

Vous ne comprenez même pas ce que cela veut dire...

Les nuits suivantes, l'insomnie vous ronge. Vous vous livrez à des révisions déchirantes. Vous êtes nulle, dépassée, sans culture, tout juste bonne à lire les faits divers dans les journaux. La honte. Vous finirez gâteuse.

Un détail vous étonne cependant au passage. A quoi servent les livres que vous avez achetés à grands frais, en début d'année scolaire, puisque les profs dictent leurs propres cours, griffonnés hâtivement par Petite Chérie dans un style incompréhensible et illisible (un mot/une faute) ?

C'est parce que les profs ne sont pas d'accord politiquement avec les manuels, explique votre fille. Elle vous révèle ainsi que le prof d'histoire était royaliste légitimiste et prônait la décapitation par guillotine, en place de la Concorde, du comte de Paris. Le prof de philo était socialiste et celui d'espagnol *gaucho* (ne jamais terminer un exposé, même sur la corrida, sans parler des luttes de libération d'Amérique du Sud). Et le prof de géo parlait haineusement des Britanniques en les traitant de *Rosbeefs*...

Justement la seule matière où vous comptiez briller un peu aux yeux de votre enfant était l'anglais. N'avez-vous pas passé une année de votre belle jeunesse dans les brumes du Yorkshire pour acquérir cet accent british dont vous êtes si fière ? Mais Joséphine s'en plaint. Je ne comprends rien à ce que tu dis. Vous découvrez alors que le prof d'anglais de l'école — très chère — de votre fille était d'Agen et en avait transporté l'accent dans la langue de Shakespeare. Petite Chérie bredouille l'anglais avec les intonations rocailleuses du Sud-Ouest.

Vous entrez dans une rage folle.

— Si tu étais venue plus souvent aux réunions de parents d'élèves, tu t'en serais aperçue, accuse votre cadette.

Vous baissez la tête. Comment avouer que vous détestiez ces assemblées où vous retrouviez votre âme d'enfant effrayée par des adultes grondeurs ? Et où les profs, le directeur et même les autres parents, ne manquaient jamais de vous faire sentir le mépris en lequel ils tenaient la mère d'une cancresse. Vous avez à plusieurs reprises songé à vous inscrire à l'Association des parents d'élèves sous un faux nom.

Petite Chérie, devant votre effroyable carence, décide de réviser avec ses copines. Cela vous console de voir que celles-ci promènent également une mine hallucinée. Stéphanie et Laurence se traînent jusque chez vous, s'enferment dans la chambre de Joséphine *remuer la pulpe de leur cerveau ;* une communauté de moines trappistes ressemblerait à une assemblée de joyeux lurons à côté d'elles. Elles vous avouent que leurs mères vivent de calmants non remboursés par l'Éducation nationale. Vous distribuez aux malheureuses (les filles, les mères restant effondrées chez elles) des litres de café, des vitamines et même des cigarettes (contre tous vos principes) avec lesquelles elles enfument votre appart comme un terrier de putois. Mais vous n'osez faire aucune remarque à des créatures qui expliquent d'une voix mourante qu'elles *bétonnent comme des malades* (trad. travaillent dur). Vous vous bornez à *accrocher un sourire J.R. sur vos mandibules* (trad. souriez mielleusement).

Seule la jeune Célia vous apparaît rose et fraîche. Son bac, *elle s'en tape...* Elle veut devenir comédienne et ne passe son examen que parce que ses parents — des bourreaux, comme tous les parents — l'ont menacée de lui couper les vivres si elle ne se présentait pas au jour dit. Cela vous réconforte de voir qu'il survit en France des dinosaures capables d'affronter leurs enfants au cri de guerre bien connu de la bourgeoisie : « Passe ton bac d'abord » (autres recommandations de base : « Regarde toujours où tu mets les pieds » et « Lave-toi les dents deux fois par jour »). Avec cela, nos héritiers sont parés pour la vie...

Votre cousine Albane est la seule à rigoler et à dire à vos neveux : « Mes lapins, on s'en fout... » Elle est très fière de sa méthode douce.

— Mes enfants n'ont pas de boutons sur la figure, eux, vous fait-elle remarquer ironiquement.

Vous vous brouillez avec elle.

Quant à un certain Yann, le dernier amour de Petite Chérie, si vous en croyez la voix crémeuse qu'elle prend pour lui répondre au téléphone, vous ne le voyez jamais. Joséphine est intraitable. Adieu, sorties, rendez-vous secrets et baisers sous les portes cochères. Vous vous en réjouissez (vous avez tort, la suite vous l'apprendra).

Votre amie Catherine vous a avoué que sa fille Marie-Fleur avait exigé de réviser avec son amoureux et qu'elle était obligée de *manager* deux candidats, ce qui l'amenait au bord de la dépression. Un *boulot d'enfer*, jure-t-elle.

Les jours passent. L'angoisse monte. Vous n'osez plus regarder la télévision pour ne pas déranger Jeanne au bûcher. Le chien n'aboie plus. Un silence effrayant pèse sur la maison. Petite Chérie, par moments, s'effondre en larmes. Je n'y arriverai jamais. Je suis *distroy, hyperminée, nase*. Je vais me suicider. Vous tentez de la réconforter. Encore que vous envisagiez aussi, par éclairs, d'ouvrir le gaz avec elle. Toutes les deux, serrées l'une contre l'autre, la tête dans le four. Vous imaginez les titres des journaux : « Rendues folles par le bac, une mère désespérée et sa fille », etc.

Votre libraire, qui vous a prise en pitié, vous signale un petit livre, le *Bac à l'aise*, qui commence par cette phrase qui se répand comme du miel sur vos nerfs à vif :

« Pas de panique. Il est tout à fait possible d'être reçu au bac sans fournir un énorme travail. »

Vous apprenez par cœur ce charmant bouquin plein de recommandations diverses que vous transmettez — avec les vôtres — à Petite Chérie. Ainsi :

— N'émettre que des pensées conformistes. Le prof aime qu'on lui ressemble.

— Ne pas dire que Platon est un emmerdeur, Roosevelt un gâteux, Confucius un *molleton*.

— Évitez également les expressions : « Corneille est *zabir*... et Racine *fastoche* » ou « Jésus a dit :

" Tous les hommes sont des *poteaux*. [...] Aimez-vous les uns les autres. " »

— Ne jamais oublier que les correcteurs sont d'une humeur de chien d'être là, à travailler, alors que leurs autres copains profs sont partis en vacances. Mettez une note d'humour mais pas trop, certains y sont complètement imperméables.

Etc. Etc.

Vous n'êtes plus qu'à quelques jours de la date fatidique. Mais nouveau souci, la convocation dite *collante* dite *convoc* n'est pas arrivée.

— Es-tu sûre d'avoir bien envoyé ton dossier ? demandez-vous, avec inquiétude, à Petite Chérie.

— C'est l'école qui l'a fait.

Vous téléphonez à la secrétaire. Est-il normal que vous, enfin, votre fille, n'ayez pas reçu la *convoc* pour le jour de l'examen ?

— Non, répond-elle d'une voix lasse (vous êtes la centième mère, depuis ce matin, à lui poser la question), c'est la faute des grèves tournantes de la Poste.

Vous haïssez la Poste.

De quel droit ces postiers, que vous payez avec vos impôts et à qui vous filez des étrennes somptueuses contre d'affreux calendriers ornés de chatons hébétés, risquent de faire rater son bac à votre cadette ? Vous envisagez de vous rendre à votre centre de tri, revolver à la main, pour les obliger à rechercher cette maudite *collante* (titre des journaux : « Rendue folle par le bac, une mère de famille braque une poste », etc.).

— Téléphonez-moi plutôt dans deux jours, dit la secrétaire à qui vous faites part de votre projet et qui n'en semble pas émue, je vais essayer d'obtenir des renseignements de l'ordinateur de l'Éducation nationale. Mais il est souvent en panne... à cause des grèves tournantes de l'E.D.F.

Vous haïssez l'E.D.F.

Vous haïssez le monde entier.

Miracle. La *convoc* arrive le lendemain matin. Apportée par un postier non gréviste. Merci. Merci. Vous lui faites passer, par la concierge, une bouteille de Blanquette de Limoux.

Petite Chérie est instamment priée d'aller passer son épreuve de philo à l'autre bout de Paris, dans le XIIIe. Pourquoi pas dans son quartier ? Mystère. L'Homme propose d'emmener sa fille dans cet endroit exotique. Joséphine préfère s'y rendre par le métro avec ses copines.

Mais la radio parle de grèves surprise à la R.A.T.P.

Vous haïssez la R.A.T.P. Et émettez le souhait que tous les enfants de grévistes échouent à leur bac. Bien fait.

Finalement, après un conseil de famille houleux, il est décidé que le Père entassera dans sa voiture toute la petite bande de votre adolescente. L'expédition partira avant l'aube, avec des vivres et une boussole, pour être sûre d'arriver à l'heure, malgré les embouteillages.

Vous vous levez la première au son de deux réveils (au cas où l'un ne marcherait pas. Toujours votre nature optimiste). Vous préparez le petit déjeuner copieux recommandé par les diététiciens et que Petite Chérie s'est toujours refusée à prendre : « Le matin, j'ai pas faim. » Vous remplissez sa besace de morceaux de sucre, de plaques de chocolat, de barres de Mars, de figues sèches (recommandé par le *Bac à l'aise*) — pour pallier toute défaillance hypoglycémique —, d'un rouleau de Sopalin contre la transpiration, votre photo, un petit pull...

Joséphine y rajoute Dieu sait quoi et son énorme

réveil anglais qu'elle transporte partout dans son sac, en lieu et place de montre (c'est *glauque*, une montre).

Vous lui faites jurer de vous téléphoner ab-so-lu-ment dès que l'épreuve sera terminée.

— Ne *flippe* pas, vous réconforte Petite Chérie, ça va être *coolos*...

Elle s'esquive avec le Père qui n'a pu absorber qu'une gorgée de café tellement il est énervé, lui aussi, et qui a fait réviser, la veille, sa voiture de peur qu'elle ne tombe en panne sur le trajet maudit.

Ils sont partis.

Vous vous apercevez à ce moment-là que vous avez complètement oublié de mettre un cierge à sainte Rita, patronne des causes désespérées, ainsi que vous l'a suggéré Mama Raviolis. Ou à la Sainte Vierge (comme l'a fait votre mère) ou à saint Nicolas, protecteur des petits enfants et des parents dans le malheur. Dans un élan, vous faites le vœu que, si votre fille réussit, vous ferez le pèlerinage de Lourdes. Parfaitement. D'habitude, vous n'êtes pas trop croyante. Mais aujourd'hui, il vous semble qu'un peu de foi ne peut pas faire de mal.

Vous vous reprochez même de n'avoir pas consulté, comme votre amie Sophie, un de ces nombreux sorciers dont la publicité vante l'excellence dans les journaux :

« MAMADOU DIA. Voyant-médium africain, don héréditaire, résout tous vos problèmes, travail, affaires, examens, amour sexuel. Envoûtement. Désenvoûtement. Résultats très surprenants. Paiement après succès... », suivi d'une adresse à Saint-Ouen.

Ou

« MANBO KEITA. Grand Marabout. Médaille garantissant la réussite en tout. Buvard à effacer les fautes d'orthographe. Lunettes pour voir l'avenir. Grigri permettant de s'évader de prison. Sollicité par plusieurs chefs d'État, ministres, leaders politiques (probablement pour le grigri permettant de s'évader de prison...) » Adresse à Belleville.

Pour de tels hommes, faire passer son bac à votre cadette ne peut être que jeu d'enfants.

Il y a un problème que vous n'avez pas osé évoquer avec Petite Chérie.

Celui des anti-sèches.

Naturellement, vous êtes contre. Tricher, mentir, copier, tout cela est contre vos principes les plus enracinés depuis l'enfance (toujours l'éducation des bonnes sœurs).

Mais...

... jouer la vie (parfaitement, la vie) d'une adolescente sur quelques heures où elle peut être malade, traqueuse, amnésique... Ou sur le fait que, exceptionnellement, elle n'ait pas préparé le sujet proposé alors qu'elle s'est *défoncée* sur les autres... est-ce juste ?

Bien sûr, vous n'êtes pas contre la sélection. Que les meilleurs gagnent !

Mais...

... vous avez tellement envie, vous aussi, de voir Petite Chérie quitter les bras de l'Éducation nationale pour s'élancer vers une nouvelle vie...

Aussi, lâchement, vous vous êtes abstenue d'en parler. Vous ignorez si elle transporte des résumés de philo dans ses baskets, une liste de citations de Sartre et Camus — plus quelques proverbes arabes — dans son soutien-gorge ou un *Petit Larousse* dans sa culotte. Vous ne voulez pas savoir. Honte sur vous ! Que sainte Rita, la Vierge de Lourdes, saint Nicolas et Mamadou Dia ne vous punissent pas !

Vous êtes en train de décider de voter pour le prochain président de la République qui proposera d'accorder automatiquement le bac à tous les adolescents à leur majorité, quand le téléphone sonne.

Catastrophe.

Catastrophe.

Dans son énervement, Joséphine a oublié sa *convoc*. Elle ne peut pas se présenter à l'examen. Elle sanglote dans le café du *Dragon Bleu* du XIIIe arrondissement.

— Ne pleure pas ! criez-vous, je te l'apporte immédiatement.

Vous attrapez le papier posé bien en évidence (trop en évidence) dans l'entrée et, en pantoufles et peignoir de bain rose fuchsia, vous galopez à votre parking et démarrez au volant de votre vieille 2 CV comme Prost lui-même au grand prix de Monaco. Stupéfaction des éboueurs. Hélas, ceux-là ne sont pas en grève et en profitent pour boucher votre rue avec leur sale benne à ordures.

Qu'importe. Vous montez sur le trottoir avec Miss Charleston, vous manquez d'écraser un motard qui hurle : « Attention à la mémé-turbo... elle est déglinguée de la tête ! », et vous traversez Paris en brûlant tous les feux rouges.

Votre entrée tumultueuse dans le café du *Dragon Bleu*, en pantoufles et peignoir de bain rose fuchsia, provoque une certaine surprise, même sur les visages habituellement impassibles des Asiatiques présents. Votre fille se jette à votre cou en vous couvrant de baisers. Elle a juste le temps de courir se présenter. Ouf !

La matinée s'écoule lentement. Lentement. Et si, en plus du pèlerinage à Lourdes, vous faisiez un tour à Lisieux ? La petite sainte Thérèse ferait peut-être un bout de miracle pour votre adolescente, au lieu de jeter inlassablement des roses de son tablier.

Les autres mères de candidates, au téléphone, sont aussi stressées que vous. Cette attente est une agonie. Même l'Homme qui, depuis une dizaine d'années, prétend qu'il a trop de travail à son usine pour penser à sa famille, vous appelle. Alors ? Alors RIEN. Le Père crie. Elle pourrait nous donner des nouvelles, cette petite garce ! Comment ? Par pigeon voyageur ? Mais cela vous réchauffe le cœur que l'Homme partage vos soucis.

Votre copine Bettina craque. Elle vous demande l'adresse du Marabout Mamadou Dia que vous avez sournoisement découpée. Si sa fille Pauline échoue à son examen, elle ira faire jeter un sort au ministre de l'Éducation nationale. Ah ! Ah ! Un bon envoûtement ! Voilà qui vengerait bien des *rems schtarbées* (trad. mères dingues d'angoisse)...

Téléphone. Vous vous jetez dessus. Une voix asiatique vous apprend que : « Mamoiselle Youséphine... pas le temps téléphoner... elle vous fait dire, elle rentrer à la maison... »

Enfin, Petite Chérie apparaît dans votre entrée, pâle, échevelée, épuisée...

Alors ?

Alors, elle ne sait pas...

Comment ça, elle ne sait pas ?

Non. D'après certaines de ses camarades de classe et ceux de ses profs qu'elle a pu joindre au téléphone (vous, elle n'a pas eu le temps de vous appeler... tant pis, tant pis ! Vite ! Parle !) elle aurait *tout bon*. D'après d'autres camarades et d'autres profs, elle aurait *tout mauvais*. De toute façon, les sujets de philo étaient dia-bo-li-ques, cette année. Inutile qu'elle vous les fasse lire, vous n'y comprendriez rien. Vous devez vous contenter de savoir qu'elle a choisi le sujet numéro deux. « Pourquoi observer sans théorie instruit-il si peu ? » (En effet, vous vous réjouissez que ce ne soit pas vous qui ayez eu à répondre à cette question. Vous n'avez aucun sens de l'observation et pas de théorie...)

Joséphine se re-jette sur le téléphone pour appeler mademoiselle Goupil, une charmante personne qui a eu la bonté de lui donner quelques leçons particulières en dernière urgence.

Mademoiselle Goupil est formelle à la lecture des brouillons enchevêtrés de Petite Chérie. C'est à la fois bon et mauvais. Selon les idées du prof qui corrigera la copie. Vous détestez cet anonyme dont dépend le sort de votre enfant et un peu le vôtre. Vous devriez avoir le droit de le connaître et de défiler devant la porte de son pavillon avec une pancarte « Le bac ou la mort » (la sienne).

Votre seule consolation est d'apprendre que si votre fille est collée, son voisin d'examen le sera aussi car il a honteusement copié sur elle. Bien que Joséphine l'ait honnêtement prévenu que ce n'était pas une affaire de *pomper* sur elle.

Et elle, votre cadette, a-t-elle... heu... *pompé ?*

— Non, répond-elle paisiblement. C'est trop dangereux de *gruger*. Si t'es piqué, tu ne peux plus passer d'examen pendant des années. Même pas celui de la Poste.

Cette remarque vous surprend. Vous n'aviez jamais envisagé que votre fille désirait entrer dans les Télécom. A votre avis, elle ne ferait pas une bonne postière, ce qui exige un tempérament placide, absolument imperméable aux réclamations des usagers pressés.

En revanche, Petite Chérie a vu des candidats *gruger* tout autour d'elle. L'un d'eux avait carrément écrit des résumés de Kant à même ses jeans. Un autre sortait des *grattes* d'un paquet de biscuits qu'il avalait en même temps que les Petit Lu. Une fille courait aux toilettes, toutes les dix minutes, consulter un Sénèque planqué contre son ventre.

Joséphine vous dévoile que les ruses des lycéens sont multiples. Certains en arrivent à envoyer des frères plus âgés et forts en thème, à leur place et sous leur nom. Des parents s'en mêlent. On connaît le cas d'un père posté en voiture dans une rue voisine, avec tous les livres possibles, et qui communiquait par radio avec son fils enfermé dans la salle d'examen.

Chaque année des sujets de français et de philo, pourtant enfermés dans le coffre-fort des directeurs, sont volés par des cambrioleurs torturés, eux aussi, par l'épreuve du bac de leurs propres rejetons. (On ne pense pas assez à ce cas social.)

Après des jours hallucinés pendant lesquels Petite Chérie continue à galoper dans le XIIIe arrondissement (vous êtes devenue intime au téléphone avec le patron du café du *Dragon Bleu*) pour passer d'autres épreuves (histoire-géo, anglais, etc.), arrive l'attente mortelle des résultats. Vous vous mettez à boire en douce un verre de vin rouge à 5 heures du soir, quand l'angoisse existentielle monte avec le crépuscule.

Jour de l'affichage des résultats.

— C'est pas la *teuf!* murmure Joséphine en se tordant les mains.

Non, ce n'est pas la fête !

Vous proposez de l'accompagner en voiture.

Elle s'y refuse avec indignation.

— Je ne suis pas une *têtarde !*

Tiens, un mot que vous ne connaissez pas encore. Votre copine Sophie, oui. *Têtard*, fém. *têtarde* : à l'origine, bons élèves fayots et agités. Par extension, tous les beaufs jeunes et vieux.

Hourra, Petite Chérie est admissible ! Vous n'auriez jamais espéré — il y a trois mois — un tel succès.

Joie familiale générale. Suivie d'une dispute sur le thème : comment s'habiller pour un oral de bac ?

La tenue punk est exclue. Mauvaise note assurée. Du reste, démodée. Ainsi que les maquillages extravagants et les parfums entêtants qui, loin de séduire les examinateurs, provoquent des allergies. Surtout chez les femmes qui ont tendance à être jalouses. Vous suggérez une petite jupe BCBG, des cheveux tirés, des talons plats. Petite Chérie s'y refuse. Si je tombe sur un vieux *babe* (ils se sont tous réfugiés, paraît-il, dans l'enseignement, après l'échec de leurs élevages de chèvres en Ardèche), c'est le zéro assuré.

Joséphine opte pour un jean propre, des baskets propres, un tee-shirt propre. Pas celui marqué HAINE, criez-vous... Ni l'autre imprimé DOUKTUPUDONKTAN... OU JE T'AI DANS LA PEAU, LÉON (votre fille s'est toujours refusée à vous révéler la boutique où elle se procurait ces tee-shirts qu'elle arbore avec fierté. C'est *fun*, non ?). Vous lui prêtez l'un des vôtres, de l'université de Berkeley, ce qui est déjà hardi, vous fait-elle remarquer, si l'examinateur est *bolche*.

Dans l'escalier, vous lui criez les dernières recommandations (toujours le *Bac à l'aise*). Ne pas garder les paupières baissées en se tordant les mains. Ni fixer le prof dans les yeux avec défi. Ni les lui crever en agitant son crayon. Ni pleurer (inutile, les examinateurs ont un cœur de pierre), etc.

Elle revient presque immédiatement.

Ça y est ! Elle a échoué !

Non, elle est passée la première, c'est tout. Pas de chance. Le prof était tout frais, l'œil vachard. Il n'a pas dit un mot, se contentant de triturer son nez, de tirer le lobe de ses oreilles, d'arracher les poils de son bouc. Tous indices effrayants, selon Freud, d'une nature sexuellement perturbée.

Petite Chérie se couche.

Au moins, vous êtes sûre qu'elle l'a effectivement passée, cette épreuve. Et les suivantes.

C'est déjà ça.

Un des quatre garçons de votre copine Victoire lui avait annoncé un succès triomphal avec mention et était parti pour d'excellentes vacances en Grèce, payées par des parents enchantés. Jusqu'au jour où la vérité avait éclaté. L'escroc en herbe n'avait même pas envoyé de dossier pour se présenter à l'examen. Et il avait toujours refusé de le faire. Ses convictions de cancre de choc le lui interdisaient. Dur pour une mère. D'autant plus que le jeune monstre était devenu un P.-D.G. brillant. Décourageant pour des parents qui essaient d'inculquer à leurs enfants que l'effort est toujours récompensé et la paresse punie. Ce qui n'est pas toujours vrai. Il y a des jours où l'on se demande à quoi pense Dieu. Et John Wayne, de là-haut.

Le jour de l'affichage des résultats définitifs, votre adolescente vous permet de l'accompagner. Elle a même une telle faiblesse dans les jambes que c'est vous qui vous battez avec un père, aux lunettes cerclées d'or et à la cravate en folie, pour lire les noms inscrits.

Et là, que voyez-vous ? Le nom de votre fille qui figure sur la liste des admis... Vous relisez trois fois... C'est trop bon !

Le père aux lunettes cerclées d'or essaie de vous pousser.

— Vous avez eu tout le temps d'apprendre la liste par cœur, maugrée-t-il, laissez votre place.

— Je t'emmerde, face de rat, répondez-vous, avec enthousiasme.

Et vous courez embrasser votre héroïne. Qui éclate en sanglots. Et vous aussi.

C'est donc en larmes, une fois de plus, toutes les deux, que vous téléphonez à l'Homme, du café du *Dragon Bleu.* Il commence par croire à une mauvaise nouvelle. Puis se fait répéter deux fois la bonne. Et vous invite le soir même chez *Maxim's* pour fêter l'incroyable événement.

Et discuter de l'avenir brillant qui s'ouvre devant votre fille.

La médecine ? Vous avez toujours rêvé de devenir une pédiatre réputée. Le droit ? Votre époux a toujours regretté de n'être pas un grand avocat. Sciences-po ? Pourquoi pas une femme ministre dans la famille ? Sciences-éco ? Le Père envisage avec délices que sa cadette lui succède à la tête de son usine.

Vous recevez un grand choc.

Petite Chérie vous annonce qu'elle a décidé d'arrêter là ses études.

— Merde à la Fac, dit-elle simplement. La galère des diplômes, très peu pour moi. *La compète, ça me gonfle !*

— Mais qu'est-ce que tu vas faire ? balbutiez-vous. Maintenant, il faut des D.E.U.G., des D.U.T., des D.E.A., des D.E.S.S. (Vous ne savez pas ce que ces initiales recouvrent mais vous les avez entendues flotter dans les conversations des autres parents), bref, des DIPLÔMES acquis au bout d'années de larmes et de sueur avant de rêver se présenter au moindre poste d'huissier...

— Tu n'as pas fait d'études sup., remarque votre cadette et tu t'es bien débrouillée...

— La situation n'est plus la même. C'est vrai que j'ai commencé par être dactylo sans savoir taper à la machine. Hélas, maintenant avec le chômage, les patrons sont plus exigeants.

Mais Joséphine reste inébranlable. Elle ne sera pas étudiante. Elle n'entrera pas *kif* chez son patron de père même avec un gros salaire (que personne ne lui propose).

L'Homme est en colère.

— Je n'ai pas l'intention de te nourrir à ne rien faire, hurle-t-il au-dessus de son mille-feuille de foie gras de canard.

Petite Chérie sourit affectueusement à son *nul* de papa.

Elle n'a aucunement l'intention de rester inactive.

Elle a même un *plan-canon*. Son avenir est tout tracé devant elle. Elle va maintenant vous le révéler.

Elle aime un certain Yann (allons bon !). Ce nouvel élu est un grand marin devant l'Éternel. Lui et votre fille ont décidé de s'acheter un bateau et de faire le tour du monde. *Éclatant,* non ?

La nouvelle vous secoue tellement, l'Homme et vous, que le champagne dégouline sur vos mentons.

D'abord, qui c'est, ce garçon ? Vous ne l'avez jamais vu. Une fille peut-elle être amoureuse d'un homme que sa mère ne connaît pas ? Quel âge a-t-il ? Possède-t-il son bac, lui ? Est-il vraiment bon capitaine ?

Les questions pleuvent en rafales sur Joséphine impavide.

Elle n'a qu'une réponse : C'est l'homme de sa vie et il est meilleur marin que Tabarly.

Vous n'en croyez rien : ça se saurait.

Elle sort alors une photo de sa besace.

Malheur.

Malheur.

Ce Yann est un très beau garçon. Un visage de pirate bronzé, avec des cheveux longs blonds, un petit anneau d'or de marin anglais dans l'oreille et un dragon crachant des flammes tatoué sur le biceps droit.

Vous avez un aveu à faire. Bien qu'étant une bourgeoise (relativement) honnête et conformiste, vous avez une passion secrète et perverse pour les hommes tatoués. C'est comme ça. Les tatouages vous font frissonner. Vous avez essayé en vain d'obtenir de l'Homme qu'il se fasse graver sur la poitrine A MA FEMME, avec une rose, il s'y est toujours furieusement refusé. Il vous a même interdit de vous faire imprimer un papillon bleu sur votre propre cheville (le comble du chic, non ?).

Mais là, malgré l'anneau d'or et le tatouage, vous n'aimez pas du tout, mais alors pas du tout, ce matelot surgi de l'océan. Des images se kaléidoscopent dans votre pauvre tête. Petite Chérie, loin de vous pendant des semaines, des mois, des années. Seule sur une mer immense avec cet aventurier inconnu. Se noyant, en vous appelant en plein cyclone...

Au secours ! Votre cœur et votre estomac se tordent.

L'Homme reprend le premier ses esprits.

— Et comment vivrez-vous, pendant votre tour du monde ? demande-t-il, sarcastique.

— En faisant du charter. Y'a plein de gens qui se débrouillent très bien comme cela. Sublime. Entre ciel et mer. Oubliés les horaires, les rendez-vous, les horloges pointeuses, les embouteillages. Bourlinguer avec des passagers adorables. Entre les clients, la solitude à deux. A trois même.

Joséphine envisage d'élever ses enfants (vos petits-enfants) en pleine mer. Elle leur enseignera son français très particulier et ils apprendront toutes les langues étrangères dans les ports.

Vous êtes tellement hors de vous que vous sifflez haineusement :

— J'espère que ton Yann n'a pas le Sida ?

PETITE CHÉRIE (saisie) : Et pourquoi qu'il aurait le Sida ?

VOUS (allô, Radio Vipère) : Une femme dans chaque port...

Vous avez juste le temps d'attraper votre assiette avant que la Douceur-de-vos-vieux-jours n'en renverse le contenu sur votre belle robe. Dieu merci, l'incident passe inaperçu dans cet endroit où vous désirez être honorablement connue.

— Et avec quel argent achèterez-vous votre bateau ? reprend l'Homme, implacable. Cela coûte cher, un bon bateau. Je ne suppose pas que vous ayez l'intention de promener vos clients sur une planche à voile.

Là encore, votre fille a sa réponse prête.

Le Maudit Marin possède déjà un voilier de dix mètres qu'il va vendre pour acheter une goélette de quinze mètres *d'enfer* sur laquelle on pourra embarquer six et même huit passagers et les balader aux Antilles et dans le Pacifique. Simple. Il suffit de gagner de quoi équiper la *Belle Sirène II* (c'est le nom de cette saleté de goélette). C.Q.F.D.

Vous coassez :

— Et comment gagnerez-vous cet argent ?

— En faisant des petits boulots.

— Des QUOI ?

— Des petits boulots. Yann a bien étudié la question. On peut très bien ramasser un *flot*, enfin beaucoup de sous comme ça...

— Tu parles ! dites-vous grossièrement.

— On verra ! répond Petite Chérie, le menton levé, avec défi.

C'était parti.

2

Dès le lendemain, votre cadette vous quitte, quelques vêtements hâtivement empilés dans un sac à dos...

... pour aller vendre des frites, des hot dogs, des glaces, dans une camionnette, sur une plage bretonne. Avec l'abominable Yann.

L'annonce de l'envoi d'une bombe atomique sur Cannes, par le colonel Kadhafi, ne traumatiserait pas plus l'Homme. Qui parle d'alerter la gendarmerie nationale pour kidnapping de sa fille par un Matelot Tatoué. Vous lui rappelez que Joséphine vient d'avoir dix-huit ans et que, d'après la loi, elle est majeure.

— Majeure... elle ? ricane le Père, elle n'a pas plus de cervelle qu'une jeune grenouille.

Vous lui faites remarquer qu'à votre avis, la gendarmerie nationale restera insensible à cet argument. (Les réflexions du Père sur ce corps d'élite de la Nation ont été censurées par l'éditeur.)

Vous avez des préoccupations plus urgentes. Vous soupçonnez que votre adolescente va faire le trajet Paris-la Bretagne, en moto, accrochée au cou de son nouvel élu. Cinq cents kilomètres sur le tan-sad d'une Honda rugissante ! Sait-il vraiment conduire cet engin de mort, cet inconnu qui vous enlève votre précieux trésor ? D'abominables statistiques vous hantent : les deux tiers des accidents de la route arrivent aux jeunes motards. Des images de corps disloqués défilent dans votre tête. Vous songez à téléphoner à l'hôpital de Garches pour retenir une place dans le service d'urgence, toujours débordé.

Où est-elle l'époque bénie où votre cadette était encore un bébé qui obéissait sans discussion à une mère aussi indulgente qu'avisée (vous) ?

Ce temps-là est fini.

Celui des folles imprudences est venu.

Vous vous en plaignez amèrement à voix haute.

Petite Chérie vous menace alors de rejoindre Plou-les-Ajoncs en stop. Et d'être violée par un routier pas sympa. Que préférez-vous ? L'accident de moto ou le viol ?

— Le train, bêlez-vous.

— Le train, c'est fait pour les *têtards*, assure votre fille, restée apparemment insensible à la publicité de la S.N.C.F. (publicité payée par qui, on se le demande ?)... et puis je n'ai pas *le flot*.

— Je te paie le voyage ! criez-vous.

Joséphine hésite. Un combat se livre en son âme.

— Je te préviens, dit-elle avec franchise, je vais prendre tes sous... et partir quand même en moto !

Vous la remerciez de son honnêteté. Fille Aînée vous a déjà fait le coup mais ne vous l'a avoué que dix ans plus tard.

Vous achetez alors un formidable casque intégral, vous mettez dans le sac à dos de votre adolescente un peu d'argent de poche dans une enveloppe portant votre nom et téléphone : « Personne à prévenir en cas d'accident », vous rallongez le tout du prix d'une communication téléphonique. Et vous faites jurer à la Prunelle-de-vos-yeux, sur la tête du Maudit Marin (si ça pouvait lui porter malheur!) qu'elle vous téléphonera dès son arrivée à Plou-les-Ajoncs.

A votre grande surprise, elle le fait.

Gaie comme une fauvette.

Voyage épatant à fond la caisse (vous frémissez rétrospectivement).

Village épatant au bord de la mer.

Camionnette épatante sur plage épatante.

Bref, tout épatant.

Et elle raccroche épatamment vite.

Vous laissant frustrée avec mille questions rentrées.

Vous appelez alors vos copines pour savoir si l'une d'entre elles a eu dans sa vie une fille pourvue d'un matelot tatoué d'un dragon sur le biceps droit, lui-même pourvu d'une camionnette à frites et à hot dogs. Aucune. Seule, votre amie Françoise comprend votre inquiétude. Sa petite dernière, Isabelle, pur produit parisien, s'est enfuie, elle aussi, en Bretagne, avec un indigène armoricain (depuis, votre amie hait les Bretons : peut-être allez-vous fonder une Association des Mères contre les Jeunes Bretons, l'A.M.J.B.) pour distribuer, à un péage d'autoroute, de petites galettes régionales pur beurre, en costume bigouden, avec jupons, tablier et coiffe en dentelle. Elle — votre copine Françoise — n'a aucune adresse et envisage de visiter tous les péages des autoroutes A 81 et A 11, en promettant une récompense à qui lui retrouverait la jeune folle amoureuse.

Cela vous frappe. A vous non plus, Petite Chérie n'a laissé aucune adresse précise. Plou-les-Ajoncs n'est même pas dans l'affreux guide Go et Gogo.

Vous faites part de vos inquiétudes, à la table du déjeuner, dans la maison du Lot, où toute la famille est rassemblée pour les vacances mais où manque votre cadette pour la première fois.

Fille Aînée tente de vous calmer.

— Laisse-la faire ses expériences, toute seule, comme une grande.

— Et s'il lui arrive quelque chose, comment le saurais-je ?

Vous ne parlez pas de votre adresse glissée dans les affaires de Joséphine. Vous êtes sûre qu'elle est perdue depuis longtemps.

Une mère n'est jamais optimiste quand ses enfants ont la possibilité de faire une sottise.

— Ne t'en fais pas ! les gendarmes te trouveront. Ils vous retrouvent toujours, assure Justine, forte de l'expérience de sa propre adolescence.

Bien que — on l'a vu — vous ayez, vous aussi, une grande confiance dans la gendarmerie nationale française, cela ne vous console pas.

Quinze jours passent.

Pas un signe de Plou-les-Ajoncs.

Vous craquez.

Vous entreprenez alors de persuader l'Homme qu'une cure de coquillages en Armorique lui ferait le plus grand bien. Et, au passage, tiens, on pourrait passer voir... Votre époux s'y refuse absolument. Il déteste les coquillages bretons. Bon, alors une cure de bains d'algues ? L'Homme déteste aussi les bains d'algues. Il n'est pas dupe. Il ne se remet pas qu'un pirate surgi des flots amers lui ait enlevé sa précieuse cadette sans sa permission. Qu'il n'aurait pas donnée. Il hait tous les jeunes mâles s'approchant à plus de deux mètres de ses filles bien-aimées. Il a fini par s'habituer à Monsieur Gendre mais a tendance à le considérer comme un neveu plutôt que comme le mari de sa Justine adorée.

Et il refuse de se retrouver face à face avec le marin, vendeur de frites.

— Je vais lui découper son tatouage avec mon vieux couteau suisse, prédit-il d'un ton sinistre.

Tant pis. Vous irez seule.

Le Père ne supporte pas cette idée. Vous sautez tous les deux dans la voiture, en prenant à peine le temps de confier les clefs de la maison à Fille Aînée. L'Homme, bien qu'il prétende n'y aller que pour vous accompagner, conduit comme Vatanen, accélérateur au plancher. Vous supposez même qu'il parle finlandais tant les grognements qui s'échappent de sa bouche sont incompréhensibles.

Surtout quand vous êtes arrêtés par la maréchaussée pour excès de vitesse.

Vous expliquez la situation aux représentants de l'ordre : votre fille disparue à Plou-les-Ajoncs. Soit tombée dans une bassine de frites bouillantes. Soit enlevée pour la traite des Blanches. Vous n'ignorez pas, monsieur le Gendarme, que ces choses-là existent...

Scandaleusement, les pandores ne compatissent pas du tout à votre problème. Contravention et menace de retrait du permis de conduire, voilà les seules paroles qu'ils ont à la bouche pour rassurer des parents hystériques.

L'Homme redémarre dans un rugissement de pneus et un festival d'injures — quand les flics sont trop loin pour entendre.

Ivre de rage, il tourne à droite alors que vous venez de lui indiquer de prendre la route de gauche. C'est vous qui, carte routière déployée sur vos genoux, servez de navigateur. Mais votre équipe ne gagnerait sûrement pas le rallye Paris-Dakar. Car votre époux n'a jamais pu se faire à l'idée que vous saviez reconnaître la droite de la gauche. Ni que vous pouviez lire une carte routière. Privilège masculin.

Vous avez beau lui rappeler que, dans vos veines, coule le sang de générations de brillants officiers de l'armée française, rien à faire.

— Tu m'as dit d'aller à droite, alors j'ai pensé que c'était à gauche, vous explique-t-il le plus calmement du monde, sans se douter que votre main étreint la manivelle de cric que vous rêvez de lui abattre sur le crâne.

Vous vous retrouvez embourbés dans une cour de ferme, au milieu d'un troupeau de dindons bretons glapissants.

— Je vais aller demander notre chemin aux fermiers, proposez-vous, mielleusement.

— Non, répond farouchement l'Homme.

Voilà encore un trait agaçant du caractère du garçon que vous avez épousé, naïvement, il y a de longues années. Son refus inexplicable de demander son chemin à un indigène, même si vous êtes égarés dans un faubourg de Mexico ou de Tokyo (Dieu existe, sinon vous y seriez toujours). Vous n'avez jamais eu l'explication de cette attitude névrotique.

C'est dire que votre arrivée à Plou-les-Ajoncs tient du miracle. En fait, vous apercevez, par hasard, une pancarte :

PLOU-LES-AJONCS
Sa plage sauvage
Son andouillette

... et vous vous retrouvez engloutis dans un océan de voitures et de caravanes. C'est pire qu'un embouteillage à l'Étoile à 6 heures du soir. De la ferraille à l'infini. Cachée derrière, la plage sauvage... qui n'est plus sauvage du tout mais recouverte jusqu'à l'horizon de corps nus et blancs comme des vers. Temps gris sinistre. La mer au diable. Une odeur de vase.

Et, à touche-touche, des camionnettes vendant des frites, des sandwiches, des hot dogs, des crêpes, des pizzas, des glaces, etc.

Comment retrouver Petite Chérie et son matelot de malheur, là-dedans ?

Impossible.

Rien n'est impossible à une mère inquiète.

Vous vous résignez à interroger TOUS les marchands ambulants. Vous. L'Homme, fidèle à son refus d'adresser la parole à un bipède local, fait la gueule à son volant. Vous commencez par la première camionnette. Accueil assez hostile dès qu'il apparaît que vous ne désirez même pas une sucette. Personne ne connaît une certaine Joséphine ou un dénommé Yann.

Quelques fabricants de crêpes, plus aimables, vous désignent l'horizon d'un geste vague. Seul, un Italien terrorisé vous présente précipitamment son permis de travail, sa patente, sa licence de restauration légère, son assurance alimentaire (au cas où vous seriez intoxiquée par ses pizzas), etc.

Enfin, dans la DERNIÈRE camionnette (c'est la vie) tout au bout du bout de la plage, vous apercevez des cheveux blonds ébouriffés sous un affreux calot blanc. Votre cœur fait un bond. Petite Chérie ! La Prunelle-de-vos-yeux !

Elle est en train de débiter à la chaîne des hot dogs, composés de bouts de baguettes dont elle arrache sauvagement la mie qu'elle remplace par une saucisse. Curieusement, celle-ci est parfois trop longue et dépasse du morceau de pain. Quelquefois, elle est trop courte et disparaît complètement dans la baguette. Qu'importe. Un petit groupe d'adolescents britanniques affamés, au teint rouge brique, suit avec passion l'opération et engloutit au fur et à mesure *les chiens chauds*. Vous constatez avec plaisir que Joséphine se débrouille très bien en anglais (même avec l'accent du Sud-Ouest). Vous n'aurez pas dépensé des fortunes en voyages scolaires en Grande-Bretagne pour rien.

Derrière elle, une silhouette masculine. Vous supposez que c'est l'abominable Yann qui s'agite devant une énorme bassine d'où il extrait à toute vitesse des frites dont il remplit de petites barquettes en plastique. Et hop! dans les estomacs des jeunes *Rosbeefs*.

Visiblement, c'est le coup de feu.

Votre fille vous aperçoit. Elle pousse un cri de joie, laisse tomber sa saucisse, sort en trombe de son véhicule et vient vous sauter au cou. Au vôtre et à celui de son papa.

Malgré votre immense amour maternel et paternel, vous reculez tous les deux, épouvantés.

Petite Chérie pue littéralement la friture. Ses cheveux, sa peau, ses vêtements sont littéralement imprégnés d'une terrible odeur.

L'Homme ne peut se retenir d'en faire la remarque.

— Dieu! que tu sens l'huile! murmure-t-il faiblement.

— Ce n'est pas de l'huile mais de la graisse de cheval, répond Joséphine avec indignation. L'huile est beaucoup trop chère, alors qu'on a eu cinquante kilos de graisse de cheval, aux abattoirs, pour quelques francs. En plus, ça brûle moins et ça mousse terrible.

Une famille d'Alsaciens dodus réclame pitance, interrompant le passionnant exposé de votre cadette sur les mérites de la graisse de cheval. Ils veulent la spécialité maison : hot dogs à la Joséphine.

— Avec ce temps frais et le vent du sud-est, tout le monde a un petit creux, c'est *bonos* pour les affaires, vous glisse Petite Chérie avant de retourner à son poste de combat.

Vous la regardez déchiqueter avec dextérité un morceau de pain. Vlan, une saucisse dessus. Et vlan, de vieux cornichons. Et vlan, une giclée de mayonnaise en tube... (berk) !

— Et avec ça, messieurs-dames, une autre spécialité maison ? crie-t-elle à tue-tête, des frites au ketchup !

Les Alsaciens ont l'air enchanté à l'idée de manger des frites à la graisse de cheval inondées de ketchup (re-berk !). Et demandent avec inquiétude si la mer, qui a disparu à l'horizon, va revenir. Visiblement, à Strasbourg, ils comprennent mal le système des marées. Votre fille les rassure. Et vous la voyez, tout en jacassant, ajouter d'autorité une forte dose de harissa sur le ketchup.

Les mangeurs de choucroute, dès la première frite, deviennent écarlates et ouvrent leurs bouches en feu comme des poissons sur un barbecue.

— A boire ! gémissent-ils.

— Voilà cinq Coca et cinq bonnes glaces qui vous rafraîchiront, assure Petite Chérie avec entrain.

Et hop, passez la monnaie !

Votre cadette vous fait un clin d'œil :

— Un truc épatant, le piment, pour donner soif, chuchote-t-elle. On sale aussi les saucisses à mort !

Vous comprenez que vous ignorez beaucoup de petits détails de la restauration dite légère. Le pire, soupire Joséphine, ce sont les *hyènes* qui se mettent à cinq pailles pour boire une orangeade.

Les Alsaciens brûlés au piment enfuis, Yann consent à vous dire bonjour.

Froidement.

A votre grande indignation.

Comment ? Voilà un individu, beau gosse certes

malgré l'affreux calot blanc qui orne son chef à lui aussi, dont vous ignorez le nom de famille (mais oui !), qui vous enlève votre fille, la Douceur-de-vos-vieux-jours, et loin de se jeter à vos genoux, pour implorer votre pardon, daigne à peine vous adresser la parole.

Pis. Il vous déteste visiblement autant que vous le haïssez. Inouï, non ?

Vous rêvez de lui arracher la boucle d'or de son oreille gauche, de l'étrangler, de le piétiner avec vos espadrilles. Un coup d'œil au visage fermé de l'Homme vous révèle qu'il partage votre envie meurtrière.

Petite Chérie ne se doute pas un instant de vos instincts sanguinaires. Elle babille gaiement. Et vous fait visiter son domaine avec une visible fierté.

L'énorme bassine à frire appelée la *négresse,* les bacs à frites, le frigo, le congélateur bourré de graisse de cheval, de glaces, de saucisses, de merguez, etc. Quand on les cuit, les saucisses éclatent et les merguez rapetissent, vous apprend votre fille, soucieuse. Et les frites ont tendance à être brûlées à l'extérieur et crues à l'intérieur... si, si ! C'est un véritable métier de faire des frites ! Absolument. (Cela n'avait jamais frappé votre héritière auparavant, quand vous en mettiez au menu, à la maison.)

Le petit couple ne vend pas de crêpes. Trop long à faire et les gens ont horreur d'attendre.

— Ils se barrent avant qu'on ait même fini d'étaler la pâte sur la plaque chaude, conte-t-elle sombrement, c'est *rameux !*

— Votre camionnette n'est-elle pas installée un peu loin du centre ? demande l'Homme, feignant hypocritement de prendre à cœur les intérêts commerciaux du « jeune ménage ».

— Ouais, mais on est à la sortie d'un camping et en face de la boîte de nuit !

La boîte de nuit ? Quelle boîte de nuit ?

La question reste sans réponse car un rayon de soleil brille brusquement entre deux nuages.

— Un petit coup de chaleur ! *Géant* pour la vente des glaces ! s'exclame votre adolescente qui attrape fébrilement une glacière portative et la remplit hâtivement d'esquimaux.

— Tu m'accompagnes ? vous crie-t-elle, en s'élançant vers la plage.

Vous la suivez, abandonnant lâchement l'Homme en tête à tête glacial avec le Maudit Marin.

> « ... glaces à la vanille,
> c'est bon pour les filles...
> glaces au citron,
> c'est bon pour les garçons... »

clame, à tue-tête, Joséphine en enjambant les corps, serrés les uns contre les autres, des vacanciers.

> « ... glaces au chocolat et aux amandes...
> c'est bon pour tout le monde... »

Vous glapissez en chœur avec elle. Votre présence en tailleur strict de toile noire (très chic, solde de Per Spook) semble surprendre les familles à poil étalées sur le sable. De votre côté, vous êtes effarée par le nombre de gros ventres blêmes à l'air, de seins tombants, de cuisses tremblotantes de cellulite. L'air sent la crème solaire. Et retentit du bruit de mille transistors tous branchés sur des stations différentes mais qui diffusent, avec un bel ensemble, des jeux où l'on peut gagner un splendide voyage à Tahiti ou un fabuleux canapé en faux cuir, un miraculeux four à micro-ondes ou un gigantesque ours en peluche. (Parfois, vous rêvez de tourner le bouton de votre radio ou de votre télé et de tomber sur une émission où l'on « perdrait » — son pantalon — une bonne claque — deux jours de prison, etc.)

Vous voilà entourée d'une nuée d'enfants avides d'esquimaux. Aucun n'a de monnaie. Petite Chérie, non plus. Elle les renvoie sans se troubler. Va en demander à ta mère ou au *Bar de la Plage.*

Des petits emmerdeurs en herbe veulent des glaces à boules ou au parfum pistache.

— La pistache, ce n'est pas bon pour les *gniards* comme vous, répond fraîchement Joséphine, et les glaces à boules, ça tombe dans le sable.

Une petite fille marchande :

— Ma maman ne m'a donné que cinq francs.

Elle est si mignonne que vous manquez craquer. Pas votre cadette.

— Ah non ! les parents, *ça me troue*, ils paient leur pastis le prix fort et après ils essaient de m'apitoyer en m'envoyant leurs mômes pleurnicher...

Vous remarquez d'autres marchands de glaces ambulants qui échangent aimablement des « Salut ! » avec elle.

— On s'entend bien entre vendeurs, en général, vous confie-t-elle. Sauf un, le premier jour, qui m'a fait un croche-pied. Tous mes esquimaux dans le sable ! Alors les autres l'ont poussé dans la mer et ont coulé sa glacière portative. On ne l'a plus jamais revu. Ce qui compte, c'est que tout le monde gagne son *bœuf.*

Un jeune beur vous dépasse en beuglant :

— ... Chichis, chichous... les bons beignets !

Gagne-t-il bien son *bœuf,* lui aussi ?

— Non ! les beignets, c'est pas rentable, affirme votre fille. A moins de faire la pâte soi-même et ça représente un *taff* infernal. Alors on les achète à l'usine et le bénef est presque nul. *Hard.*

Vous n'en revenez pas. Petite Chérie est devenue, en quelques jours, une commerçante avertie. Le sens du profit semble s'épanouir en elle comme nénuphar sur une mare au soleil. Qui l'eût cru ? Une jeune créature incapable de gérer son argent de poche et toujours fauchée le 20 du mois ! Tout cela à cause d'un Matelot Tatoué. Les voies du capitalisme sont impénétrables.

— Quel monde ! soupirez-vous.

— Ouais ! Ce ramassis de *viandox*, c'est pas triste mais c'est du bon *résult*...

Si c'est du bon *résult*... !

— Attention, chuchote Joséphine, on arrive à la plage privée...

— Et alors ?

— Les plagistes essaient de nous empêcher de vendre à leurs clients parce que ça fait concurrence à leur bar. C'est la *caille.* Mais ils n'ont pas le droit de nous interdire de traverser leur bout de sable de merde. Alors ces *galéreux* disent que nos glaces sont pleines de microbes et donnent la colique. Mais les vacanciers ne sont pas des *décalqués.* Ils voient bien que c'est la même marque d'esquimaux.

— La plage est immense, observez-vous. Pourquoi s'obstiner justement ici ?

— Parce que c'est le coin des riches, tiens ! Et je fourgue la marchandise deux fois plus cher. *Paisible !* Le tout est de liquider l'affaire en douce et à toute allure.

Hélas, au moment où vous tendez à une créature, couleur pain d'épices et vêtue d'un string doré démodé, une glace au chocolat, un Monsieur Muscle au front bas (127ᵉ prix à Lacanau-Plage) se jette sur vous et vous secoue comme un prunier.

— Eh là! Tire-toi d'ici, *pétasse!*

— Espèce de *corback*, touche pas à ma *rem!* hurle Petite Chérie.

— J'en ai rien à foutre de ta mère, glapit le primate en tee-shirt marqué Select Bar. Si vous vous barrez pas illico, je vous enferme toutes les deux dans les *chiottes*, le temps que vos saletés d'esquimaux fondent...

Cette perspective vous met hors de vous.

Vous attrapez une glace au hasard et vous l'écrasez sur le nez du fasciste de plage. Qui se met à piailler en faisant de grands moulinets de bras. Vous en profitez pour vous enfuir avec Joséphine qui rit à perdre haleine. Elle remarque néanmoins :

— Il faudra, à l'avenir, que je me méfie drôlement de ce *barje!*

Elle a raison.

Lorsque vous repassez en sens inverse, il vous guette, tapi derrière un parasol de sa plage privée. Et tente d'asperger vos glaces avec de la crème à raser. Mais, plus prompte, Petite Chérie a refermé sa glacière et la mousse Gillette ne barbouille que le tailleur en solde de Per Spook et les cheveux de Joséphine.

Vous pouffez, complices. Mais l'Homme a l'air mécontent de voir revenir sa femme et sa fille couvertes de crème à raser. Il est assis sur le sable d'un air lugubre, toujours en tenue de ville (il a furieusement refusé d'enlever non seulement sa veste de tweed et sa chemise Lacoste mais même ses chaussures). Il tourne le dos à la camionnette que Yann, l'exécrable kidnappeur de sa fille, astique dans un silence non moins hostile. Il est clair qu'aucun courant de sympathie n'est passé entre les deux hommes pendant votre absence.

— A quelle heure te baignes-tu ? demandez-vous à votre cadette.

— T'es malade ? Pas le temps...

— Tu ne vas pas me dire que tu ne trouves pas dix minutes dans la journée pour te plonger dans la mer !

— Ben non ! C'est le problème de ce boulot... On peut rester 4 heures sans avoir un client. Et tout d'un coup, y en a cinquante qui débarquent et veulent tous être servis en même temps. Et puis, la mer est dégoûtante... on est près d'un égout, ici. Heureusement, les *viandox* ne le savent pas. Simplement, ils ont des boutons. En ville, les sept pharmacies font des affaires d'or...

Tout le monde gagne son *bœuf* sur cette petite plage !

Votre Reine de la Frite n'a pas le temps non plus de dîner avec vous, au restaurant.

— Ce serait *craquant* ! Mais c'est une heure *perfecto* pour *carburer*. Surtout que la marée remonte. Les vacanciers aussi, qui s'entassent autour de la camionnette. Alors on grille une merguez pour que l'odeur leur donne faim. Et on allume toutes les guirlandes d'ampoules... on a la voiture la mieux éclairée de la plage (grâce à un compteur provisoire de maman E.D.F.) et ça attire les clients comme des papillons ! C'est *zam* !

Et votre fille, enthousiaste, de proposer une dînette à quatre, assis en rond sur le sable, avec orgie de hot dogs et de frites passées dans une friture propre, en votre honneur.

Le Père repousse cette charmante suggestion avec une lueur haineuse dans l'œil. Il préfère le bistrot du coin « spécialité d'andouillette » avec chaises, table, serviettes. Tout le confort bourgeois. Et sans vue sur les tatouages du marin détesté.

— Surtout, n'allez pas à la *Crêperie du Port*, vous recommande Joséphine. Le patron crache dans la pâte et la serveuse touille les Nescafés avec son doigt sale...

Hélas, *l'Auberge de la plage sauvage* est bourrée de touristes qui en ont marre des sandwiches au sable. Une heure d'attente. Vous abandonnez. D'autant plus que vous croyez comprendre qu'il ne reste rien au menu. Que des rougets arrivés lentement de la mer Méditerranée et de coriaces bœufs argentins accompagnés de frites. L'Homme frissonne au seul mot de frites.

Il n'y a pas non plus une seule chambre d'hôtel de libre à cent kilomètres à la ronde.

Vous retournez, tout penauds, voir Petite Chérie qui vous nourrit avec des pizzas échangées contre huit hot dogs avec le vendeur de la *Bella Napoli* à côté. (Ce système de contrepartie permanent permet aux « restaurateurs » ambulants de ne pas se retrouver à l'hôpital à force d'avaler leur propre production.)

Vous décidez de regagner le Lot dans la nuit.

— Pas question ! dit gaiement votre fille. Vous n'avez qu'à vous installer sous notre tente, derrière la roulante. Nous, nous dormirons « en chenilles ».

— En quoi ?

— « En chenilles... », ça veut dire à la belle étoile.

Curieusement, la perspective de dormir sous une tente, sur du sable breton, près d'un égout, ne semble pas enchanter votre époux. Mais vous savez comment le convaincre.

— On n'est pas si VIEUX qu'on ne peut plus dormir ailleurs que dans un lit douillet, lui chuchotez-vous.

Aussitôt, l'Homme se redresse. Parfaitement, il n'est pas si VIEUX. Parfaitement, il peut dormir sous une guitoune comme au temps où il était boy-scout. Non mais !

Et vous voilà rampant, tous les deux, sous l'abri de toile hâtivement monté par votre fille et le Maudit Marin. Dans l'œil duquel vous croyez voir briller une lueur ironique. Oh la ! Vous allez lui montrer à ce *têtard nul* (vous aussi, vous pouvez parler verlan) que vous êtes des bourgeois *d'enfer*.

L'Homme de votre vie est grand et large. D'habitude, vous adorez. Aujourd'hui, il remplit les trois quarts de la tente. Vous serez obligée de dormir sur la tranche. Le sable est dur. L'air étouffant. Au bout de quelques minutes, vous constatez que vous êtes trois. Avec un moustique. Puis un second se met à vrombir. Vous tapez dans les mains à la ronde, y compris sur le nez de l'Homme qui sursaute et manque faire s'écrouler votre refuge d'une ruade. Maintenant, il y a un congrès de moustiques. Probablement les égouts qui attirent ces sales bêtes.

— Ne t'agite pas comme ça, tu me donnes mal au cœur, gémit votre époux. Déjà, avec ces saloperies de pizzas, je ne me sens pas bien. J'espère qu'ils ont une assurance pour intoxication alimentaire.

Vous venez à peine de vous endormir que vous êtes réveillée en sursaut par des clameurs. C'est la sortie de la fameuse boîte de nuit locale. Tout un groupe de jeunes ivrognes crient, éructent, chantent. Ils se prennent les pieds dans les cordes de votre tente. Horreur, ils la secouent même. Hé ! Ça ronfle là-dedans ?

Mais, Dieu merci, ils abandonnent l'idée d'arracher de dessus vos cheveux gris votre frêle abri de toile et se ruent sur la camionnette. Où Petite Chérie et l'abominable Yann, hagards et ensommeillés, plongent frénétiquement des frites dans la graisse bouillante et font griller des merguez.

— On-a-faim ! On-a-faim ! braillent d'une voix pâteuse les représentants de la belle jeunesse de Plou-les-Ajoncs.

Votre fille vous avait prévenue : c'est dur de se relever à 3 heures du matin pour servir des tarés bourrés de bière mais c'est rentable : du cinq cents pour cent. *Coolos*, non !

Vous sortez à quatre pattes de votre guitoune suivie de l'Homme, ressuscité en plein cauchemar, et qui crie : « A bas les Japonais bretons ! »

Mais l'atmosphère se gâte. Deux jeunes loubards, saouls comme des *barres à mines*, veulent absolument emmener Petite Chérie dans une balade en voiture. Elle refuse, avec un sourire tranquille qui force votre admiration mais exaspère ses admirateurs. Qui tentent d'escalader la planche faisant office de bar. Le Matelot Tatoué s'avance pour défendre son territoire et sa petite Reine de la Frite.

Bagarre.

— J'y vais ! crie l'Homme avec enthousiasme, retrouvant ses vingt ans. Il les perd immédiatement d'un formidable coup de poing qui l'envoie, les bras en croix, sur le sable. La chute du Père défendant sa fille est accompagnée par un tonnerre d'applaudissements. Il vous manque cruellement, John Wayne.

— J'appelle les flics, hurlez-vous à votre fille.

— Surtout pas ! beugle celle-ci en retour, faut pas faire fuir la clientèle... On va seulement leur *avoiner la tronche !*

Elle saisit une louche qu'elle emplit de graisse de

cheval bouillante et qu'elle jette sur les deux agresseurs. Telle dame Hildegarde assiégée dans son donjon de Montruc. Les chevaliers noirs poussent un meuglement de douleur et s'enfuient honteusement, sous les lazzis de la foule qui se jette alors sur les merguez-frites. C'est la *teuf* !

Pas pour l'Homme qui se relève, ivre de rage.

— Je vais tuer quelqu'un, annonce-t-il.

— Ce sont juste des *yaourts* pas méchants, plaide Petite Chérie. Y'en a tous les soirs...

Votre sang ne fait qu'un tour.

— Il n'est pas question que tu restes une minute de plus dans cet endroit immonde, mêlée à des bagarres qui peuvent tourner mal.

— Ne t'énerve pas, Ma Maman ! Yann a une chaîne de vélo et moi un sifflet.

— Ce n'est pas un sifflet qui va arrêter ces brutes !

— Mais si ! Les copains des autres camionnettes rappliquent... on est tous solidaires... et, en deux minutes, les *brothers*, qui font des histoires, sont jetés à la mer.

Vous n'êtes pas convaincue. Surgit alors de la nuit une jeune fille, l'air terriblement pressée.

— Oune Coca-Cola ! Quick ! Vite ! crie-t-elle à Joséphine d'un ton angoissé et avec un fort accent américain.

— Yeah ! répond votre fille en s'affairant précipitamment.

La créature yankee s'éloigne au galop avec sa bouteille. Vous êtes surprise. Vous ne saviez pas qu'il existait des drogués en manque de Coca-Cola.

— Mais non ! vous murmure votre cadette, c'est une Américaine qui s'en sert comme contraceptif !

Vous en restez bleue. A votre âge, vous ignoriez que la célèbre boisson remplaçait la pilule. Dès votre retour à Paris, vous courrez chez votre gynéco échanger son ordonnance de Stediril contre du coke-sans-sucre.

— T'es *ouf*? sursaute Petite Chérie, ce n'est pas pour boire... mais... heu... comme douche vaginale... tu secoues la bouteille et hop! là où tu penses!

— Et ça marche?

— Je n'en sais rien. Beaucoup d'Américaines font ça. Moi je préfère la pilule, c'est plus sûr.

Vous respirez. Votre héritière n'est pas enceinte. Votre éternelle terreur.

Vous êtes épuisée par l'heure tardive, l'émotion de la bagarre et la révélation des méthodes intimes sexuelles des jeunes filles yankees. Vous décidez d'aller vous recoucher sous votre tente avec l'Homme qui continue à se masser le menton, en roulant des yeux furieux. Le Maudit Marin range calmement sa petite cuisine, aidé par votre fille. La même qui ne vidait jamais ses cendriers à la maison ni ne nettoyait la baignoire commune...

Vous êtes à nouveau réveillée, dès l'aube suivante, par un Noir qui essaie de vous vendre un tapis qu'il porte en équilibre sur sa tête. Vous n'avez jamais rencontré personne qui achète ses tapis sur une plage. Il semble pourtant rempli d'espoir. Vous ne vous en débarrassez qu'en faisant l'emplette d'un masque grimaçant en bois noir. Il est hideux. Mais vous pensez que c'est justice. L'Afrique se venge de l'affreuse pacotille colonialiste en vous renvoyant, à son tour, ses cochonneries folkloriques.

Petite Chérie, fraîche et rose, après avoir dormi trois heures « en chenilles » sur le sable, vous propose d'aller prendre une douche au camping.

— On nourrit en glaces la famille du gardien et, en échange, on peut s'y laver et y louer un cagibi.

L'Homme marmonne qu'il veut aller en ville téléphoner à son usine pour s'assurer, comme tous les matins — même en vacances —, qu'elle n'a pas disparu pendant la nuit. Il est hagard dans son pantalon froissé. Votre tailleur de Per Spook, lui, a l'air d'un chiffon. Vous tenez à signaler à ce grand créateur de la Haute Couture française que ses modèles ne résistent pas à une nuit sous la tente. Qu'il essaie.

Yann doit également se rendre à la banque y porter la recette de la veille, camouflée dans la boîte à outils. Puis passer chez le boulanger chercher les baguettes des hot dogs. Et enfin, chez son papa, charcutier de son état, y prendre les saucisses — trop salées — « qu'il nous vend au prix de gros. *Bonard !* » précise Joséphine.

Renseignement intéressant. L'exécrable kidnappeur de la Prunelle-de-vos-yeux est un enfant du pays et son papa fabrique la meilleure andouillette du département. Si l'équipée du jeune couple, en goélette, à travers les Caraïbes, échoue, Petite Chérie deviendra la Reine des Charcutières de Plou-les-Ajoncs. Vous aviez d'autres projets pour elle mais au moins ni votre cadette ni vous ne manquerez de saucisses — trop salées — jusqu'à la fin de votre vie.

— Et maintenant, vite la corvée de pluches avant que les campeurs ne se réveillent...

Allons bon ! Dur métier que celui de la Frite !

Votre fille ouvre la porte d'un placard dans la douche du camping et vous apercevez avec horreur un tas de patates aussi haut qu'une montagne. Et encore ce n'est, paraît-il, qu'une petite partie des sept tonnes de bintjes achetées à un agriculteur, au début de l'été, et qui germent sous un hangar dans la lande bretonne.

Avec une habileté dont vous ne l'auriez pas soupçonnée capable, Petite Chérie installe une planche en travers d'un lavabo et pose dessus une énorme éplucheuse. Vroum! Vroum! Patates épluchées. Deuxième machine. Vroum! Vroum! Patates tranchées en frites et déversées dans une immense poubelle pleine d'eau et très lourde que vous aidez à transporter jusqu'à la camionnette. Il était temps. Les premiers campeurs commencent à s'attrouper autour de la roulante où Joséphine s'active sans perdre une seconde. Vous la voyez même sortir du frigo de vieilles frites de la veille qu'elle fait réchauffer sans sourciller.

— Tu ne vas pas leur servir ça au petit déjeuner, vous exclamez-vous, épouvantée.

— C'est vrai qu'elles sont *dégueu*, approuve votre cadette sans s'émouvoir, mais je les mélange à des « fraîches » et ils ne sont pas assez réveillés pour remarquer quelque chose. Tiens, mets du ketchup dessus, s'il te plaît.

Vous attrapez la bouteille avec méfiance. Vous avez raison. Vous secouez frénétiquement, rien ne sort et puis brusquement, avec un *gloup* dégoûtant, tout le ketchup se déverse et recouvre la barquette d'une marée rouge. Vous criez « merde! », vous vous reculez et vous vous brûlez la main droite dans la graisse de cheval brûlante. Chienne de vie que celle de restauratrice de plage!

Petite Chérie sort d'une petite pharmacie une énorme boîte de pansements dont elle vous recouvre les doigts, avec le calme de vieilles troupes qui en ont vu d'autres.

— Au début, moi aussi, j'avais les pinces toutes brûlées et recouvertes de gaze, vous avoue-t-elle, maternelle.

Le moment vous semble venu des confidences.

— Est-ce que... heu... Yann et toi, vous comptez vendre des frites longtemps ?

— On gagne un pognon fou. *Un méga flot*. A la fin de l'été, on aura payé les mâts et les ancres de la *Belle Sirène II*.

Mauvaise nouvelle.

— Et... heu... tu l'aimes, ce Yann ?

— Ouais. J'en suis dingue !

Ça, vous l'avez déjà entendu à plusieurs reprises. Mais impossible de le faire remarquer à une petite créature qui croit toujours être folle amoureuse pour la première fois. Et vous plongerait la tête dans sa bassine de graisse bouillante si vous osiez insinuer le contraire.

— Et... hem... tu comptes l'épouser ?

— Ouais. On a même décidé qu'on aurait trois enfants. Mais d'abord, on va naviguer un an ensemble pour être sûrs qu'on s'entend bien.

Vous faites une prière silencieuse à sainte Rita, saint Nicolas, la Vierge de Lourdes, la petite Thérèse de Lisieux, le grand sorcier africain Mamadou Dia, pour que les scènes de ménage à bord de la *Belle Sirène II* soient plus nombreuses que les coups de vent.

— Et tu l'as rencontré où ? demandez-vous, curieuse.

— Ben, au stage de voile où tu m'as envoyée, à Palavas. Il était moniteur.

— Salut ! intervient gaiement le vendeur d'une camionnette de crêpes à côté. Tu peux surveiller ma caisse ? Je suis en panne de gaz et je dois aller chercher une bouteille.

— *Y a pas lézard*, répond Petite Chérie, tout miel.

Mais le jeune homme, que votre fille vous présente comme un étudiant en droit, n'a pas l'air pressé. Il s'accoude au bar pour faire un brin de causette avec votre cadette. Vous le trouvez charmant. Un futur avocat — même installé dans un cabinet au fond de la Creuse — serait un gendre plus sérieux et moins lointain qu'un marin errant sur les océans. Aussi encouragez-vous sa cour avec un large sourire attendri.

Hélas, retour de Yann, les sacoches pleines de saucisses paternelles — trop salées —, tenant un buisson de baguettes de pain. Il en fait tomber une par terre. Pas d'importance. On époussette et les grains de sable croquant sous les dents des affamés ne donneront que plus de saveur aux hot dogs. En revanche, le navigateur fait la gueule en apercevant l'étudiant en train de faire les yeux doux à sa *pouff*. Tiens, il est jaloux. Vous êtes ravie. Bisque, bisque, rage...

C'est au tour de l'Homme de revenir.

— On rentre, vous dit-il d'un ton sec.

Vous étreignez farouchement Petite Chérie sur votre large poitrine. Et vous serrez du bout des doigts la main du monstre qui vous l'a enlevée. Le Père, sans un mot, sans un geste d'adieu, se met à son volant et démarre comme un fou.

Vous roulez quelques kilomètres dans un silence électrique.

Puis l'Homme explose.

Il HAIT le Matelot Tatoué. Il rêve de lui couper les doigts de la main droite — toujours avec son vieux couteau suisse — afin qu'il ne puisse plus jamais tenir une écoute de grand-voile. Ou alors, d'un coup de baguette magique, de le transporter lui et sa saleté de camionnette à frites au cœur du Sahara (tant pis pour les malheureux Touaregs).

Votre époux ponctue ses phrases de gestes désordonnés qui terrorisent les autres conducteurs. Qui vont sûrement vous dénoncer à la police de la route.

55

Cette fois, vous ne couperez pas au retrait de permis de conduire.

Vous tentez de calmer le fou à son volant.

Allons! Ne dramatisons rien. Votre héritière numéro deux fait une expérience qui lui apprend la vie... (tiens, la phrase de Justine).

— Expérience... mon cul! hurle le Père qui devient grossier.

Il n'a pas donné ses tripes, tel le Cormoran, pour élever sa précieuse petite fille, afin qu'elle vende des saucisses immangeables avec une brute qui a un grelot dans le crâne en guise de cervelle et un tatouage comme un échappé de prison. Et puis cette histoire de bateau charter... connerie! Sa Joséphine ne va pas servir de bonniche à de gros crétins de plaisanciers, puants de fric et de prétention!

Il faut arrêter ça, tout de suite!

Oui. Mais comment? A moins de kidnapper votre enfant et de la faire pousser comme une endive, ligotée dans votre cave.

— Qu'est-ce qu'on peut faire? demande votre époux accablé.

— Rien. Attendre. Le calvaire des parents.

L'Homme regrette une fois de plus, à haute voix, le temps béni où les filles étaient enfermées dans des couvents et épousaient sagement de merveilleux prétendants choisis par leurs papas. Malgré votre féminisme ardent (quoique souvent dissimulé par crainte des réactions violentes de votre macho : vous êtes courageuse mais pas téméraire), vous approuvez.

— En tout cas, dit votre mari farouchement, moi vivant, jamais ce Maudit Marin ne mettra les pieds chez moi...

Voilà qui ne va pas arranger les relations avec Petite Chérie.

Mais votre Seigneur et Maître a parlé.

Vous rentrez dans le Lot sans ajouter une seule parole.

Chacun broyant ses idées noires.

Vous, ce qui vous énerve le plus, c'est d'avoir dû élever une jeune créature indolente et, disons-le, un peu paresseuse, et de l'avoir vue se transformer en petite abeille bourdonnante dix-huit heures par jour. Par la seule grâce de l'amour d'un matelot vendeur de frites. Vous avez beau savoir que la passion métamorphose miraculeusement les jeunes filles (et les autres), vous trouvez cela fort de café. Au fond, vous êtes jalouse. Ce n'est pas beau, hein ?

Fille Aînée flâne dans le jardin de votre petite maison, paisiblement installée avec ses enfants, par un temps ravissant. Elle vient vous embrasser mais se recule, épouvantée.

— Vous puez la graille ! s'exclame-t-elle avec horreur.

— Les frites de ta sœur ! explique l'Homme, entre ses dents.

Vous désignez Jolie Princesse qui joue innocemment sur son tas de sable.

— Je t'interdis d'envoyer JAMAIS ta fille à un stage de voile, criez-vous, avec rancune, à Justine, interdite.

3

Vous revenez à Paris par un bel après-midi de début septembre. La porte de votre appartement est coincée par une marée de vêtements en désordre dans l'entrée. Votre cœur saute de joie. Petite Chérie est de retour au domicile de ses parents. Vous appelez. Personne ne répond. Était-ce seulement son fantôme ? Non. Une terrible odeur de graisse de cheval embaume votre logis.

Vous ramassez un énorme ballot de linge sale que vous enfournez dans la machine à laver. La puanteur grailleuse imprègne maintenant votre cuisine. Vous notez d'acheter d'urgence des bougies parfumées au jasmin afin de rendre l'atmosphère respirable pour le retour de l'Homme à son foyer.

On sonne à la porte. Vous courez ouvrir. Derrière, votre fille cadette. Qui vous tend quelques lettres (factures et publicités) et un paquet de livres. Vous la remerciez et vous penchez pour l'embrasser. Mais elle vous échappe et dégringole l'escalier en criant :

— Pas le temps... ! Je dois distribuer le courrier de 4 heures...

Vous vous élancez derrière elle.

— Tu quoi ?

— ... je remplace la concierge pendant ses vacances... t'expliquerai !

Elle disparaît dans les étages. Vous rentrez, pensive, chez vous. Vous saviez que Mama Raviolis partait en effet, dès le lendemain, pour son appartement de La Grande-Motte. Mais vous ignoriez que Joséphine assurait l'intérim.

En allant chercher vos bougies plus quelques baguettes d'encens, vous l'apercevez dans la loge, prenant fiévreusement des notes sous la dictée impétueuse de votre chère gardienne d'immeuble.

L'Homme rentre de son usine. Vous lui annoncez que sa fille a trouvé un nouveau petit boulot. Il hausse les épaules et se plaint amèrement de la senteur de friture mélangée à celle du jasmin et de l'encens. Le mélange lui donne mal au cœur, à lui et à son chien.

Vers minuit, Petite Chérie remonte, bourrée des recommandations de Mama Raviolis. Vous lui dites que vous êtes un peu vexée de n'avoir pas été tenue au courant mais contente de la revoir.

Vous êtes moins contente quand le téléphone sonne le lendemain matin à 6 heures. Vous bondissez de votre lit, affolée. Votre mère a eu un accident cardiaque ou Fille Aînée est au service d'urgence des Enfants malades ? C'est votre cadette qui s'est fait réveiller par les Télécom.

Pourquoi diable à 6 heures du matin ?

— Pour sortir les poubelles de l'immeuble, vous crie-t-elle, avant de s'enfuir en pyjama.

Vous entendez ensuite un bruit effrayant dans la cour. Le roulement d'une armée en marche. Éclatent les cris de fureur des locataires réveillés en sursaut. Puis un silence pesant succède brusquement au tintamarre. L'immeuble se rendort. Pas vous. Petite Chérie rentre en se heurtant dans tous les meubles — elle doit avoir les yeux fermés de sommeil — et se jette pesamment sur son lit qui grince.

A 7 heures et demie, deux réveils résonnent bruyamment dans la chambre de votre fille. (Elle a pris votre manie de ne jamais faire confiance à un seul réveil.)

Elle se relève et redescend.

Fracas des boîtes à ordures sur les pavés de la cour, rentrant vides à leur poste. Silence à nouveau. Que fait votre cadette ?

A 8 h 15, comme d'habitude, vous entendez le glissement furtif du journal sous votre porte. Vous vous précipitez. Vous trouvez Petite Chérie, à quatre pattes sur votre paillasson. Elle se redresse. Mécontente.

— Est-ce que tu sais que tu es la seule de l'immeuble à exiger qu'on te monte ton journal à cette heure-là ? Tous les autres locataires attendent 9 heures.

— J'aime bien parcourir mon quotidien avant de me mettre à travailler, plaidez-vous.

— Abonne-toi au *Figaro :* ils livrent par porteur spécial à l'aube.

— Je préfère l'acheter au kiosque à midi : cela me fait une promenade...

La concierge remplaçante n'est pas attendrie.

— Est-ce que tu peux me filer ton Monsieur Propre ? La locataire du cinquième/cour est une cochonne ! Elle a jeté ses ordures directement dans la poubelle de l'immeuble et non dans un sac plastique. Et je dois nettoyer. *Dégueu !*

Vous allez chercher votre bouteille — il faut aider les débutantes pleines d'ardeur — et proposez un petit *déj' d'enfer* pour travailleuse de choc.

— ... pas le temps ! crie à nouveau Joséphine. Le facteur des lettres va passer. J'ai une demi-heure pour distribuer le courrier. Et je dois intercepter les représentants qui essaient de se glisser dans la maison !

Vous ne la voyez pas de la matinée. Seul signe de son existence : votre courrier (toujours à base de factures et de publicités) glissé silencieusement sous votre porte.

Et un petit carton d'une entreprise : Dépannage éclair ; plomberie-électricité-chauffage, etc. Petite Chérie a loupé son interception du représentant.

Elle surgit, affamée, à l'heure du repas de midi.

— C'est *ouf !* Il est passé sept facteurs différents ce matin. Pour les journaux, les lettres — deux fois —, les recommandés, les colis, les mandats, les imprimés...

— Les Télécom sont une grande entreprise nationale, remarquez-vous.

— La plupart des facteurs sont des *décalqués de la tête*... certains lancent le courrier par la fente dans la porte de la loge... Vlan! ou même par la fenêtre ouverte sur la rue... D'autres *nuls* laissent tomber les paquets, dehors, sur le paillasson... Y' en a qui sont en uniforme... Quelques-uns portent juste le pantalon ou la casquette de travers, avec la sacoche sur le ventre... Des *têtards* ne te disent même pas bonjour. En revanche, tu ne peux pas te dépêtrer des *acharnés* ou des syndicalistes qui font de la politique... Le préposé aux colis, lui, est un ange : il répare les téléviseurs.

Vous êtes passionnée par cette étude sociologique du Facteur. Vous n'y aviez jamais songé. Voilà comment naît la lutte des classes.

Cependant, d'après Joséphine, le pire moment de la journée : celui de la distribution du courrier aux locataires.

— ... la plupart veulent qu'on le glisse sous la porte sans bruit... comme toi! D'autres qu'on le dissimule sous le paillasson... Certains, qu'on sonne un coup et qu'on se sauve! Ils doivent ouvrir tout nus!... L'avocat du premier étage/rue exige qu'on le lui donne à lui, personnellement... Les retraités du rez-de-chaussée/rue te l'arrachent des mains par la porte à peine entrouverte. Et chez la vieille dame du premier/cour, il faut taper suivant un code convenu pour qu'elle consente à tourner ses trois serrures et ses deux verrous...

Vous réalisez avec honte que, depuis vingt-cinq ans que vous habitez l'immeuble, vous ne connaissez personne. Juste l'antiquaire du dessous que vous inondez régulièrement.

Et, vaguement, la dame divorcée du dessus dont vous avez pris la défense quand une pétition — suscitée par la femme du psy du sixième — a circulé pour empêcher ses petites filles de s'exercer pendant des heures au piano. Massacrant avec ardeur la *Valse brillante* de Chopin. Vous, vous aimez ce bruit de fond qui vous rappelle votre enfance.

Oui, vous en prenez conscience. A l'heure où tout le monde parle de convivialité, vous vous conduisez en sauvage, en égoïste. Vous n'avez jamais prêté de sel à quiconque. Mais personne ne vous l'a demandé. Auriez-vous dû parcourir les étages, votre boîte Cérébos à la main ?

Ou entamer de longues conversations dans l'ascenseur. Vous devez avouer que vous vous contentez d'un petit signe de tête et d'un lointain sourire. Mais l'attitude des voisins n'est guère plus aimable. Ils se plaquent contre la paroi de l'engin, le plus loin possible de vous, comme si vous aviez le Sida.

Les enfants du cinquième ont l'air terrorisé. Pourtant, vous essayez d'être gentille :

— Ça va en classe ?

Oui étranglé.

— Tu aimes le piano ?

Oui étouffé.

Vous vous demandez ce que leur mère a pu leur raconter sur votre compte pour qu'ils aient si peur de vous.

Quant à la femme du psy du sixième (une pétitionnaire acharnée : il paraît qu'il y en a une dans chaque immeuble), dès qu'elle vous aperçoit dans la rue, elle fonce pour entrer dans l'ascenseur. Et vous claque la porte au nez quand vous arrivez. Du coup, vous faites la même chose. Y'a pas de raison. C'est à qui attrapera la première le Botis-Pafre et laissera l'autre piétiner avec ses paquets, en attendant qu'il redescende.

En ce qui concerne les locataires de l'immeuble/cour, vous en ignorez tout. Vous savez seulement qu'au cinquième, vit une chanteuse qui se balade toute nue. Vous la voyez quand vous fermez les volets des chambres de vos filles. La femme du psy a bien essayé de faire circuler une pétition — une fois de plus — pour qu'elle mette au moins une culotte. Mais personne n'a voulu signer, prétextant qu'on en voyait autant et même plus à la télévision.

Vous êtes dévorée de curiosité au sujet de tous ces gens que vous croisez depuis tant d'années et dont vous ne savez rien. Mais Petite Chérie n'a pas le temps de bavarder. Elle doit redescendre *galérer* dans sa loge.

— J'ai droit à trois heures de repos dans la journée, piaille-t-elle, du ton revendicatif d'Arlette Laguiller. Pendant ce temps, je promène la chienne de la vieille dame du premier étage/cour... J'arrose les plantes et je soigne l'oiseau de l'attachée de presse du deuxième/rue, qui est en voyage. Mais c'est payé en plus.

Elle se sauve. Vous vous réjouissez que votre fille continue à se livrer à des activités qu'elle dédaignait en d'autres temps. Comme sortir le chien et rendre de menus services. Vous l'avez déjà constaté pendant l'été : l'appât du gain transforme les demoiselles.

Quand vous sortez faire l'emplette d'une nouvelle bouteille de Monsieur Propre, vous trouvez Joséphine en train de passer un énorme aspirateur dans l'escalier. Vous ne vous doutiez pas qu'elle savait se servir d'un aspirateur. Du reste, à la voir enroulée dans son fil, elle a du mal à apprendre. Elle se plaint que *ses* locataires ont tous rapporté des tonnes de sable, comme souvenir de vacances, tellement *son* escalier en est plein.

Quant aux enfants du sixième/rue, ils émiettent volontairement leurs petits pains au chocolat sous la voûte de l'immeuble.

Vous vous émerveillez de voir se révéler chez votre fille un vrai tempérament de gardienne d'immeuble.

Elle décide même de frotter les barres de cuivre du tapis.

Et vous *taxe* votre Bull Or et votre peau de chamois.

— Qui va me rembourser ? demandez-vous, un peu grognon. Le gérant ?

Un regard indigné vous répond. Une mère mesquine et avare, voilà ce que vous êtes. Vous détalez, tête basse, dévaliser la droguerie.

Fin de journée. Réapparition de la petite Reine des Concierges. Épuisée. *Nase.* Mais pas assez cependant pour ne pas se jeter sur le téléphone et appeler son Yann. Allons bon ! Il existe toujours, celui-là ? Vous aviez passé une journée délicieuse à imaginer la rupture de votre Petite Chérie avec le Maudit Marin. Eh bien, pas du tout. Votre fille est plus amoureuse que jamais. Simplement, la saison de la Frite étant terminée, l'élu assure le gardiennage du Yacht Club de Plou-les-Ajoncs, pendant le mois de septembre.

D'un côté, vous vous réjouissez de cet éloignement, peut-être propice à un oubli du cœur. De l'autre, vous soupirez en songeant au bond que va faire votre note de téléphone (toujours votre mesquinerie maternelle).

Pendant les jours suivants, vous entrevoyez à peine Joséphine absorbée par son « petit boulot ». Elle semble se débrouiller fort bien. En tout cas, votre courrier (factures et publicités) vous parvient sous la porte comme d'habitude et aucune altercation ne monte jusqu'à votre étage, en provenance de la loge.

Un matin, elle vous emprunte votre escabeau pour changer une ampoule grillée dans l'escalier (ampoule neuve piquée dans votre salon). Vous proposez votre aide. Elle refuse fièrement. Changer une ampoule, c'est pas un *problock*... même si c'est la première fois.

Aïe ! Aïe ! Aïe !

Grand fracas d'escabeau renversé et long cri de Petite Chérie.

Elle s'est foulé la cheville.

Hôpital.

Immobilisation pendant trois semaines.

Joséphine éclate en sanglots.

Qui va remplacer la remplaçante de la concierge ?

Vous.

Votre fille vous dirigera du fond de son lit.

Vous commencez par décliner. Au-dessus de vos forces de sortir les poubelles à 6 heures du matin...

— Tu les mettras dehors, la veille au soir, comme la concierge du 9, crie Petite Chérie, pantelante. Ma Maman, je t'en prie, sois pas *hard*... je te donnerai dix pour cent de mon salaire !

Dix pour cent ? Minable, non ? Elle consent à monter à vingt pour cent. Que vous refusez noblement. Vous n'allez pas entraver la carrière de gardienne d'immeuble qui s'ouvre devant votre héritière.

Le téléphone sonne. Un grand magazine féminin vous demande de lui écrire d'urgence un éditorial sur la gourmandise.

— Impossible, je n'ai pas le temps. Je fais un

remplacement de concierge, répondez-vous fièrement au rédacteur en chef.

Silence sidéré de ce dernier.

— Vous avez des soucis d'argent ? Vous voulez qu'on vous paie plus cher vos articles ? marmonnet-il avec effroi.

Vous sentez que vous baissez dans son estime. Quel snob !

— Non, non, j'écris un grand reportage pour les Américains, mentez-vous.

Votre interlocuteur, manifestement soulagé, vous félicite d'aller au charbon pour votre art.

Vous commencez votre service le soir même.

A 6 heures, les peintres qui travaillent dans l'appartement de l'attachée de presse en voyage (troisième/rue) viennent vous remettre les clefs. Et semblent contrariés de votre présence.

— Tiens ! Où est passée la mignonne et gentille petite concierge ? vous demandent-ils, sous-entendant que vous n'êtes ni mignonne ni gentille.

— Ma fille a eu un accident, répondez-vous sèchement.

Ils finissent à contrecœur par vous remettre les clefs. Visiblement, vous ne leur inspirez pas confiance. Vous êtes surprise. Vous aviez toujours eu l'impression d'avoir une bonne tête. Pas une bonne tête de concierge, apparemment.

Vous annoncez vos nouvelles fonctions à l'Homme avec précaution. Vous avez raison. Il le prend très mal.

— De quoi je vais avoir l'air si mon personnel apprend que la femme du patron fait des remplacements de pipelette ?

— Il pensera que tu ne me donnes pas assez d'argent pour la maison, ce qui est vrai, répondez-vous gaiement.

Cela ne fait pas rire du tout votre époux. Il est encore plus furieux quand vous sortez à 22 heures promener la levrette de la vieille dame (premier étage/cour, trois serrures, deux verrous mais pas de douves). Il remarque aigrement qu'il y a longtemps que vous ne promenez plus son chien à lui, le soir.

Vous partez donc faire le tour du pâté de maisons avec Roquefort et Mamzelle Lili. Votre corniaud tombe immédiatement amoureux de sa compagne qui repousse vertement ses avances et, malgré sa petite taille, lui mord le museau. A la stupéfaction de votre bon gros toutou qui glapit à la mort. Vous rentrez précipitamment votre meute.

A 23 heures, sortie des poubelles.

Horreur. Les peintres les ont remplies de gravats et de papiers arrachés. Les locataires ont donc déposé leurs sacs plastiques en vrac dans la cour. Vous entreprenez de les porter, un par un, sur le trottoir de la rue. Le premier se déchire et une quantité invraisemblable de boîtes de sardines huileuses se répand par terre. Qui, dans votre immeuble, mange tant de sardines à l'huile ? L'antiquaire ? L'artiste peintre ? Le vieux monsieur du Jockey Club ? Si vous le teniez, ce misérable, vous lui feriez lécher les pavés !

En attendant, vous montez chez vous chercher des gants de caoutchouc roses, une serpillière, un seau, votre deuxième bouteille de Monsieur Propre. Et, à quatre pattes, vous nettoyez. Dur. Dur.

Une fois les dégâts réparés et votre cour brillante comme un sou neuf, vous attrapez un autre sac. Celui-là est si lourd que vous ne pouvez même pas le soulever ! Que peut-il bien y avoir dedans ? Une femme coupée en morceaux ? Par l'un des clients de l'avocat (premier étage/rue), qui ont toujours l'air entre deux séjours de prison.

Vous allez demander son aide à l'Homme fort de votre vie. Niet.

Vous proposez de partager avec lui les vingt pour cent offerts par Petite Chérie. Il crache dessus. Les patrons français gagnent trop d'argent. Vous lui promettez alors de lui cuisiner pour le lendemain soir une blanquette de veau à l'ancienne. Il se lève. Mais refuse de s'habiller. Je ne vais pas mettre une cravate pour sortir des cochonneries à minuit!

Votre voisin du dessous — l'antiquaire que vous inondez régulièrement — rentrant d'un dîner, semble fort surpris de vous trouver avec l'Homme, en pyjama, en train de vider les détritus de l'immeuble. Encore un snob!

Il semble que vous venez à peine de vous endormir quand vous devez sauter de votre lit en hâte, le lendemain matin, pour rentrer ces saletés de poubelles. Joséphine vous a recommandé de vous assurer que la benne à ordures est bien passée. Sinon, il faut courir derrière, avec vos sacs, à la grande joie des éboueurs sénégalais.

C'est à votre tour de pousser les énormes boîtes à roulettes sur les pavés de la cour. Dans un bruit d'enfer. A votre ravissement. Puisque vous êtes réveillée, autant que tout l'immeuble le soit. Vous prenez une sale mentalité. Si vous continuez, vous n'aurez pas d'étrennes au 1er janvier.

Arrive le facteur des journaux qui vous les lance par terre dans la loge. Suivi du facteur des lettres, même jeu. Vous vous mettez à genoux pour les récupérer.

Puis vous partez bravement distribuer le courrier dans les étages, une liste établie par votre cadette à la main. Vous découvrez alors que vous passez la plupart de votre temps à quatre pattes sur les paillassons. Très mauvais pour votre dos. Vous avez un mal fou à vous relever. Au passage, vous notez que la plupart de vos locataires reçoivent également une flopée de publicités (tous ces arbres coupés pour des réclames que personne ne lit : que font les Verts ?).

Seuls les professeurs du troisième/cour lisent *L'Huma*. Vous habitez un quartier bourgeois.

Vous réintégrez le plus vite possible « votre » loge, pour guetter les représentants, interdits dans l'immeuble.

— Tu les reconnaîtras à leur grand sac de chez Tati qu'ils essaient de dissimuler, vous avait précisé Petite Chérie.

Vous en coincez un. Il est pakistanais, sans papiers, tout petit et maigrelet. Votre cœur saigne de pitié. Il vous fait comprendre, tant bien que mal, qu'il gagne trois sous pour chaque carton glissé sous les portes (à quatre pattes, lui aussi) et qu'un chef d'équipe le surveille dans la rue.

Vous le laissez passer, bien que cela vous agace prodigieusement vous-même de trouver plusieurs fois par jour dans votre entrée des petits imprimés « Dépannages urgents/En tout genre ». Que vous n'utilisez jamais. Vous les punaisez au mur de votre bureau. Et vous téléphonez au plombier du coin qui met trois jours à venir mais que vous connaissez.

Vous vous faites engueuler par votre fille.

— T'es pas *schtarbée* ?

Votre Pakistanais attendrissant est peut-être un voleur venu repérer les apparts vides ! Vous devez, à votre prochaine ronde, rentrer complètement (une fois de plus à quatre pattes. Vous ne couperez pas à une bonne sciatique) le carton dans l'entrée, afin qu'il ne trahisse pas l'absence de locataires. Sauf chez la chanteuse du cinquième/cour qui ne donne jamais d'étrennes (ou alors de vieux disques à elle).

Celle-là, qu'elle se fasse cambrioler, rien à foutre ! a dit Mama Raviolis.

Vous devez aussi vérifier que des signes cabalistiques à la craie ne sont pas inscrits dehors sur le mur de l'immeuble. A effacer immédiatement ! Il s'agit peut-être d'un message gitan. P 2 A peut vouloir dire : Personne deuxième étage, escalier A.

Vous êtes embêtée. Vous jurez d'être intransigeante à l'avenir avec les poseurs de cartons publicitaires.

— Mais sois *méga* polie ! vous recommande Petite Chérie. Sinon ils montent en douce au sixième, et laisse la porte de l'ascenseur ouverte. Et toi, tu dois te taper les étapes à pied pour la refermer ! *C'est douleur !*

C'est inouï ce que vous apprenez de choses !

Et c'est fou le monde qui défile dans votre loge !

D'abord quatre-vingt-quinze pour cent d'illettrés.

Il semble qu'aucun coursier ou visiteur ne sache lire. En particulier, la liste des locataires affichée sous la voûte. Ils l'ignorent totalement et frappent à votre carreau pour vous demander, à vous personnellement, où habitent madame Vermillon, le docteur Touchan ou maître Pathelot. Comme vous ne le savez pas encore vous-même, vous sortez regarder votre propre liste.

Ensuite, vous recevez la visite de tous les habitants de l'immeuble, stupéfaits de votre présence, succédant à celle de Joséphine. A chacun, vous devez expliquer la situation. Mais vous comprenez vite que cela ne les intéresse pas vraiment.

Ce qu'ils veulent, c'est se plaindre les uns des autres.

L'avocat du premier/rue se plaint que sa voisine du dessus, l'attachée de presse, prenne ses bains à

2 heures du matin. Cascade d'eau. Glouglous dans la plomberie. Il est réveillé en sursaut ainsi que sa femme. Ils en profitent pour se disputer.

Le psy du sixième/rue se plaint que les enfants du cinquième — quand ils ne pianotent pas interminablement leurs gammes — jouent à des jeux électroniques très bruyants, ce qui perturbe ses malades au bord du suicide.

Le couple de professeurs du troisième/cour se plaint que le locataire du quatrième (le vieux monsieur du Jockey Club) a une chatte qui ne songe qu'à rentrer en tapinois chez eux et à pisser sur leur tapis marocain.

Le vieux monsieur se plaint, lui, que sa voisine, la chanteuse réaliste, vocalise à toute heure du jour et de la nuit. Et l'empêche de dormir, à son tour, ainsi que sa chatte, en se promenant jusqu'à l'aube, toujours nue mais en talons aiguilles au-dessus de sa tête.

— Si ma retraite me le permettait, observe-t-il plaintif, je lui achèterais des chaussons et de la moquette.

Tout le monde se plaint que le fils adolescent des protestants du sixième/cour — qui chantent des psaumes tous les soirs à 7 heures — gare sa bruyante moto dans la cour — broum-broum-broum — et que les plus jeunes y jouent au ballon — paf dans les fenêtres. Ce qui est formellement interdit par la gérance. Mais comment protester ? Ce sont les cousins du propriétaire et on les soupçonne de cafter.

Quand vos locataires ont fini de se dénoncer les uns les autres, ils vous font part de leurs soucis de santé. Chacun a ses petits bobos. Vous devez foncer chez votre libraire acheter le *Petit Dico du médecin* pour ne pas paraître idiote. Vous découvrez une foule de maladies que vous ignoriez absolument. Et, en quelques jours, vous connaissez par cœur l'intimité physique de vos voisins. La prostate du quatrième/cour. Le kyste du cinquième/rue. La mastose du cinquième/cour. Etc. On finit même par vous consulter.

Et vous qui viviez dans cet immeuble depuis vingt-cinq ans sans parler à personne, vous avez maintenant une tête qui résonne comme un tambour.

A l'heure du déjeuner, vous remontez chez vous vous faire griller un bifteck. Petite Chérie — que ses frites ont fait grossir — suit un de ses régimes préférés à base d'œufs durs. Vous avez scotché un beau papier sur la porte de la loge : « La concierge est au quatrième, escalier A. »

Vous êtes fière de votre belle conscience professionnelle.

Vous la regrettez immédiatement. On sonne alors que vous veniez de poser votre steak sur le gril.

Un livreur tenant un énorme buisson de roses. Pas pour vous. Pour madame Vermillon, la divorcée du cinquième/rue.

— Y'a personne, fait le livreur, très mécontent.

Et il vous flanque le bouquet dans les bras. Qui vous égratigne.

— Et mon pourboire ? réclame-t-il.

Vous fouillez hâtivement votre sac. Pas la moindre monnaie. Joséphine consent à extirper une piécette de son jean. Que le livreur regarde avec un immense dégoût. Il s'en va en grommelant que les Portugaises, elles, ont toujours une petite boîte avec ce qu'il faut dedans pour les pourboires. Ça, c'est de la concierge !

Vous flanquez les roses dans votre lavabo rempli d'eau et vous retournez à votre steak brûlé.

On sonne à nouveau. Misère !

La femme du prof, troisième/cour, veut que vous veniez, sans délai, constater par vous-même que la chatte du quatrième est en train de ronger son radiateur après avoir pissé sur son tapis marocain.

Vous abandonnez l'idée de déjeuner et vous rendez majestueusement sur les lieux du crime.

Ce qui vous amuse, c'est de visiter enfin l'appartement d'un de vos locataires. Vous n'êtes pas déçue. Toutes les pièces sont entièrement décorées de faucilles et de marteaux et de drapeaux rouges. Un très vieux portrait de Staline orne même un mur.

Et la chatte Baba est là, cachée derrière un pouf, rouge lui aussi. Vous finissez par l'attraper et, suivie des plaignants, montez un étage pour la rapporter à son propriétaire (appartement décoré de tableaux de famille, de petits meubles Louis XVI et d'anciens rideaux de soie lacérés par Baba).

Le vieux monsieur du Jockey Club le prend de haut. Jamais son aristocrate de persan ne s'abaisserait à pisser sur le tapis marocain des camarades locataires du dessous si leur gourbi n'était pas plein de souris. Vous les laissez en train de s'insulter dans le cadre de la lutte des classes. Vous ne désirez qu'une chose : avaler un bon café.

L'eau du café n'est même pas chaude qu'on sonne à nouveau. Merde et re-merde !

Cette fois, c'est une des petites filles, chanteuses de psaumes protestants, qui vient vous prévenir qu'une dame est en train de beugler dans l'ascenseur B.

Vous y galopez. L'ascenseur est bel et bien coincé entre le premier et le deuxième étage. Dedans, trépignant et hurlant comme une truie égorgée, la femme de l'avocat, immeuble/rue. Que fait-elle dans l'immeuble au fond de la cour ?

Vous remettez à plus tard l'examen de cette

question et criez à la malheureuse que vous allez appeler les pompiers.

— Vite! Vite! brame-t-elle, c'est urgent!

— Non! Non! Pas les pompiers, piaille Petite Chérie de son divan. Il y a un numéro de dépannage de l'ascenseur affiché dans la loge...

Aiguillonnée par les gémissements aigus de la prisonnière, vous appelez la maison Potis-Bafre. Une dame hargneuse vous répond que les dépanneurs sont partis déjeuner (ils ont de la chance, eux!). Mais que, dès leur retour, elle vous les enverra.

Vous faites part de la bonne nouvelle à votre locataire suspendue dans sa cage, entre deux étages. Elle vous supplie, en sanglotant, de ne pas l'abandonner et de lui fournir, par un trou du grillage, des cigarettes, un briquet, des provisions, etc.

Vous remontez chez vous chercher tout ça. Elle court, elle court, la concierge...

Joséphine refuse de partager sa dernière plaquette de chocolat avec la séquestrée de Potis-Bafre.

— Je croyais que tu faisais un régime?

— J'ai droit au chocolat!

Vous vous indignez. Petite Chérie est la gardienne en titre de l'immeuble. Elle se doit de soutenir le moral de cette infortunée créature du Bon Dieu qui, vous l'avez deviné, est taraudée par un besoin naturel pressant.

Votre fille ricane.

Cette infortunée créature du Bon Dieu, comme vous dites, se trouve coincée dans l'ascenseur B, alors qu'elle habite l'immeuble/rue parce qu'elle a une liaison secrète avec le peintre qui vit au deuxième étage/cour. Tout le monde est au courant. Sauf le mari, l'avocat. Et vous, qui ne voyez jamais ces choses-là.

Vous repartez malgré tout auprès de l'infidèle et

74

vous asseyez sur une marche d'escalier pour lui tenir compagnie.

Arrivée des réparateurs de Potis-Bafre. Ils tripotent deux boutons et hop, l'ascenseur repart. Ils vous reprochent violemment de les avoir dérangés pour trois fois rien. La prochaine fois, ils ne viendront pas. Priez le ciel que ce ne soit pas vous qui restiez coincée entre deux étages !

Quant à la femme de l'avocat, elle rentre chez elle sans un regard, sans un merci. Vous avez beau savoir que la nature humaine n'est pas belle, vous êtes froissée. La prochaine fois, vous la laisserez mijoter dans sa position inconfortable et tant pis si elle fait pipi dans sa culotte.

L'après-midi passe à une vitesse folle. Grâce à un long bavardage avec la vieille dame, la maîtresse de Mamzelle Lili, qui vous donne les dernières nouvelles de son fils, mort depuis quinze ans, avec lequel elle communique par l'intermédiaire d'un guéridon qui frappe des coups violents juste au-dessous de la tête du peintre. Vous comprenez maintenant pourquoi celui-ci ne s'est jamais plaint. Ne tient pas à se faire remarquer.

Madame Vermillon vient vous arracher le bouquet de roses qui illuminait votre lavabo.

— J'espère que vous n'avez rien donné au livreur, dit-elle d'un ton agressif.

Vous n'allez pas vous brouiller avec votre voisine pour un peu de monnaie. Tant pis. Vous en serez de votre poche.

Ça y est ! Une pétition. Une fois de plus écrite par la femme du psy. Pour rallumer le chauffage un 15 septembre ! Elle est folle ! Non ! Elle a froid !

Cette histoire de chauffage divise les locataires en deux clans, à longueur d'hiver. Ceux des étages supérieurs prétendent que la chaleur ne monte pas jusqu'à leurs radiateurs et qu'ils grelottent. Ceux des étages inférieurs ont trop chaud et récriminent au sujet des charges élevées du charbon.

De toute façon, Petite Chérie vous interdit de transmettre la pétition au propriétaire qui ne doit pas savoir que vous êtes une travailleuse au noir remplaçant une autre travailleuse au noir.

Le soir, au retour de l'Homme, vous l'informez de la liaison entre la femme de l'avocat et l'artiste peintre. Vous rêvez à voix haute. Est-ce en fermant leurs volets que les deux amants ont échangé leur premier regard amoureux à travers « votre » cour ? Ou en se croisant à la lourde porte de « votre » immeuble ?

L'Homme s'en fout. Il vous accuse de prendre une mentalité de pipelette. Et alors ?

Vous vous couchez. Impression angoissante d'avoir oublié quelque chose. Vous récapitulez vos activités. Poubelles. Rondes des facteurs. Promenade du chien de la vieille dame. Course du courrier, etc.

Vous n'y tenez plus. Vous réveillez Joséphine et lui récitez votre journée.

— Tu n'as pas arrosé les plantes de l'attachée de presse du deuxième/rue ni donné des graines à son mainate neurasthénique.

Zut ! Pourvu que le tout ne soit pas mort par votre faute. Vous enfilez rapidement votre kimono aux idéogrammes japonais inconnus. (Peut-être transportez-vous dans votre dos cette mention énergique : « Merde à celui qui me porte ! »)

— Où vas-tu ? marmonne l'Homme endormi.

Vous le lui expliquez.

— ... marre d'avoir une femme concierge, grogne-t-il du fond de son sommeil.

A votre grand étonnement, l'appartement est

76

ravissement décoré de meubles anciens de prix. Mais les fleurs ont la tête en bas et l'oiseau vous accueille par des injures. Il a répandu ses graines et ses saletés à travers toute la cuisine. Vous avez toujours refusé à vos filles d'avoir un canari pour éviter ce genre d'embêtements. Et vous voilà, à une heure du matin, avec balai, seau et serpillière en train de nettoyer les cochonneries de cette bête de malheur qui ne cesse de répéter : « Au boulot, coco ! »

Vous êtes une fois de plus à quatre pattes (vous n'auriez jamais deviné qu'une vie de concierge se passait à ras du sol) quand une voix masculine hurle derrière vous :

— Debout ! Les bras en l'air !

Vous manquez vous évanouir de terreur. Un cambrioleur ! Quelle folie aussi de venir seule, dans cet appartement désert, en pleine nuit...

Mais d'un geste dont vous ne vous seriez pas crue capable (peut-être l'hérédité guerrière de vos ancêtres militaires), vous vous retournez et vous fauchez le braqueur d'un bon coup de balai. Il tombe. En vous envoyant dans la figure un coup de jet d'une bombe asphyxiante. Vous poussez tous les deux un hurlement.

Stupeur ! Votre agresseur n'est autre que l'antiquaire, votre voisin du troisième. Que fait-il là ? Est-il l'amant de l'attachée de presse ? Pourtant, vous avez souvent cru voir de charmants jeunes gens aller et venir chez lui.

Il vous révèle son secret, tout en se frottant les tibias, tandis que vous pleurez et toussez.

Les meubles de l'attachée de presse sont à lui. Elle les vend à ses amis du show-biz, moyennant une commission. Voyant la porte de l'appartement entrouverte au milieu de la nuit, il avait cru au vol de ses précieuses antiquités.

Il vous fait jurer le silence sur ses activités clandestines. Vous crachez par-dessus votre épaule. Et remontez chez vous tandis que le mainate neurasthénique mais hargneux vous crie : « Va te faire foutre, coco ! »

Vous avez bien envie de réveiller l'Homme pour lui faire part de votre nouvelle découverte. Mais vous avez craché. De plus, vous craignez que l'Homme ne s'intéresse pas à vos potins et vous insulte.

Vous êtes à peine endormie qu'on sonne longuement à votre porte. Non, ce n'est pas vrai ! Quelle vie de chien ! Vous entendez Petite Chérie béquiller dans l'entrée.

C'est l'attachée de presse, elle-même, qui rentre de son festival de Rio de Janeiro, toute bronzée et coiffée d'un ridicule chapeau de paille carioca. (Vous vous félicitez d'avoir nettoyé son appartement en pleine nuit. Juste à temps.)

Elle a oublié ses clefs au Brésil.

Vous lui donnez le double pendu dans la loge. Elle ne vous remercie pas, elle non plus. Vous faites part à votre fille cadette de votre décision de ne plus jamais exercer le dur et ingrat métier de gardienne d'immeuble. Plutôt garder des chèvres capricieuses en Corrèze.

Un matin, le facteur du courrier de 8 heures 30 n'apparaît pas. 8 heures 45... 9 heures... 9 heures 15...

Avec un bel ensemble, vos locataires viennent vous en demander acidement la raison. A les entendre, ils attendent tous des lettres urgentes et importantes. Vous n'en croyez pas un mot. Vous avez remarqué que, comme vous, ils reçoivent surtout des factures, des publicités et des missives du percepteur dont

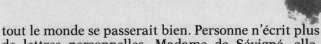

tout le monde se passerait bien. Personne n'écrit plus de lettres personnelles. Madame de Sévigné, elle-même, téléphonerait.

Mais votre petit troupeau semble si agité que vous allez consulter la concierge du 5. Tiens : elle a reçu son courrier à l'heure, elle. Le facteur a donc disparu entre son immeuble et le vôtre. A-t-il été enlevé par le gang des Corses ? S'est-il enfui en Amérique du Sud, avec l'argent des mandats ?

— Ma no ! s'exclame votre amie, la Portugaise du 9, la facteur, il bavarde avec la conchierge d'en fache...

Vous apprenez que le préposé antillais est un affreux bavard, que la vieille pipelette du 8 s'ennuie profondément et que, de temps à autre, ces deux-là taillent une longue bavette. Solution : traverser la rue et prendre vous-même vos lettres dans la loge où Aimé Césariot, assis devant un verre de blanc, raconte ses vacances au camping de Port-Barcarès. Vous ne pouvez vous empêcher — le plus poliment du monde — de lui faire part de l'impatience légitime de vos locataires.

— Arrêt de travail imprévu, rigole-t-il.

Solidaire de la mafia des concierges et des facteurs de la rue, vous vous en tenez à cette version.

— Les postiers, ils vont voir si, nous aussi, on n'est pas capables de faire un arrêt imprévu des étrennes, gronde l'avocat.

Vous êtes à quatre pattes (encore et toujours) sur l'affreux paillasson rouge sang de la chanteuse du quatrième/cour quand elle ouvre brusquement sa porte. Elle vous guettait visiblement.

Sans vous laisser le temps de vous relever, elle vous signale qu'elle attend un paquet de disques depuis trois jours. Au ton de sa voix, vous comprenez qu'elle vous soupçonne de les lui avoir fauchés et de les écouter au cœur de la nuit. Au moment de lui rétorquer vertement qu'elle aille se faire voir avec ses enregistrements ringards, vous vous rappelez que vous n'êtes que la concierge et que, de votre politesse exquise, dépend le montant même minime des étrennes, dans trois mois. Vous répondez donc mielleusement que vous allez enquêter. L'horrible créature vous claque le battant au nez, en braillant :

— Y a intérêt !

Hors de vous, vous guettez le préposé aux colis. Il vous confirme qu'il a bien jeté l'avant-veille, sur le paillasson de votre loge, un paquet de disques.

Allons bon ! Qui l'a pris ?

— ... ce salaud de retraité du rez-de-chaussée/ rue, n'hésite pas Petite Chérie, toujours allongée sur son divan en compagnie d'une pile de livres de science-fiction et du téléphone relié en permanence avec Plou-les-Ajoncs. (L'Homme va sûrement avoir un coup au cœur en voyant la facture.) Mais votre fille tient néanmoins à être tenue au courant, heure par heure, de ce qui se passe dans *son* immeuble.

Mama Raviolis lui avait bien recommandé de se méfier. Le vieux bonhomme passe sa vie, l'œil collé à sa porte entrebâillée, à surveiller ce qui se passe dans l'immeuble.

Joséphine vous le décrit d'un ton dramatique, guettant le facteur des colis... bondissant de chez lui comme un brochet hors de son trou de vase... et venant s'emparer des médicaments du psychana-lyste, des disques de la chanteuse, de vos paquets de livres (vous qui accusiez votre éditeur d'être radin) ou de la nappe brodée par une communauté reli-gieuse destinée aux protestants, cousins du proprio. Qui ont porté plainte.

— Mais que fait-il de ses larcins ?

— Il les distribue aux petites filles du quartier car c'est un obsédé sexuel ! vous révèle Petite Chérie.

Vous tombez des nues. Voilà des années que vous échangez des bonjours polis avec ce maniaque, sans vous douter de rien !

— Tu parles ! rigole votre fille, si tu savais le nombre de fois où il a essayé de me peloter en m'ouvrant la porte de l'immeuble...

— Pourquoi ne me l'as-tu jamais dit ? glapissez-vous. Ton père lui aurait cassé la gueule.

— Justement. Un tas d'histoires pour rien. Je me contentais de lui envoyer un coup de genou là où tu penses, à ce *déjanté*... *Il se cassait rapidos !*

La fureur d'une mère outragée et d'une concierge dupée vous saisit.

Vous savez que, tous les jours, après le déjeuner, les deux petits vieux (le salopard et sa sainte femme coiffée d'un chapeau de feutre bavarois orné d'une plume) vont faire lentement le tour du parc voisin.

Vous attrapez le double de leurs clefs et vous vous glissez dans leur appartement.

Tanière serait un mot plus exact. Plongée dans le noir grâce à d'épais rideaux poussiéreux, toujours fermés. D'énormes meubles sont même tirés devant les fenêtres, jamais ouvertes, elles non plus. Ce qui explique l'ignoble remugle de renfermé et de moisi qui vous saisit à la gorge.

Vous n'avez pas à fouiller. Dans l'entrée, le fameux paquet de disques, deux catalogues de la Redoute et des échantillons d'antidépresseurs pour le docteur Touchan. Vous récupérez le tout et laissez à la place une lettre anonyme.

ATTENTION...
LA POLICE VOUS SURVEILLE !

Aucune réclamation ne vous parviendra jamais du rez-de-chaussée/rue.

Sous la voûte, vous vous heurtez à une dame aux yeux d'une fixité inquiétante. Elle vous demande d'une voix rauque et pressante de remettre au docteur Touchan un paquet, en mains propres. Urgent.

Une bombe ?

Votre psy de l'immeuble possède une clientèle bizarre. Vous rencontrez parfois des créatures échevelées et sanglotantes, assises par terre sur son palier.

Celle-ci ne pleure pas mais votre fille la décrirait comme *schtarbée*.

Vous montez immédiatement au sixième vous débarrasser du colis peut-être explosif. Vous sonnez. Surprise. La porte s'ouvre toute seule. Un silence sépulcral règne dans l'appartement. Pas même un chuchotement. Que sont devenus la femme et les enfants de l'éminent praticien ? Bâillonnés dans un placard ?

Vous avancez vers une salle d'attente ouverte. Une patiente s'y trouve. Qui, à votre vue, pousse un cri strident et se cache la figure en relevant sa robe. Elle porte une culotte noire avec un diable rouge brodé. Terrorisée, vous battez en retraite dans le couloir. A cet instant, la porte du bureau du psy s'ouvre et paraît son visage furieux.

— Que faites-vous là ? Vous dérangez mes malades !

Vous balbutiez. Paquet urgent à remettre en mains propres... Possibilité d'une bombe...

— Mais non, ce sont des chocolats, interrompt le docteur Touchan. Une cliente atteinte d'une fixation au cacao... Elle fait des truffes toute la journée !

En tout cas, à l'avenir, bombe ou bonbons, vous êtes priée de ne JAMAIS rentrer chez lui. Ses malades ne veulent rencontrer personne.

C'est pour cette raison qu'il n'a même pas de secrétaire. Mais puisque vous êtes là, il tient à se plaindre :

a) que le siège de l'ascenseur est cassé ;

b) que le passage sous la voûte n'est pas impeccablement propre (à vous de laver au jet) ;

c) qu'il y a des crottes de chien devant la porte de l'immeuble (c'est votre boulot de les balayer) ;

d) que la présence d'un landau dans l'entrée déclasse l'immeuble et qu'il ne paiera pas les prochaines charges.

Vous baissez les yeux. Vous ne lui répondez pas vertement que sa femme à lui inonde tous les balcons et les passants de la rue en arrosant ses géraniums. (Il y a même eu une pétition que vous avez signée, lassée de recevoir une douche chaque fois que vous sortiez de chez vous).

Conférence avec Petite Chérie :

a) vous allez faire un grand nettoyage. Alors que chez vous, vous confiez ce soin à votre chère femme de ménage portugaise ; *c'est douleur*, compatit votre fille.

b) vous laissez en suspens les autres problèmes jusqu'au retour de Mama Raviolis, en priant pour que le proprio ne vienne pas faire une patrouille de reconnaissance avant.

Au passage, Joséphine vous dévoile que la chanteuse — à qui vous avez rendu ses disques (et obtenu pour seul remerciement un : « Eh ben, c'est pas trop tôt ! ») — est complètement alcoolo. Elle démarre le matin avec un Ricard sec en guise de petit déjeuner mais, commente votre cadette, ça ne se voit pas parce qu'elle prend avant une cuiller d'huile d'olive.

Tiens, encore un truc que vous ignoriez complètement. L'Éducation nationale devrait prévoir des
stages de concierge en remplacement des cours de
sciences humaines.

Et si vous la voyez sortir (la goualeuse), tous les
soirs à 6 heures, c'est pour cavaler chez Félix Potin
acheter sa bouteille de pastis qu'elle rapporte,
cachée sous son manteau.

En plus, elle est fauchée du 1er de l'an au
31 décembre. Mais planque un peu d'argent, sous la
lampe, près de son lit. C'est là que vous devez fouiller
si vous avez besoin de payer, pour elle, un colis
contre remboursement. S'il n'y a pas de sous, surtout
ne pas en prêter : vous ne reverriez jamais rien. Bien.

A votre grande fierté, vous avez été adoptée par le
syndicat des concierges de la rue qui vous saluent
désormais gaiement quand vous passez. Vous êtes
même invitée à prendre le café dans les loges.

Où vous apprenez que la pipelette du 27 ouvre les
lettres de ses locataires et les recolle tranquillement
avec du scotch après les avoir lues. Révolte. Pétition.
Menace de plainte. Mais la pauvre est si vieille que
tout le monde hésite à l'envoyer à l'hospice mourir
sans courrier.

Autre information : le nouveau concierge du 32 est
tamoul. Ce qui provoque la fureur du clan des
Portugaises.

— Ches étranchers, ils nous prennent nos plaches,
crient-elles avec un bel accent lusitanien.

On est toujours l'étranger de quelqu'un.

On vous fait part également des prix pratiqués par
les femmes de ménage. En vous indiquant les Bre-
tonnes qui partent avant l'heure. Et les Espagnoles
qui téléphonent pendant des heures à Madrid.

Mais surtout, vous êtes aux premières loges (c'est le cas de le dire) dans l'histoire du Marabout du 51.

En effet, dans cet immeuble élégant et même luxueux, un vieux Toucouleur avait loué une chambre, dite de bonne. Le gérant savait-il qu'il était sorcier (comme votre cher Mamadou Dia) ? Personne ne put l'affirmer. Au même étage (sans eau, sans chauffage), à l'autre bout d'un très long couloir, vivait un Malien. Qui avait beaucoup de soucis. Ses deux femmes étaient stériles. Son enfant, né d'une première épouse, était toujours malade. Et son patron menaçait de le mettre à la porte. Le Malien en vint à la conclusion qu'un ennemi lui avait jeté un mauvais sort.

Il suivit le long couloir et alla voir le Marabout toucouleur. Qui ordonna l'exécution d'un poulet. L'opération eut lieu au sixième étage du 51, dont les locataires des étages inférieurs ne se doutèrent pas un seul instant que des rites de désenvoûtement africains avaient lieu au-dessus de leurs têtes bourgeoises.

Malheureusement, la situation du Malien ne s'améliora en rien. Son enfant continua d'être malade, ses femmes stériles et son patron odieux. Il s'en plaignit au vieux sorcier qui hocha la tête en marmonnant qu'il ne pouvait faire plus.

Fou de rage, le Malien fabriqua un cocktail Molotov à l'aide d'une bouteille de limonade et vint, à pas de loup, le jeter dans la chambre du Toucouleur.

L'explosion fut grandiose.

Le toit de l'immeuble sauta. Les vitres du quartier — dont les vôtres — furent soufflées. Le Marabout se retrouva à cheval sur une poutre en plein ciel. On crut à un attentat terroriste. La police boucla le quartier. Europe 1 débarqua. Le gérant, alerté, arriva sur-le-champ. Mais ne voulut à aucun prix avouer qu'il louait ses chambres du sixième à de vieux sorciers toucouleurs et à des Maliens porteurs de mauvais sorts. Il expliqua à la presse qu'il s'agissait d'un simple incident ménager : l'explosion d'une petite bouteille de camping-gaz.

Mais par vos amies, les concierges, vous savez la vérité. Et quand vous passez devant le 51 — dont le toit n'est toujours pas refait — vous avez une pensée pour le Marabout africain qui a farouchement refusé de quitter l'immeuble et vit désormais sur une natte au pied de l'escalier de la cave.

Alors que vous attendez le courrier de 16 heures, tape à la porte de votre loge un monsieur barbu, l'air grave, tenant un attaché-case noir à la main.

Un huissier.

L'angoisse vous serre la gorge.

Pour vous, le mot « huissier » évoque faillite, vente des meubles à l'encan, déshonneur. Lequel de vos locataires auxquels vous avez fini par vous attacher va faire l'objet d'une pareille honte ? La chanteuse qui ne paie pas son loyer ? Le monsieur du Jockey Club dont le proprio guigne l'appartement pour sa fille ? Ou pire, la vieille dame et Mamzelle Lili destinées à la maison de retraite ?

Aucun.

L'huissier a été mandé par le couple de professeurs (troisième/cour) pour constater que la chatte Baba du locataire du dessus se glisse chez eux pour pisser sur leur tapis marocain et ronger leur radiateur.

Vous ne vous doutiez pas qu'un auxiliaire de justice puisse être convoqué à pareille tâche. Mais celui-ci semble prendre sa mission très au sérieux.

Dévorée de curiosité (vous devenez un archétype de concierge), vous le suivez chez les honorables membres de l'Éducation nationale où il est accueilli avec une joie vengeresse. Puis la petite troupe s'engage dans l'escalier et sonne chez le vieux célibataire du Jockey Club. Qui ouvre, avec justement l'objet du délit — la chatte Baba — dans ses bras.

A la prière de l'huissier, celle-ci est lâchée. Et, vous devez l'avouer, descend sans hésiter un étage pour se glisser chez les voisins du dessous qui avaient laissé leur propre porte ouverte.

Moment de suspens. Baba, suivie par les regards vigilants de tous, se dirige droit vers le tapis marocain. Elle le renifle. En fait le tour. La tension devient intolérable. Baba pissera-t-elle ou ne pissera-t-elle pas sur le produit de l'artisanat berbère ?

Elle ne pisse pas.

Les professeurs essaient vainement de l'induire en tentation en émettant de petits bruits séducteurs : « psssi... pssssi... psssssi... »

Ils se font vertement rappeler à l'ordre par l'huissier.

Les honorables membres de l'Éducation nationale sont pâles de rage.

— Elle le fait toujours, crient-ils. Aujourd'hui, elle se retient parce qu'il y a trop de monde...

Ils vous regardent méchamment. Mais vous ne donneriez pas votre place pour un empire et faites semblant de ne pas comprendre que vous êtes indésirable.

— Je crois que cette démonstration ridicule a assez duré, dit le Jockey Club d'un ton distingué, et que nous pouvons nous retirer.

L'huissier regarde sa montre. Ouvre sa bouche...
La referme.

La chatte Baba s'est dirigée vers le radiateur et mordille le tuyau d'eau. Indiscutablement.

Un cri de bonheur s'échappe des poitrines des professeurs.

— Ah, monsieur l'Huissier, vous pouvez le constater ! Cet animal ronge nos radiateurs...

— Elle ne ronge pas, elle mordille, proteste le Jockey Club. La peinture est à peine éraflée.

Hélas, à ce moment-là, vous entendez appeler : « ... Concierge ! CONCIERGE ! » et vous devez abandonner cette passionnante discussion sémantique entre « ronger » et « mordiller ».

Dans la cour, vous trouvez une immense paire de jambes et une énorme corbeille de Fauchon pleine de fruits et de douceurs exotiques. Dissimulant la figure d'un individu de sexe mâle.

— Qui êtes-vous ? demande une voix derrière la corbeille, visiblement habituée au commandement.

— Une amie de la gardienne de l'immeuble, répondez-vous prudemment. Je m'occupe... heu... de donner un petit coup de main en son absence.

Petite Chérie et l'Homme vous ont bien recommandé de ne jamais avouer que vous travaillez au noir. A cause de l'Inspection du travail et de la Sécurité sociale réunis.

Vous doutez qu'un inspecteur du travail se balade avec une corbeille de Fauchon. Encore que, sait-on jamais, peut-être elle soit factice.

Visiblement, l'inconnu a d'autres chats à fouetter que votre statut social. Il a l'air brusquement moins à son aise.

— Avez-vous les clefs du rez-de-chaussée / cour ? chuchote-t-il.

Ainsi c'est Lui. Le locataire de la garçonnière dont les volets, toujours fermés, cachent les amours coupables d'un homme très connu, vous a murmuré Petite Chérie.

Qui ?

Vous ne posez naturellement aucune question. Vous allez chercher la clef. Vous la tendez à la corbeille Fauchon. L'inconnu, toujours masqué derrière, vous donne alors un gros billet de 500 francs. C'est la première fois de votre vie qu'on vous offre un pourboire. Et si munificent. Vous refusez. L'inconnu connu insiste. Vous achèterez des babioles pour vos enfants...

Il fourre l'argent dans votre poche.

La corbeille s'écarte un instant.

Vous manquez tomber assise par terre, de stupéfaction.

Le ministre de...

Parfaitement.

Le ministre de... (de gauche) !

Vous voilà mêlée à une affaire d'État.

Du coup, toute honte bue, vous vous postez derrière le rideau de la loge pour surveiller qui va rejoindre l'homme politique.

Elle arrive en douce, lunettes noires, écharpe Hermès sur la tête. Et file devant votre carreau sans demander son reste. Mais vous l'avez reconnue, elle aussi.

La journaliste la plus célèbre de la télévision... De droite !

C'est là que vous entrevoyez le martyre de la concierge. A qui raconter ce fascinant potin ? Si vous parlez, votre pourboire se transformera en deniers de Judas. Mais vous vivez un véritable supplice quand Petite Chérie vous presse de lui révéler la vérité.

— Secret professionnel, répondez-vous noblement.

Votre bouche est aussi scellée par le fait que

Joséphine et vous n'avez pas les mêmes opinions politiques.

Voilà une chose qui vous énerve prodigieusement. Vous avez soigneusement endoctriné vos filles depuis leur premier biberon, selon vos propres valeurs. Et hop, dès dix-huit ans, les traîtresses se mettent à voter *contre* vous. Ce sera la punition de votre cadette. Elle ne saura pas que le ministre de... de gauche a une liaison avec la plus connue des journalistes de la télévision... de droite.

Mais comme vous n'êtes qu'une faible femme, vous ne pouvez résister à la tentation d'y faire allusion à l'Homme, sur l'oreiller, en changeant les noms et en prétendant que les ébats amoureux se passent au 16 de votre rue.

Curieusement, ce modeste ragot passionne votre époux qui, telle une midinette, se précipite sur le téléphone pour le raconter à un copain qui va lui-même appeler un journaliste qui, que, etc.

Un mois plus tard, vous lirez des allusions transparentes — et fausses — dans *Le Canard enchaîné*. Vous espérez que vous n'avez pas brisé quelques ménages ministériels ni bouleversé le P.A.F. (paysage audiovisuel français dit aussi pagaille audiovisuelle française).

Mais la journée ne devait pas se terminer sans qu'un drame n'éclate.

Vous êtes en train de sortir vos bruyantes et éternelles poubelles. L'Homme promène Roquefort et Mamzelle Lili.

Et qui voyez-vous rentrer chez lui, sa petite valise à la main ?

L'avocat du premier étage/rue.

Il était parti plaider en province. Et vous avez vu, très distinctement, sa femme se glisser chez le peintre du deuxième/cour à l'heure du dîner aux chandelles.

Vous restez pétrifiée d'horreur. Un drame passionnel se prépare dans votre immeuble.

Maître Pathelot vous explique poliment qu'il avait oublié son dossier et qu'il a dû revenir le chercher. Il prendra le premier train dès demain matin.

Catastrophe si sa femme a décidé de passer la nuit dans l'immeuble B.

— Ne t'en mêle pas, vous chuchote courageusement l'Homme à qui vous expliquez à voix basse la situation. Allons nous coucher et laissons tout ce petit monde se débrouiller.

Mais il a poussé en vous une graine de concierge interventionniste. Vous abandonnez vos poubelles, vous foncez chez vous, vous mettez un mouchoir sur le téléphone et vous faites le numéro du peintre.

— Allô ? fait sa voix surprise.

— Maître Pathelot est rentré chez lui... murmurez-vous.

— Qui parle ?

— Une amie !

Vous raccrochez et descendez finir de rouler vos boîtes à ordures dehors.

Il était temps.

L'avocat ressort de chez lui et vient vous demander si vous avez vu sa femme. Vous lui faites remarquer, avec une certaine hauteur, que vous n'êtes pas de ces gardiennes d'immeuble qui surveillent leurs locataires. Mais, pour arrondir les angles, vous suggérez qu'elle a peut-être passé la soirée chez sa maman.

— Sa mère est morte depuis dix ans, répond sèchement le maître.

— Ou alors... au cinéma !

— Oui, peut-être, admet-il d'un ton hésitant.

Hélas! Qui sort à cet instant précis de l'immeuble B et traverse la cour furtivement? La femme adultère.

Son mari l'aperçoit. Elle aussi. Elle veut battre en retraite. Il la rattrape d'un bond.

— Que faisais-tu dans cet immeuble?

Elle balbutie :

— Ben...

Vous croyez que c'est votre devoir de vous ingérer dans la discussion :

— Avez-vous vu les cousins du propriétaire au sujet de la pluie qui traverse le mur de votre couloir?

— Vous, la pipelette, on ne vous demande rien! crie l'avocat.

Quel grossier personnage! Tant pis si la foudre lui tombe sur la tête! *Démerdassek*...

En attendant, maître Pathelot attrape sa femme par le bras et la traîne littéralement vers le logis conjugal.

La porte claque.

Silence.

Puis des hurlements éclatent. Un fracas de porcelaine brisée. Des cris de femme : « Au secours! »

— Téléphone à Police-Secours! glapissez-vous à Petite Chérie, penchée à sa fenêtre/cour. Ainsi que tous les autres locataires qui vous interpellent. Que se passe-t-il?

La femme de l'avocat surgit de l'escalier A et passe devant vous, échevelée, la robe à moitié arrachée, braillant :

— Il veut me tuer!

Elle disparaît dans l'immeuble de son amant.

Sur ses talons, son mari. Il tient un revolver à la main!

— Reviens ou je te tue!

Hurlements divers des voisins, secrètement

enchantés du spectacle. La femme de maître Pathelot réapparaît à la fenêtre du deuxième/cour. Derrière elle, on entrevoit la silhouette du peintre.

— Je te hais! Je divorce! beugle-t-elle à son époux
légitime.

— Chienne! rugit l'avocat qui tire un coup de feu
en l'air.

Au bruit de la détonation, tous les locataires
disparaissent des fenêtres. Vous vous jetez à plat
ventre derrière une poubelle et vous rampez en
direction de la loge.

Apparaît votre mari qui vous crie :

— Reste planquée!

Puis, tel votre cher John Wayne dans un western
de John Ford, il marche à pas lents vers maître
Pathelot qui sanglote au milieu de la cour, son
revolver pendant au bout de son bras. Votre cœur
s'emplit de fierté en voyant le courage de cet homme
que vous avez épousé au temps de votre belle
jeunesse. Vous avez eu raison. C'est un héros.

Au loin, une sirène de police. Elle se rapproche.

L'avocat se laisse désarmer par votre John Wayne
à vous et s'abat en pleurant sur son épaule.

— Toutes des salopes! pleurniche-t-il.

— Toutes des salopes! confirme votre mari en lui
tapotant le dos.

Mais son regard croise votre œil noir dépassant
d'une poubelle.

— Enfin, pas toutes! admet-il précipitamment.

La voiture des représentants de l'ordre s'arrête
devant votre immeuble.

L'Homme vous tend le revolver. Vous bondissez le
jeter dans une boîte à ordures.

Deux flics entrent.

— Vous êtes la concierge? vous demandent-ils,
sans préambule.

— Non, je ne suis qu'une voisine, faites-vous onctueusement.

— On nous a signalé une bagarre et des coups de feu.

— Pas ici. C'est un immeuble correct, mentez-vous.

— Et pourquoi ce monsieur pleure-t-il ? demande l'agent le plus âgé.

— Il vient de perdre son chien ! répond l'Homme, venant à votre secours.

— Ah ça, c'est terrible ! compatit le policier. Moi aussi, j'ai égaré un petit caniche, il y a deux ans, j'ai mis des mois à m'en remettre. Allez, bon courage !...

Les flics s'en vont.

Maître Pathelot vous remercie avec émotion, ainsi que votre époux, d'avoir sauvé sa réputation.

Vous ne vous doutiez pas qu'une vie de gardienne d'immeuble pouvait être si agitée. Il est temps que Mama Raviolis revienne, pour la paix de vos nerfs.

En attendant, la femme de l'avocat vit avec le peintre. Vous devez faire très attention quand vous distribuez le courrier. Quant à maître Pathelot, à la surprise générale, il a installé chez lui, sur-le-champ, une petite hôtesse de l'air indienne, qui va et vient en sari.

Mama Raviolis rentre de vacances, tout épanouie, du sable plein ses bagages. Mais ce n'est plus votre problème.

Petite Chérie, enfin débarrassée de son entorse, a repris, depuis quelques jours, son rôle de rempla-çante.

Sur l'argent qu'elle reçoit (de la main à la main et dont elle juge inutile de vous préciser le montant), elle vous offre une boîte de chocolats blancs (qu'elle adore). Avec une carte : « A Ma Maman, la plus gentille des concierges. »

Cela valait la peine de *bétonner à mort*, non ?

Quant aux locataires de votre maison, ils ne vous adressent plus jamais la parole. Juste un petit signe de tête. Vous ne saurez plus rien de la prostate du quatrième étage/cour, du kyste du cinquième/rue, de l'arthrose du rez-de-chaussée, etc.

Vous êtes redevenue une voisine comme les autres.

4

L'aube. Vous vous jetez, encore endormie, à bas de votre lit. Les poubelles, vite, les poubelles ! Puis vous vous rappelez que chère Mama Raviolis est revenue et que votre agitation matinale se révèle inutile. L'Homme dort encore paisiblement. Vous allez boire un premier thé, seule et tranquille, dans la cuisine. Erreur, vous y trouvez Petite Chérie, l'air déterminé, baskets roses à fleurs aux pieds et sac au dos.

— Je pars vendanger avec Yann, vous assène-t-elle tout de go.

— Où ça ?

— Dans les Corbières. Il y est déjà.

— Et comment y vas-tu ?

Vous le savez. En stop. Sauf si vous payez le train et que la demoiselle consent à le prendre. Vous lui donnez donc les sous en lui faisant jurer — une fois de plus — sur la tête du Maudit Marin — vous craignez pour la vôtre — qu'elle les redonnera à la S.N.C.F.

— Combien de temps resteras-tu absente ?

— Je ne sais pas, répond-elle, primesautière. Après les vendanges, il paraît qu'on trouve du boulot pour ramasser les pommes dans la vallée de la Garonne et ensuite les oranges en Corse. Au printemps, il y a les asperges, les fraises et les cerises. Et en juillet, la castration du maïs. On peut gagner *un max de flot* toute l'année comme ouvrier agricole ! C'est *fun*, non ?

Vous lui faites remarquer que vous n'avez jamais entendu parler d'ouvriers agricoles devenant millionnaires et s'achetant des voiliers de luxe. Mais votre fille ignore superbement cette réflexion mesquine, vous embrasse et part s'attaquer au vignoble français.

Le surlendemain, vous recevez le coup de téléphone que vous avez payé d'avance. Tout va bien. Les vignes sont su-per-bes. Les paysans a-do-ra-bles. Le temps di-vin. Les vendanges va-che-ment sympas. Bref un retour à la terre exaltant.

Joséphine a été engagée comme coupeuse de raisin, Yann comme porteur de hotte (payé plus cher). La patronne les laisse camper à côté de la ferme et prendre une douche, le soir, dans une grange aménagée en dortoir pour un groupe d'Espagnols venus par car de Catalogne. L'air est pur. La campagne française, en automne, une merveille que vous ne soupçonnez pas (mais si, mais si, ma chérie !).

Trois jours plus tard, vous parvient un appel de détresse. Il fait très froid le matin et les doigts gourds ont du mal à tenir le sécateur. La rosée des vignes mouille le ventre et les jambes des travailleurs agricoles. Il pleut même par moments et les baskets roses à fleurs sont devenues deux blocs de boue. Le raisin pousse bêtement trop bas et votre vendangeuse, courbée sur les souches, a affreusement mal au dos. Elle réclame d'urgence des bottes, des lainages, un ciré du Petit Matelot et de l'aspirine en gros.

Vous galopez envoyer un énorme colis en chronopost.

Dix jours plus tard, votre ouvrière des champs est de retour dans le confortable nid parisien. Dégoûtée à jamais de la campagne française et de ses petits travaux saisonniers. Les charmants vieux paysans n'étaient pas si charmants que ça. Coupant le raisin à toute vitesse malgré leur âge et grommelant de voir que les jeunes de la ville avaient du mal à suivre. Tous des fainéants, ces *estrangers* de la capitale (Parigots, têtes de veaux !). La moindre grappe oubliée sur une souche faisait l'objet d'une dénonciation moqueuse de la part de la bonne du curé, la plus acharnée de toutes.

Sans oublier que le boulot était plus dur qu'il n'y paraissait.

Interdit de prendre appui, même un instant, sur la hotte pour s'aider à y balancer les cinq kilos de raisin du seau (épaules courbaturées).

Interdit de s'agenouiller sur le sol boueux pour couper le Mauzac à ras de terre (lombaires douloureuses).

Interdit de ramasser des noix fraîches et des figues pour calmer un appétit dévorant. (Estomac alors empli de raisin qui, comme chacun sait, est diurétique. Ce qui obligeait Petite Chérie à courir plus souvent qu'à son tour se cacher derrière les haies, sous les ricanements des Espagnols, sobres comme des chameaux.)

L'équipe comprenait — en plus des Catalans qui ne parlaient qu'entre eux — un étudiant italien en sociologie aux violentes diatribes politiques que la fatigue empêchait votre fille d'apprécier comme elle l'aurait dû ; un groupe de Hollandais qui s'adonnait à la fumette de H entre deux rangées de ceps, sous l'œil indifférent des viticulteurs qui en avaient vu d'autres ; et deux pensionnaires de l'asile psychiatrique voisin qu'on ne laissait sortir qu'en cette occasion et qui agitaient dangereusement leurs sécateurs en riant d'une façon hystérique qui donnait froid dans le dos à Joséphine.

La tente était dans la boue. L'accès à la fameuse douche farouchement défendu par l'armée espagnole. Le téléphone coupé par la patronne, *une hyène*, sous prétexte que des z-hippies anglais l'avaient ruinée l'année précédente, en appelant longuement des copains en Australie.

Tout cela, pour gagner à peine de quoi acheter un saucisson, deux tranches de pâté, trois tomates, en vitesse à l'épicerie du village. Avant de porter le raisin à la coopérative et d'attendre des heures (queue des tracteurs sur deux kilomètres) le déversement des bacs poisseux de sucre sur les trottoirs roulants.

Bref, Petite Chérie revenait épuisée, sale, visiblement pas coiffée depuis deux semaines, les doigts recouverts de pansements Urgo (coupures de sécateurs des fous). Décidée à ne plus confondre travaux des champs et parties de campagne.

Et manifestant une joie délirante à l'idée que vous alliez lui faire couler un bon bain chaud avec de la mousse parfumée Dior.

Vous vous asseyez à votre poste d'observation préféré : le rebord de la baignoire.

Vous sentez que quelque chose tracasse votre fille.

Elle vous demande plusieurs fois de suite, avec intérêt, comment vous allez... si son père est de bonne humeur... et même si votre travail marche comme vous voulez (en général, dans votre petite famille, tout le monde s'en fout).

Tous signaux d'alarme que vous connaissez bien malgré votre manque d'intuition égal, on le sait, à celui d'une patate.

Petite Chérie a quelque chose à vous demander.

De votre côté, une question vous brûle les lèvres. Où est passé le Maudit Marin ? Aucune allusion de votre cadette. Vous espérez, en un éclair, qu'il est resté enfoui dans la gadoue des Corbières. Ou mieux, parti faire la récolte du café au Brésil. Si, si, c'est rentable, vous assure Joséphine. A votre grand étonnement car il vous semblait que les pauvres chômeurs des favellas n'avaient nul besoin de la main-d'œuvre française...

Mais vous ne dites rien. Une vieille expérience maternelle vous a appris que, pour obtenir une réponse de votre enfant, le mieux était de ne pas lui poser de questions.

Vous avez raison. La Prunelle-de-vos-yeux se dégonfle la première.

— Heu... est-ce que tu serais d'accord pour que Yann habite à la maison ?

Vous aviez beau vous attendre à beaucoup de choses, là, vous êtes K.-O. de surprise.

— Où ça ? balbutiez-vous.

— Heu... dans ma chambre... puisque c'est mon *Marcel !*

— Comment ça, Marcel ? Je croyais qu'il s'appelait Yann !

— T'es jamais dans le coup ! Ça veut dire que c'est mon mec, qu'on est *fiancés* comme tu dis, toi...

Un ouragan dévaste votre âme.

Vous essayez déjà de ne pas imaginer votre précieuse cadette dans les bras du Matelot Tatoué, voleur d'adolescentes, que vous détestez dans le secret de votre cœur de mère. C'est au-dessus de vos forces de voir ce monstre se coucher le soir avec elle, sous vos yeux, dans son lit de jeune fille !

Plutôt vous enfermer à Sainte-Anne.

Comme souvent, vous vous réfugiez lâchement derrière l'ombre de l'Homme. Les colères et les bouderies de Joséphine vous stressent.

— Ton père ne le supportera pas. Il ne veut même pas que Yann mette les pieds à la maison.

— Papa crie mais ne mord pas. Si toi, tu es d'accord, il lâchera...

Petit Jésus, au secours !

Comment refuser (il ne vous vient même pas à l'idée d'accepter) sans vous brouiller avec votre bouillante héritière ?

La peur de la voir claquer la porte et disparaître à jamais de votre vie vous serre la gorge. La fille de votre copine, Marine, est partie deux ans au Mexique, sur un coup de tête, et sans donner de nouvelles. Sa mère a cru mourir de chagrin. Fille Aînée elle-même a bien disparu dans une communauté baba cool avant de devenir une jeune femme bourgeoise.

Vous essayez de louvoyer.

— Avant de considérer ce Yann comme... ton *Marcel*, j'aimerais être sûre que c'est sérieux, dites-vous avec toute l'emphase maternelle dont vous êtes capable.

Cela n'impressionne nullement Petite Chérie.

— *Ça me troue !* T'as pas fait tellement d'histoires avec le mari de ma sœur...!

— Justement. C'était le mari de ta sœur. Pas un type comme ça, en passant...

Aïe ! Aïe ! Aïe ! Vous avez dit ce qu'il ne fallait pas.

— Yann n'est pas un type juste comme ça, en passant, ulule Joséphine en éclaboussant de la mousse Dior jusque sur votre nez. Je l'aime pour la vie. On sort déjà ensemble depuis un an ! (Vous n'avez rien remarqué. Honte.) Et c'est pas parce qu'on n'a pas de papier à la mairie que cela ne compte pas. Le mariage, c'est d'un *nul* ! Du reste, tu n'as rien dit, et Papa non plus, quand vous êtes venus nous voir, cet été, à Plou-les-Ajoncs.

Touchée !

Vous ne pouvez avouer à votre fille que vous comptez sur le temps pour défaire cette union que vous désapprouvez sauvagement dans le tréfonds de vos tripes. Elle serait capable de vous noyer dans la baignoire. Vous murmurez bêtement :

— Là n'est pas la question !

— Alors, où est-elle ?

Une seule méthode, selon Napoléon : attaquer.

— Écoute. Je te laisse libre de faire ce que tu veux (c'est bien parce que vous ne pouvez agir autrement. Sinon, hop, enfermée plusieurs mois dans un couvent anglais ! Loin de ce Yann de malheur, comme vous avez déjà médité de le faire, au temps pas si lointain de ses amours avec le Comanche). Mais toi aussi, tu dois être tolérante avec moi. (Qui connaît des enfants tolérants avec leurs parents ?) Et moi... heu... cela ne me plaît pas de vivre avec ton matelot qui, je te le signale en passant, ne m'a jamais adressé la moindre parole aimable (et toc ! ça fait du bien quand ça sort). Je n'ai aucune envie de le rencontrer le matin dans les couloirs, dans la cuisine, dans la salle de bains, quand je traîne en robe de chambre, abrutie et pas coiffée. Est-ce que tu comprends ça ?

Un long silence torturant.

— ... Ben, ouais ! finit par admettre Joséphine d'une voix étranglée. Mais alors, est-ce qu'on pourrait avoir la chambre du sixième ?

— Tu sais très bien que nous l'avons prêtée à un

étudiant chinois, qui est le fils d'une relation d'affaires de ton père.

— Avec sa cuisine, il empeste tout l'immeuble !

— C'est vrai mais pas suffisant pour déclencher une guerre franco-pékinoise.

— Où on va dormir alors ? se lamente Petite Chérie. Dans des Abribus, sur des journaux, comme des clodos...

La vision de la Douceur-de-vos-vieux-jours allongée dans la rue, à l'arrêt du 84, sur une paillasse de vieux quotidiens, vous poignarde le cœur. D'un autre côté, vous ne pouvez pas, non, vous ne POUVEZ pas envisager de vous bousculer avec le Maudit Marin autour de votre lavabo, quand vous désirez vous y laver les dents.

Et l'Homme s'y raser. Il poignardera immédiatement l'intrus avec son vieux couteau suisse, comme il a déjà menacé de le faire (titres dans les journaux : « Un Père, devenu fou, tue dans sa salle de bains l'amant tatoué de sa fille... »).

— Ton *Marcel*/Yann, il va se débrouiller comme tout le monde, dites-vous fermement. Trouver un travail, louer un studio, etc. Toi, tu auras toujours ta chambre ici.

A votre grand étonnement, Petite Chérie ne vous dit rien de malpoli concernant sa/votre chambre. Elle pousse un long soupir de martyre (sa spécialité), sort de son bain, s'habille sans un mot et va rejoindre le pirate vendeur de frites qui l'attend au café du coin. Pourquoi n'y a-t-il pas un diable, protecteur des mères de famille en détresse, qui noierait les amoureux non désirés de leurs filles dans des cuves de vin des Corbières ? De nouveau, vous songez à un pèlerinage à Lourdes mais vous n'avez déjà pas fait le premier et cela vous tracasse la nuit : pourvu que la Vierge ne vous punisse pas ! Quant aux désenvoûtements africains, le sort du Marabout toucouleur du 51 vous a refroidie.

La journée s'étire lentement. Impossible de vous concentrer sur votre travail. Vous vous demandez sans cesse si vous avez eu raison d'être intransigeante. Ah, quel malheur, quel malheur d'être réac comme vous !

Vous téléphonez à vos copines. Surprise. Elles se divisent en deux clans farouchement opposés.

Celles qui sont d'accord pour que leurs filles ramènent leurs mecs dormir à la maison, au cri de : « Au moins, je sais où elles sont ! »

Les autres qui, comme vous, ne peuvent envisager de partager leur intimité familiale avec un inconnu.

Votre amie, Jeanne, a bien essayé. Et vécu un mois entier avec un Jamaïcain importé par son aînée, qui se promenait gaiement, entièrement nu, dans son appart, sur des rythmes de reggae. Son éducation (de votre copine) ne l'avait pas préparée à croiser, à l'heure du café au lait, des sexes mâles autres que celui de son mari. Elle vivait les yeux baissés. Elle a fini par craquer.

Le soir, Petite Chérie n'apparaît pas au dîner. Vous vous couchez avec le cafard. Est-elle en train d'aménager l'Abribus du coin avec vos vieux journaux et deux couvertures volées aux Galeries Farfouillettes ?

Un rugissement de moto déchire la tranquillité de votre rue endormie. Après un temps raisonnable (bisous-bisous et un ou deux serments d'amour idiots), votre porte d'entrée s'ouvre doucement et Joséphine rentre sur la pointe des pieds. Vous ne pouvez vous empêcher d'aller aux nouvelles (d'accord, vous êtes une mère-la-glue !).

— C'est pas moi qui t'ai réveillée, proteste-t-elle

avant que vous ayez pu ouvrir la bouche. J'ai fait drôlement attention!

Vous jugez inutile de parler du tonnerre de la Honda sans pot d'échappement qui a fait sursauter le quartier entier. Une seule question vous préoccupe. Où est passé l'ennemi? le Maudit Marin? Attend-il sur votre paillasson que vous soyez endormie pour se glisser dans la chambre de votre fille? S'est-il installé à l'hôtel d'en face? Au refuge de l'Armée du Salut?...

Non.

... dans une cabine de bains, dans une piscine, en échange d'un peu de gardiennage de nuit et de nettoyage.

Gardiennage de nuit? Tiens! Vous ne saviez pas qu'on pouvait voler des piscines.

Vous êtes une *deb* (débile), vous fait comprendre votre cadette. Son amoureux est chargé de veiller sur les matelas, les coussins, les bouées, etc. Et il a dû être recommandé par un copain breton car le précédent veilleur de nuit avait emporté une partie du matériel en question, pour ouvrir sa plage privée à Hammamet, en Tunisie.

Petite Chérie est enthousiaste. Elle vous décrit l'atmosphère sublime de la piscine, la nuit, éclairée par des spots lui donnant une couleur irréelle tandis que son bien-aimé lui jouait de la guitare (ah! parce qu'en plus, ce chien joue de la guitare pour séduire les demoiselles!). Vous ne répondez rien. Vous détestez les piscines qui vous semblent toujours grouiller des microbes des Autres. Sans compter les pipis en douce...

Quant à elle, Joséphine, elle va se mettre, dès demain, en quête d'un nouveau petit boulot. Tout en restant en pension chez vous, par stricte mesure d'économie. Quant aux ébats amoureux, dont pudiquement vous ne parlez ni l'une ni l'autre, ils auront probablement lieu sur l'un des fameux matelas, au bord de l'eau glauque, à l'odeur chlorée. Vous ne voulez pas savoir. Cela vous fiche le blues.

En rentrant dans votre chambre, vous trouvez l'Homme réveillé (la moto). Mécontent. Le coup de la piscine le met hors de lui. Il tape sur son oreiller.

Ou sa fille cadette reste à la maison et fait des études convenables et lui, le Père, l'entretient.

Ou elle va vivre dans sa piscine à la con, avec son crétin de navigateur de malheur et elle gagne ses sous toute seule.

— On l'a bien fait à son âge, crie-t-il. Toi comme dactylo et moi comme coursier dans une banque.

Vous lui coupez la parole avant qu'il ne fasse allusion, pour la millième fois, à vos chaussures.

Oui, vous étiez trop pauvres l'un et l'autre pour acheter des souliers neufs. L'Homme avait des trous dans les siens et découpait tous les soirs des semelles en carton, en guise de ressemelage. Vous, vous portiez des chaussures déjà très usées et déformées d'une de vos cousines aux arpions plus grands ! Vous deviez bourrer le bout de vos richelieus avec du coton et vous aviez perpétuellement mal aux pieds.

Ces anecdotes de godasses ont toujours amusé vos filles, porteuses de Kickers neufs, de baskets dernière mode et d'escarpins italiens de luxe.

Mais aujourd'hui, vous ne voulez pas entendre parler de ces histoires de souliers, pourtant véridiques.

Vous n'êtes pas d'accord avec l'Homme.

Non pas que vous pensiez qu'il ait tort sur le principe. Mais sans l'avouer, ce soir, vous vous foutez du principe.

La vérité, c'est que vous êtes malade à l'idée que Petite Chérie quitte définitivement le foyer familial.

Voilà des années que vous redoutez le jour où vous n'aurez plus d'enfant à la maison. Où la maison sera silencieuse toute la journée, sans porte claquée, sans radio qui vous empêche de travailler, sans hurlement : « Maâââââââââman !!! » Le jour où votre téléphone sera libre quand vous en aurez besoin. Et où vous trouverez dans le frigo du soir ce que vous y avez mis le matin. Le jour où vous serez seule avec l'Homme — que vous chérissez certes mais qui laisse son esprit au bureau et qui s'endort devant la télé et vous appelle par le nom de sa secrétaire.

Qu'allez-vous faire de la chambre vide de votre cadette ? Un deuxième bureau ? Vos petits-enfants ne viennent que pour le week-end et encore.

Adopter un bébé éthiopien ?

L'Homme s'y oppose farouchement.

Ça suffit, les enfants ! On a donné...

Vous regrettez brusquement de ne pas en avoir eu une douzaine.

Vous détestez le calme de la vieillesse qui vient.

Vous pleurez, le nez dans votre oreiller.

L'Homme vous prend dans ses bras.

Il va vous donner un petit chat.

Vous l'insultez. Un petit chat ne remplace pas un enfant, tout de même ! Vous voulez garder votre dernière fille.

— Bon, dit l'Homme, garde ta dernière fille. Comme ça, elle aura le toit et le couvert gratuits. Elle pourra mettre de côté tout ce qu'elle gagnera, elle et le Maudit Marin, pour acheter plus vite leur putain de bateau.

— Mais elle ne trouvera aucun boulot, remarquez-vous en reniflant. Tu penses ! Avec ces millions de malheureux chômeurs... c'est déjà une chance incroyable qu'elle ait déniché...

La discussion conjugale reprend. Si Joséphine ne

dégotte aucun travail, même modeste, faut-il continuer à lui donner son argent de poche ? Cette fois,
vous tombez d'accord avec le Père. Pas d'études =
pas d'argent de poche. (Sauf celui que vous lui
glisserez, en douce de l'Homme, pour acheter la
pilule. Histoire entre femmes.)

— C'est *paisible !* répond tranquillement votre
fille, en train de manger une énorme tartine (pain de
campagne, beurre des Charentes, miel de vos ruches
— rien qui ressemble au croûton sec de la chômeuse
sans droits) quand vous lui faites part, le lendemain
matin, de la décision paternelle.

— Et comment comptes-tu t'en tirer ?

— Ne *flippe* pas. On va très bien se débrouiller,
Yann et moi. Et tout seuls comme des grands. *Point,
barre.*

Parfait. Sauf que si vous n'avez pas voulu accueillir sous votre toit le Matelot Tatoué, vous n'avez pas
refusé :

Que son linge soit lavé intégralement dans votre
machine à laver (la Miele vrombit nuit et jour. Vous
vous demandez comment un individu normal arrive
à se salir autant).

Qu'il soit repassé par votre nouvelle femme de
ménage portugaise, Palmyra, qui demande immédiatement une augmentation pour ce surcroît de
travail. (Votre chère Lucinda vous a quittée pour
épouser un balayeur zambien qu'elle appelle tendrement : « mon cannibale » !)

Que l'amoureux affamé soit nourri grâce à vos
provisions. Petite Chérie emporte des noix entières
de jambon de Parme, des paquets de beurre, des
miches de votre cher pain Poilâne, du vin rouge (ah !
il ne crache pas sur le bordeaux, le Breton !). Le jour
où elle s'empare des steaks et de votre gril — qui
disparaît purement et simplement — vous compre-

nez que le petit couple s'est acheté un camping-gaz et barbecue joyeusement, le soir, au bord de sa piscine.

Entretenir en douce son Yann, à vos frais, n'a pas été la seule préoccupation de votre fille cadette.

Elle a fait le tour des commerçants du quartier (qui l'ont vue naître) pour se présenter comme vendeuse.

Le libraire l'informa qu'il y avait crise dans la librairie. Les Français ne lisent plus qu'un livre par an et son chiffre d'affaires était en baisse même si votre compte marquait une hausse constante.

La boulangère l'informa qu'il y avait crise dans la pâtisserie. Avec ces saloperies d'articles dans les magazines féminins : « Comment mincir l'été... », « Perdez vos kilos en hiver... », « Attention, vous êtes trop GROSSE ! », personne n'osait plus manger de gâteaux. Sinon les enfants qui ne savaient pas lire et les vieilles dames avides de douceurs.

Le fourreur l'informa qu'il y avait crise dans la fourrure. Avec cette campagne déclenchée par Brigitte Bardot et l'Agha Khan contre les manteaux en peaux de bête, les femmes ne portaient plus que de la fausse fourrure, craignant de voir des commandos d'écolos fanatiques leur arracher leurs vêtements en pleine rue.

Petite Chérie revint à la maison, désemparée. *Distroy.*

Et vous demanda de la pistonner auprès de votre garagiste. Comme pompiste. Un de ses copains, l'été dernier, sur une autoroute, avait touché un *pakson* de gros pourboires (des petites voitures, les possesseurs de Porsche et de Mercedes, étant, eux, très radins).

Vous acceptez d'aller faire une démarche auprès de monsieur Albert.

Avec joie.

Vous tremblez, en effet, que votre garage ne se transforme en station libre-service.

S'il y a bien quelque chose que vous détestez, ce sont les pompes où vous devez vous servir, vous-même, en essence.

D'abord, il vous faut sortir de votre voiture et, pour cela, déboucler votre ceinture de sécurité qui vous ficelle à votre siège. Vos gros blousons de (fausse) fourrure vous gêne et vous n'avez plus la souplesse de serpent de vos vingt ans pour vous extraire de votre chère 2 CV.

Après un certain nombre d'années de vie commune avec Miss Charleston, vous avez fini par apprendre où se trouvait le réservoir. Mais vous avez mal garé votre véhicule, un peu loin de la pompe (vous priez que le tuyau d'essence soit assez long) sur laquelle clignote un montant lumineux « à payer ». Cela vous inquiète toujours. Allez-vous régler l'addition du client précédent ? En principe, non. Mais vous n'avez pas confiance. Qui a confiance dans son garagiste ?

Vous décrochez le tuyau de super et vous le portez avec précaution en direction de votre réservoir. Vous vous apercevez alors que vous avez oublié d'enlever le bouchon, à l'aide d'une clef pendue avec votre trousseau sous le volant. Vous posez le tuyau par terre et vous allez la chercher. Mais celle du démarreur, par pure méchanceté, reste coincée. Vous tournez et tirez dans tous les sens. En vain.

Le conducteur de la voiture qui attend derrière la vôtre commence à klaxonner. Vous lui faites un sourire niais pour le calmer.

Enfin, vous réussissez à arracher votre trousseau du démarreur et revenez dévisser, tant bien que mal, le bouchon de votre réservoir. Que vous posez sur le toit de votre voiture. Ouf.

Le plus dur reste à venir. Vous reprenez le tuyau et l'introduisez dans votre réservoir.

Rien.

Le conducteur de la Range Rover (75), derrière, n'y tient plus. Il sort et vient regarder ce que vous fabriquez. (Vous détestez les propriétaires parisiens de 4×4 qui ne font jamais que le rallye Concorde-Arc de Triomphe ou Paris-Cabourg. Mais vous vous gardez bien de traiter celui-ci de frimeur. Au contraire.)

— L'essence ne coule pas, geignez-vous d'un ton « petite fille » destiné à éveiller en lui le complexe de l'*homo protectus*.

— Si vous appuyiez sur la gâchette, ce serait mieux, remarque-t-il froidement, pas du tout ému par votre air éperdu (qu'il crève, lui et sa caisse de beauf !).

Vous appuyez sur la gâchette. Ça marche. Le compteur lumineux de la pompe se met à défiler à toute vitesse. Vous supposez que le carburant coule à flots dans votre réservoir. Tout va bien.

Jusqu'au moment où, pour une raison inconnue, le précieux liquide a un hoquet et refoule un flot de super. Qui jaillit en geyser sur la manche de votre blouson de fausse fourrure. Qui se met à puer le pétrole. Vous poussez un cri. Que va penser le producteur de télévision avec lequel vous avez rendez-vous, quand vous entrerez dans son bureau, parfumée à l'essence et non au *Diorissimo* ? Vous lâchez tout.

Quand, nerveusement, vous réappuyez sur la gâchette, rien ne vient plus. Vous vous en plaignez au conducteur de la Range Rover, toujours planté là, fasciné par votre maladresse.

— Pourquoi ça ne coule plus ? pleurnichez-vous, le réservoir n'est pas plein.

Exaspéré, le monsieur saisit votre tuyau, appuie sur la gâchette... et reçoit à son tour un flot de super sur ses jolis Westons. Il jure effroyablement.

— Ça ne m'arrive jamais à moi ! prétend-il.

A vous, oui. Tout le temps. Vous êtes maudite. Vous ne l'avouez pas pour ne pas être brûlée comme sorcière, liée à une pompe Shell, comme Jeanne d'Arc à son bûcher.

Vous décidez d'arrêter là l'expérience. Votre réservoir n'est plein qu'à demi mais vous en avez pardessus la tête avec votre manche détrempée et vos boots pataugeant dans le puant carburant.

Vous revenez vous installer à votre volant. Vous tirez sur votre ceinture de sécurité. Qui se bloque à mi-parcours. Vous lui parlez gentiment. Elle consent à se mettre en place. Vous voilà reficelée à votre siège avec votre gros blouson.

... Vous avez oublié la clef du démarreur avec celle du réservoir sur le bouchon posé sur le toit de la voiture !

Ne pas jurer hystériquement. Re-déboucler votre ceinture de sécurité. Re-sortir de la voiture. Re-mettre le bouchon du réservoir. Récupérer la clef du démarreur. Vous rasseoir au volant. Re-boucler la ceinture de sécurité.

— Heureusement que j'ai ma journée de congé ! vous dit, acerbe, le conducteur de la 4 × 4 qui ne vous pardonne pas ses Westons trempés de super (il a dû se faire engueuler par sa femme qui a des tics nerveux).

Enfin, vous démarrez, au soulagement de tous.

En oubliant de payer.

Le caissier sort de sa cabine en hurlant. Une sirène

mugit. Vous vous arrêtez. Vous re-débouclez votre ceinture, etc.

Voilà pourquoi vous donnez de gros pourboires au charmant jeune homme ou à l'adorable jeune fille qui se charge de ce *boulot d'enfer* à votre place et en profite même pour laver votre pare-brise et vous lancer un beau sourire.

C'est dire si le désir de Petite Chérie d'être pompiste vous plaît. Vous lui promettez votre clientèle et celle de toutes vos amies et relations. Peut-être même enverrez-vous un carton gravé : « Au garage Albert, on vous sert !... »

Votre garagiste est désolé ; il ne peut employer votre fille bien que vous soyez une bonne cliente (votre chère vieille 2 CV a toujours besoin d'une petite réparation du style : « un fusible : 5 francs. Divers : 7 000 francs »). Mais il a déjà une équipe de petits Vietnamiens qui travaillent jour et nuit, dimanche compris. Dansant un ballet autour de chaque véhicule, le premier mettant l'essence, l'autre lavant le pare-brise, le troisième vérifiant les pneus. Une vraie tribu : si l'un d'eux est malade, il est immédiatement remplacé par un cousin.

Quand vous rapportez la mauvaise nouvelle à Joséphine, celle-ci reste songeuse. D'un côté, remarque-t-elle, les Asiatiques envahissent les stations-service (et les Tamouls monopolisent la promenade des chiens). Ce qui enlève le pain de la bouche des jeunes chômeuses françaises. De l'autre côté, votre cadette milite pour les Droits des immigrés. Touche pas à mon pote. Délicat dilemme.

Pendant que vous vous démeniez chez Monsieur Albert, Petite Chérie avait trouvé, grâce à la bouchère, un petit boulot pour une journée.

Distribuer des prospectus, en patins à roulettes, casquette rouge vif et salopette jaune, à l'occasion de l'ouverture d'une vingt-cinquième pizzeria dans la rue du Marché. Le gérant, d'origine italo-tunisienne, exigea qu'elle reste devant la porte d'où il pouvait surveiller qu'elle ne jette pas son paquet d'imprimés dans la poubelle la plus proche.

Pour aider votre fille à écouler son stock de papiers d'un orange criard, vous passez une bonne dizaine de fois devant elle, sans avoir l'air de la connaître, prenant la réclame, la lisant d'un air passionné et la glissant ostensiblement dans votre sac. Contrairement aux autres passants qui, le prospectus à peine remis — quelquefois de force par une Joséphine trébuchant sur ses patins —, le froissaient en boule sans le regarder et le jetaient par terre.

Au bout de la journée, le trottoir de la pizzeria était jonché de papiers, ce qui provoqua la colère du balayeur malien du coin.

— Moi, je balaie pas tes cochonneries, dit-il vertement à Petite Chérie.

— Ce n'est pas ma faute si les gens jettent mes prospectus par terre, grommela Joséphine. Balayer, c'est ton travail.

— Mon balai, il t'emmerde, répondit gracieusement le Bambara qui avait fait des progrès foudroyants en français depuis son arrivée à Paris.

L'altercation attira le gérant qui bondit hors de sa pizzeria où il était embusqué, comme une murène de son trou de rocher.

— Si tu n'es pas content de travailler, espèce d'enfoiré, tu rentres dans ton pays, cria l'Italo-Tunisien au Malien.

— Je vous interdis de l'insulter, protesta votre petite militante des Droits de l'homme.

— Toi la blondasse, t'es virée, et t'auras pas un rond, hurla le gérant de la pizzeria.

— Vous n'avez pas le droit, glapit Joséphine qui se heurtait, pour la première fois de sa vie, à la mauvaise foi et à la malhonnêteté, hélas si répandues dans les affaires.

— Fais-moi un procès, connasse ! ricana l'odieux patron.

Joséphine jeta violemment par terre le reste de ses prospectus que le balayeur malien s'empressa de pousser dans le ruisseau.

— *Inithie !* lui dit votre fille.

Le Bambara manqua en avaler son balai de saisissement.

Petite Chérie venait de le remercier dans sa langue natale.

En fait, c'était le seul mot qu'elle avait retenu de l'unique cours de bambara qu'elle avait suivi quand elle s'était inscrite comme étudiante aux Langues O.

Lorsqu'elle vous avait « emprunté » les frais d'inscription à l'Inalco, vous étiez restée interdite. Joséphine désirait-elle devenir l'égérie des travailleurs immigrés maliens de Paris ? Non. Elle voulait simplement obtenir une carte d'étudiante sans faire des heures de queue, en pleine nuit, devant une université parisienne. Et sans assister aux cours. Le bambara resterait toujours de l'hébreu pour elle (alors pourquoi ne pas apprendre directement l'hébreu ?). Mais grâce à cette carte magique, elle pourrait profiter des prix imbattables des restaurants universitaires, des réductions dans les cinémas et de la Sécurité sociale étudiante (nouvel « emprunt » à votre porte-monnaie pour payer la cotisation).

— Mais alors tu ne peux pas t'inscrire à l'A.N.P.E. et profiter de leurs offres d'emploi ?

— Les Tuc, c'est de la *daube*. Je préfère *schtroumpher* toute seule.

Mais *schtroumpher* n'est pas si facile que ça.

Les annonces chez la boulangère ou au supermarché Podec du coin réclament surtout des baby-sitters ou des leçons particulières de mathématiques. Or, curieusement, votre fille cadette refuse de s'occuper d'enfants. Son unique expérience — au temps de ses amours avec le Comanche —, les récits effrayants de sa copine Laurence qui garde des bébés, le soir, tout en faisant des études de droit, et se plaint de la méchanceté des mères — toutes des *hyènes*, à l'entendre —, la traumatisent. Quant aux cours de maths, malgré vos efforts, votre enfant n'a jamais dépassé la table de multiplication. Et encore. Neuf fois six, ça fait combien ?... (Vous l'avez vous-même oublié grâce à ces satanées calculettes.)

Son *chômedu* n'empêche cependant pas votre adolescente de se lever à l'aube tous les matins. (Encore un changement inouï : où sont les grasses matinées d'antan ?) Pour rejoindre au café du coin l'abominable Yann, arrivant de sa piscine. Avec une brassée de journaux — pris au kiosque sur votre compte — pour dépouiller les offres d'emploi, en compagnie de copains.

Après une enquête digne d'Hercule Poirot, vous avez pu établir que le petit groupe comprenait, outre le Maudit Marin et la Prunelle-de-vos-yeux, un pote breton, Gaël, vivant dans une camionnette avec sa femme et son bébé de quelques mois. Le véhicule se déplaçait la nuit, dans les rues de Paris, promenant les dormeurs dans les endroits les plus inattendus de la capitale. Le matin, toilette générale dans les sous-sols du *Ker Gwen's Café*. Bébé lavé dans les lavabos, à la grande surprise des clients. Biberon chauffé par le patron, « un pays ». Cette aménité vous semble rare chez un cafetier même breton. Vous décidez de lui donner votre clientèle et d'inviter vos copines à manger chez lui d'affreuses crêpes de sarrasin au chocolat.

Fait généralement partie de la bande, Ahmed, un beur, pour l'instant videur d'une boîte de nuit déserte à Pigalle. Son travail principal consiste, non pas à jeter dehors les perturbateurs saouls (il n'y en a pas) mais à taper au carreau du *Blue Gogo's Girls Saloon* quand un client éventuel apparaît dans la rue. Immédiatement, à l'intérieur, l'orchestre se met à jouer *La Salsa du Démon*. Si le passant n'entre pas, Ahmed retape au carreau et les musiciens retombent dans leur somnolence.

D'après ce que vous pouvez comprendre, l'occupation de ce petit monde consiste, au *Ker Gwen's Café*, à cocher — dès 7 heures du matin — dans les (vos) journaux —, les petites annonces intéressantes et à les appeler au téléphone, sans relâche, à partir de 8 heures. Bloquant ainsi la ligne et empêchant d'autres demandeurs d'accéder à l'emploi proposé.

C'est ainsi que Yann et ses deux copains deviennent représentants de la société Sécurité pour tous.

Le travail consiste pour le Matelot Tatoué et Ahmed à se faufiler, dépenaillés, mal rasés, *lookés casseurs*, dans un grand immeuble. Ils sonnent aux portes. Les locataires, méfiants, entrebâillent. L'amoureux de votre fille glisse immédiatement son pied dans l'ouverture, comme dans les films policiers de la télévision, série B. Demande d'un ton menaçant à la ménagère ou au retraité s'il possède des meubles à vendre, des objets de valeur ou des économies pour acheter — en faveur des ex-délinquants — une splendide peinture de-pommier-dansun-champ-de-blé. Ahmed, lui, examine ostensible-ment l'appartement. Les locataires, terrorisés, finissent par repousser les inquiétants personnages et claquer la porte.

Ceux qui ont un œilleton n'ouvrent même pas du tout (votre cas) et crient avec inquiétude : « Qu'est-ce que c'est ? » Yann et Ahmed ne répondent pas et chuchotent longuement, entre eux, sur le palier.

Avant d'aller sonner à un autre étage.

Une heure plus tard, Gaël, très élégant dans un blazer bleu marine avec cravate Club et attaché-case, apparaît. Représentant de l'entreprise Sécurité pour tous, spécialisée dans la pose d'alarmes, de portes blindées, de serrures incrochetables, de verrous en acier inoxydable, de radars volumétriques, de détecteurs de présences indésirées, bref du matériel le plus complet pour décourager les malfrats.

— Savez-vous qu'un cambriolage a lieu chaque minute en France !... Halte aux voleurs !... Protégez vos biens, vos bijoux, vos économies !... Rien qu'une télé, ça vaut cher, et ça intéresse des personnages inquiétants qui rôdent dans votre immeuble... Sans compter les bandes de jeunes qui cassent tout pour le plaisir ! Quant aux assurances, toujours promptes à vous prendre votre argent, elles se font tirer l'oreille pour rembourser des clopinettes, etc.

Apeurés par le passage des compères précédents, les locataires se jettent sur les prospectus de Gaël et se ruinent en chausse-trapes anti-cambrioleurs.

En ce qui concerne le blindage de votre propre appartement, Petite Chérie s'est, elle-même, chargée du baratin.

Vous avez d'abord refusé, sous prétexte qu'il n'y a rien à voler chez vous, excepté vos trois dernières petites cuillers en argent, les autres ayant filé dans la poubelle (sort commun aux petites cuillers en argent, vous l'avez souvent remarqué).

— Et tes tableaux ? remarque Joséphine.

— Ils ne valent rien et je serais ravie que ton père m'en achète de nouveaux. Ceux-là, je les ai assez vus !

— Et ta télé ! Ton magnétoscope ? Ça vaut cher...

— Juste le prix de ta porte blindée.

Votre fille ne lâche pas prise.

— Et tu seras contente de retrouver un jour ta porte fracturée et tous tes tiroirs retournés ? Telle que je te connais, cela te rendra malade.

Vous devez convenir que oui. Vous avez déjà vécu cette épreuve lors du cambriolage de votre petite maison du Lot, quelques années auparavant. Pourtant les voleurs n'avaient rien pris en dehors de tout l'équipement Moulinex de votre cuisine (vous avez interrogé votre psy sur cette fixation Moulinex : il n'a pu vous donner aucune explication, même après avoir relu Freud en entier) et votre carabine 22 long rifle. Ce qui avait mis les gendarmes de mauvaise humeur. Vous, ce qui vous avait flanquée très en colère, c'est effectivement de retrouver tout l'intérieur de vos placards jeté en vrac par terre. Et une grosse crotte dans vos W.-C. personnels, les cambrioleurs n'ayant même pas eu la délicatesse de tirer la chasse d'eau. Ce détail sordide vous a enragée. Signature gitane, avait assuré le brigadier-chef. Depuis, vous ne voulez même pas écouter les Gipsy Kings.

— Ah ! Tu vois ! s'exclame Petite Chérie.

Vous faiblissez et vous réfugiez derrière la phrase maternelle numéro trois *bis* :

— Demande à ton père.

L'Homme commence par dire non, lui aussi.

— Il n'y a rien à voler, sauf trois petites cuillers en

argent que ta mère a réussi à ne pas jeter à la poubelle.

Mais Joséphine ne lâche pas prise.

Et le Père cède, débordé par le tempérament accrocheur de sa fille qui n'hésite pas à lui faire des câlins dans le cou.

C'est ainsi que les portes de votre appartement parisien sont désormais blindées « 5 points », y compris celle de la cuisine et de la chambre du sixième, à la grande surprise de l'étudiant chinois, monsieur Li, qui trouve les capitalistes français bien peureux. Les volets du balcon furent renforcés par des barres de sûreté. Et la petite fenêtre des toilettes pourvue d'une vitre anti-balles.

Vous vivez dans un bunker.

Mais l'installation de la maison du Lot fut encore plus compliquée. L'entreprise Sécurité pour tous envoya deux ouvriers la piéger complètement. Désormais, dès qu'une fourmi se faufile dans une pièce, une sirène d'alarme retentit jusqu'au village, une voix caverneuse — sur disquette — hurle dans le salon : « Attention, salauds de cambrioleurs, l'alerte a été donnée... Vous avez trente secondes pour vous enfuir... » et le téléphone sonne dans votre chambre à Paris — généralement en pleine nuit — afin que vous préveniez les gendarmes du Lot. Qui se précipitent chez vous. Où ils se font agresser par le chien-loup du voisin prévenu par la sirène.

Bref, une véritable émeute.

Pour calmer tout votre petit monde, furieux d'être dérangé pour une fourmi — qui s'est enfuie lâchement — vous vous ruinez en cadeaux et en caisses de blanquette de Limoux.

Et vous oubliez de brancher le code.

Joséphine entreprend ensuite Fille Aînée qui rigole.

— J'aime mieux voir la tête du malheureux qui essaierait de piquer les robots de Sébastien et la dînette de Jolie Princesse. Il ne s'en sortirait pas vivant !

Votre cadette ose alors s'attaquer à Superwoman. Celle-ci a déjà pour son superbe appartement une installation hypersophistiquée. Petite Chérie doit se contenter de lui vendre une alarme pour sa voiture numéro trois. Superwoman en discute âprement le prix.

— Plus les gens sont riches, plus ils sont radins, vous confie avec indignation votre héritière.

— C'est parce qu'ils sont radins qu'ils sont riches !

Vous vous refusez, vous, à installer une sirène antivol dans votre vieille 2 CV dont même un voleur débutant ne voudrait pas. D'autant plus que vous avez enlevé la radio pour éviter qu'on ne vous cisaille la capote au rasoir.

De toute manière, vous haïssez les voitures munies de sirènes anti-effraction. Votre rue en est bourrée, dont les sonneries superaiguës se déclenchent à tout instant. Pour une raison inconnue. Mouche, feuille, chien pisseur, éternuement de passant, P.-V. glissé sous l'essuie-glace ? Piiiiiiiiiiiiiihoooooooooo ! Piiiiiiiiiiiiiihoooooooooo ! Le bruit perçant vous vrille les oreilles interminablement, tandis que vous essayez d'écrire des phrases poétiques. Ce qui ajoute à votre fureur, c'est qu'aucun propriétaire ne vient jamais en courant voir ce qui se passe. Sauf vous qui vous précipitez à votre balcon pour rien.

Le seul achat qui vous plairait, dites-vous à Petite Chérie, c'est celui de la cassette d'aboiements de chien : « le Bulldog électronique » qui se déclencherait à l'ouverture du frigo pour éviter son pillage quotidien.

Votre cadette prend l'air pincé.

Et enchaîne par l'offre promotionnelle d'un coffre-fort.

Vous résistez à nouveau. Sous le prétexte minable que vous n'avez pas de bijoux.

L'Homme s'est toujours refusé à vous couvrir de diamants comme vous le méritez. Inouï, non ?

Pour la naissance de Fille Aînée, vous avez eu droit à un manteau de panthère splendide mais devenu trop étroit, hélas, au fil des années et des kilos. Et vous n'osez même pas le poser sur vos épaules, toujours à cause de la bande à Bardot.

Pour Petite Chérie, le Père a posé sur votre lit de clinique une cartouchière de grenadier de Napoléon. Effarée, vous avez demandé des explications. Pourquoi une cartouchière de grenadier de Napoléon et pas une belle grosse bague ? L'Homme vous a traitée de mémère bourgeoise et prétendu que la cartouchière convenait mieux à votre personnalité qu'une pierre précieuse(?).

Vous avez alors essayé de lancer la mode des gibernes de la Garde impériale en guise de sac de cocktail. On vous a regardée comme une folle. Vous avez planqué votre précieuse antiquité dans du papier de soie au fond de votre commode.

Et vous vous refusez maintenant à acheter une armoire de sûreté pour la ranger.

— Et pour mettre tes papiers ?... Ton testament ?... interroge avec espoir votre fille aimée et aimante.

Elle est indignée d'apprendre que vous n'avez pas encore écrit votre testament. Et pour couper court à ses récriminations, vous faites l'acquisition d'un petit coffre-fort de bureau que vous devez enjamber à chaque fois que vous désirez un dossier. Et où vous enfermez vos ciseaux à ongles que tout le monde vous pique. Ah ! ah !

Votre mère se retrouve à la tête d'un stylo de défense qu'elle perd sur-le-champ, à votre grand soulagement (elle n'avait pas compris dans quel sens s'en servir).

L'Homme décline la proposition d'installer des radars ultramodernes dans ses bureaux.
— Je préfère conserver mon vieux gardien et son chien à demi aveugle. A leur âge, ils ne retrouveront jamais de travail.
Il refuse également un gilet pare-balles.
— Je voudrais bien voir qu'un membre de mon personnel essaie de me tirer dessus ! Je le pendrais par les pieds dans la cour de l'usine, qu'est-ce qu'on rigolerait ! jubile-t-il à cette perspective.

Sa famille protégée contre le vol, l'agression, l'incendie (ayant gagné de quoi acheter un enrouleur pour la *Belle Sirène II*), Petite Chérie déniche alors une offre mirifique dans les petites annonces.

ÉLEVEZ DES CHINCHILLAS !
ACHETEZ DES CHINCHILLAS
ET DEVENEZ MILLIONNAIRE
EN PETITS CHINCHILLAS !

Suit une adresse en banlieue.
— C'est un attrape-nigaud, prédisez-vous à votre fille.
— La vérité, crie-t-elle, furieuse, c'est que tu ne

veux pas me prêter la maison du Lot pour que je m'y installe avec Yann.

Exact. L'idée de votre chère fermette livrée à Joséphine et à son fabuleux désordre, au Maudit Marin et aux chinchillas crottant partout dans votre salon vous déplaît totalement. Toujours votre mesquinerie. Mais vous culpabilisez. Une mère n'est-elle pas censée tout faire — même prêter sa chaumière bien-aimée — pour aider ses enfants à réussir dans la vie ? Et puis vous vous rappelez. Vous aussi, à vingt ans, vous avez voulu élever des visons dans une cabane au Canada ! Dieu merci, les Canadiens vous ont refusé votre visa d'émigrante sous le ridicule prétexte qu'ils n'avaient nullement besoin d'éleveuse de visons mais de cuisinière. Or vous détestez faire la cuisine. Vous êtes donc tóujours là, dans un appart bien chauffé, au cœur de Paris, et non morte sous des tonnes de neige glacée, comme Maria Chapdelaine.

Petite Chérie, à son tour, laisse tomber les chinchillas. (Ouf !) Et, tout en attendant l'emploi mirobolant que ses qualités méritent, décide de se lancer dans une campagne d'économies tant pour elle que pour vous.

Elle commence par acheter chez votre libraire (sur votre compte) un livre : *Comment vivre à Paris pour rien*. Vous l'approuvez jusqu'au moment où vous découvrez le prix du guide en question. Très élevé. Vous grognez. Mais Joséphine se plonge dedans avec passion.

Découvre ainsi que le charcutier du marché jette la tranche de jambon avec vigueur sur la balance (cinquante grammes de plus grâce à l'élan) où est déjà placée une feuille aussi épaisse et lourde que la tranche de jambon elle-même. Elle fait remarquer au charcutier que c'est du vol. Des insultes sont échangées. Votre adolescente revient à la maison, hors d'elle. Et vous prie de ne plus jamais remettre les pieds chez le commerçant indélicat.

— Mais ils font tous la même chose, gémissez-vous, et c'est le seul qui vende un bon jambon au torchon dont ton père raffole.

L'ardeur de votre cadette n'est pas pour autant éteinte. Elle fait peser la baguette par la boulangère, pourtant son amie. La baguette n'a pas le poids légal, indiqué dans le guide *Comment vivre à Paris pour rien*. La boulangère le prend très mal et arrache la demande d'emploi de Petite Chérie, scotchée à sa caisse. Quant à vous, vous courez lui faire des excuses. C'est la pâtisserie la plus proche de chez vous et elle reste ouverte très tard le soir.

Et vous interdisez à Joséphine de se mêler des courses de la maison. D'autant plus qu'elle a pris l'habitude d'emprunter votre porte-monnaie « pour les commissions » et de vous le rendre vide. Vous connaissez le truc. Vous ne dédaignez pas vous-même de vous livrer à un peu de « gratte » avec l'Homme.

— Je n'ai pas de sous... oublié de passer à la banque. Donne-moi cinq cents francs pour acheter le lait.

Et hop, la monnaie vous paie une petite écharpe de cachemire.

Vous revenez du marché, traînant vos paquets comme un sherpa un paquetage d'alpiniste dans l'Himalaya. Vous vous trouvez nez à nez, dans votre entrée, avec une créature aux cheveux en brosse rouge carotte sauf pour une mèche tortillée sur le dessus du crâne en forme de petit palmier vert. Vous poussez un hurlement. Une extraterrestre !

Non. Votre fille cadette.

— Au nom du ciel, qu'est-il arrivé à tes cheveux ?

— Ben, répond-elle, l'air embêté, c'est l'apprenti coiffeur de l'école qui m'a ratée... C'est pas *chicos*, hein ?

— Quel apprenti coiffeur, de quelle école ?

Petite Chérie vous avoue la vérité. Elle avait lu dans son cher guide, *Comment vivre à Paris pour rien*, que les écoles de coiffure et même les grands artistes capillaires recherchaient ardemment des chevelures à livrer à leurs élèves.

— Tu comprends, dit Joséphine encore tout agitée, c'est payé *un méga-max* en cas de coupe et de décoloration.

Malheureusement, *l'allumé* à qui Petite Chérie avait « vendu » sa tête avait des idées géniales d'un nouveau *look d'enfer* pour *pouffs* branchées... Il avait réussi à convaincre votre fille de lui laisser raser ses longs cheveux blond cendré que vous aimez tant. De teindre ce qui restait en bicolore. Et de transformer votre charmante adolescente en modèle pour *Hara-Kiri*.

Vous n'êtes pas remise de votre émotion quand l'Homme rentre et pousse à son tour un long cri d'horreur. Il ne supportera pas, un jour de plus, cette vision infernale. Il tire de sa poche un vrac de billets :

— Va m'arranger cela im-mé-di-a-te-ment ! tonne-t-il à son héritière qui vous emprunte un foulard en crêpe noir (vos deux écharpes Hermès sont désormais enfermées dans votre coffre-fort avec les ciseaux à ongles, ah ! ah !) pour dissimuler son crâne hideux.

Vous galopez toutes les deux — il est 7 heures ! — chez monsieur Patrice, votre coiffeur, qui manque s'évanouir dans la rue. Il rouvre son salon pour ce cas urgentissime, en poussant des glapissements de dindon affolé. Une chance : il n'y a plus de clientes !

Décision : teindre en marronnasse la brosse rouge carotte, tondre la mèche verte en délire, et cacher le tout sous une perruque de mémé (très chère, la perruque de mémé) elle-même dissimulée par l'écharpe de crêpe noir.

Petite Chérie en aura pour de longues semaines à se promener en tchador. Ce qui, par ces temps de terrorisme, est mal vu dans votre quartier.

Vous croyez comprendre que le Matelot Tatoué fut très mécontent, lui aussi. Mais, à votre grand regret, il ne s'enfuit pas aux Galapagos.

Quant à vous, vous confisquez le guide diabolique. D'autant plus que vous avez remarqué que les adresses des magasins spécialement bon marché étaient tous situées, comme par un fait exprès, à l'autre bout de Paris. Vous ne désirez pas imiter tante Madeline qui a la manie de se rendre en taxi aux Galeries Farfouillettes se procurer trois torchons en promotion. Cela, bien que l'Homme lui ait fait cent fois remarquer que le prix de la course dépassait largement l'économie réalisée sur les torchons.

— Et le plaisir d'acheter en solde ? oppose-t-elle à tout argument.

Vous ne jetez pas *Comment vivre à Paris pour rien*. Dans votre famille, on ne jette JAMAIS quoi que ce soit. Mais ceci est une autre histoire dont vous allez bientôt parler. Vous vous contentez de balancer le guide maudit à la cave. Et d'interdire à Petite Chérie de faire des économies. Vous lui donnez même un peu de sous — en cachette de l'Homme. Vous découvrez qu'il en fait autant de son côté.

Mais votre fille *flippe*.

Aucun petit boulot en vue.
C'est douleur pour votre *chôme*.

5

Vous vous levez, un matin suivant, et vous vous dirigez comme d'habitude, encore ensommeillée, vers la cuisine.

Où vous vous étalez sur un immense chien noir.

Vous hurlez. La bête de l'Apocalypse se réfugie sous la table à repasser d'où elle vous surveille d'un air peu aimable. Comment est-elle entrée chez vous ? Vous réveillez l'Homme et lui reprochez véhémentement d'amener en douce des monstres pour vous flanquer des crises cardiaques. Il aura votre infarctus sur la conscience.

— Mais je n'y suis pour rien, gémit votre époux qui jure qu'il est fidèle à son chien.

Petite Chérie sort alors paisiblement de sa chambre.

— Ah ! Vous avez vu Rambo. Il est *chouettos*, hein ?
Comment ça : *chouettos* ?

Vous vous mettez à crier. L'Homme tonne. Roquefort aboie. De l'autre côté de la cour, Mamzelle Lili jappe.

Malgré le bruit, la situation s'éclaircit.

Joséphine, grâce à la recommandation de votre vétérinaire, s'est vu confier la garde d'un dogue allemand de soixante-dix kilos dont les maîtres sont partis en voyage aux États-Unis.

— Ça rapporte très bien, le *dog-sitting*, vous révèle-t-elle, ravie.

L'Homme et vous, beuglez en même temps. Pas de

deuxième toutou à la maison. Pas de clebs étranger. Pas de bête de l'Apocalypse.

Votre fille éclate en sanglots :

— Vous m'empêchez de gagner ma vie !

Le Père accuse :

— Tu gagnes ta vie en nourrissant un molosse inconnu avec la pâtée de Roquefort ?

— Pas du tout. Les gens m'ont laissé dix énormes sacs de croquettes Bida.

— Pourquoi ne t'ont-ils pas laissé plutôt la clef de leur appartement ?

Il apparut que les clients de votre cadette avaient assez confiance en elle pour lui confier leur chien mais pas assez pour la laisser pénétrer chez eux, en leur absence. Sale mentalité.

— Qu'est-ce qu'on fait ? demande Petite Chérie, d'une voix misérable. Je ne peux pas l'abandonner à la S.P.A. Ils vont le piquer !

Le cœur de l'Homme, pépère à son chienchien, et le vôtre, mémère à son chienchien, se brisent devant cette perspective. Un compromis est trouvé.

En échange de la transformation de votre cuisine en chenil, outre qu'elle en assurera entièrement seule la responsabilité, Joséphine promènera le matin, non seulement la Bête, mais Roquefort. Ce qu'elle s'était toujours refusé à faire et qui permettra à l'Homme de se lever cinq minutes plus tard.

Votre cadette devient ainsi la terreur des concierges du quartier qui veillent farouchement à ce que la gent canine ne pisse pas sur le mur de leur immeuble ou ne crotte pas leur bout de trottoir. Elles sortent en hurlant dès que le grand fauve s'abandonne. Vous devez à la vérité d'avouer que l'énorme animal laisse échapper un fabuleux torrent de pipi et non quelques charmantes gouttelettes comme votre corniaud. Ou des « oublis » si gros que les caninettes Chirac ont du mal à les enlever en une seule fois.

Certaines pipelettes répandent une poudre jaune sur le bas de leur maison destinée à repousser l'ennemi. Malheureusement, il la lèche comme une gâterie.

Mais le plus farouche adversaire de Petite Chérie est le vendeur du kiosque à journaux. Car la bête apocalyptique adore pisser sur la presse française. Aussi, dès qu'il voit apparaître votre fille et sa meute, le vendeur de journaux sort comme un diable de son repaire et se tient, menaçant, près de son étalage. Hélas, Rambo s'élance d'un bond irrésistible, renversant à moitié Joséphine et le kiosquier, pour renifler avec extase l'odeur d'encre des quotidiens du matin. Et avant que personne ne puisse intervenir, il lève la patte sur les piles toutes fraîches du *Figaro*, de *Libération* ou du *Parisien*, etc. (aucune préférence politique chez lui).

Suit un long échange d'insultes entre votre fille et le défenseur de la presse nationale. Et quand vous arrivez, à midi, chercher vos journaux, il a mis ostensiblement de côté, pour vous, ceux tachés d'une trace jaune et odoriférante.

Vous n'osez protester.

Comme vous n'avez pas le courage de vous rebeller contre l'affection baveuse que le molosse vous témoigne.

Car Petite Chérie a trouvé un autre petit boulot « *ça craint*, mais je ne peux pas refuser, c'est la dame du pressing qui m'a pistonnée... ». Elle court coller des affiches pour les concerts de la salle Pleyel sur les vitrines des boutiques du quartier. La voilà partie toute la journée, son paquet d'affiches sous le bras, avec un rouleau de scotch et un carnet où les commerçants consentants doivent apposer leur tampon.

Et « Ma Maman » — malgré tous les promis jurés de sa fille —, reste seule avec Rambo.

Qui s'est pris d'amour pour vous.

Il se couche sous votre bureau quand vous travaillez, son mufle posé sur vos pantoufles et halète si fort que le bruit vous effraie.

Si vous essayez de l'enfermer, loin de vous, dans la cuisine, il hurle à la mort.

Si vous vous glissez sournoisement, sans lui, hors de la maison, il gémit jusqu'à votre retour, à réveiller tous les bébés de la rive droite de Paris.

La concierge vous prévient que, malgré votre vieille amitié, elle va être obligée de prévenir le gérant que les voisins se plaignent — surtout l'avocat premier étage/rue et les professeurs du troisième/cour et préparent une pétition contre vous (toujours écrite par la femme du psy).

Du coup, vous emmenez l'énorme animal avec vous. Il tient à peine dans votre 2 CV. Hélas, à nouveau impossible de le laisser seul, sur la banquette arrière, même pour une petite course. Il sanglote d'un désespoir si bruyant que les passants s'attroupent et vous regardent d'un sale œil quand vous revenez. Ils étaient prêts à appeler les pompiers pour casser votre pare-brise et à dénoncer une femme qui torture les bêtes pis qu'une nazie.

Vous en êtes réduite à le trimballer partout. Où il terrorise son monde. Votre éditeur fait un bond et se réfugie derrière son bureau au lieu de vous embrasser affectueusement sur les deux joues, comme d'habitude. Le directeur d'une chaîne de télévision, averti par une secrétaire tremblante, refuse de vous recevoir. On commence à parler de vous, dans les milieux du cinéma, comme de la Folle au Chien Noir.

Même chez Félix Potin, vous avez des problèmes. Vous attachez votre compagnon, dehors, suivant les recommandations de l'hygiène municipale. Furieux, il empêche, par ses grondements menaçants, les autres clients d'entrer. Votre épicier vous prie d'aller vous servir chez l'Arabe, à deux kilomètres.

Mais il y a pire : votre cher vieux Roquefort déprime.

Il est fou de jalousie.

D'abord des infâmes croquettes Bida laissées par les patrons de votre pensionnaire. L'Homme qui veille à ce que son chien soit nourri de bourguignon délicieux (plus des os soigneusement mis de côté par le boucher), mélangé à des pâtes fraîches et à des légumes verts du jardin, est hors de lui de voir ledit Roquefort se jeter sur les boulettes nauséabondes de Rambo. Vous devez vous traîner au Podec en acheter des sacs de dix kilos.

Malgré cela, Roquefort fait la gueule. Il n'ose s'attaquer à la Bête cinq fois plus grosse que lui. Mais plus question de regarder l'Homme, les yeux dans les yeux, d'un air adorateur, en remuant frénétiquement la queue. Ou de quêter votre caresse quand vous lisez *Le Monde*. (Il affectionnait de bousculer l'article de Claude Sarraute qui vous fait toujours rire.) Fini.

La nuit, votre pauvre corniaud se blottit tristement sous votre lit et refuse d'en sortir. Grâce à quoi, il prend l'habitude de dormir dans votre chambre, chose strictement interdite jusque-là. Mais vous n'avez pas le cœur de râler. L'Homme est inquiet. Si cela continue, ne va-t-il pas devoir donner des tranquillisants, avec ses croquettes, à son fidèle compagnon ? Ou pire. Le conduire s'allonger sur le divan d'un psy pour chiens (si, si, cela existe !).

Le départ de Rambo fut un soulagement général.

Sauf pour vous qui, sans l'avouer à personne, vous étiez attachée à votre adorateur.

— A l'avenir, avertissez-vous vertement votre fille, plus question d'amener de chien étranger dans l'appartement !

Petite Chérie serre les poings.

— Tu veux dire qu'à la maison, c'est pas chez moi !

— Bien sûr que c'est chez toi, mais... heu...

— Non ! Je le sens bien, ici, je suis une étrangère, crie Joséphine. Je ne peux pas faire ce que je veux... même gagner ma vie ! Dans ce *souk*, je vis chez mes parents...

La colère vous prend brusquement. Parmi vos nombreux défauts, figure celui d'être un peu soupe au lait...

— Eh bien, oui ! Tu es chez tes parents ! Et tu dois te plier à la règle générale.

— J'en ai marre d'être CHEZ LES AUTRES !!!

Vous perdez carrément votre sang-froid.

— Si tu n'es pas contente, tu fais ta valise, tu vas vivre dans ta piscine avec ton crétin de matelot, tu t'engages comme ouvrière... si tu peux... Et tu es libre ! libre ! libre... de faire toutes les conneries que tu veux.

Petite Chérie tourne les talons et court s'enfermer dans sa chambre. D'où sortent des sanglots hystériques, entrecoupés de : « ahhhhhhhh... ahhhhh !... je suis trop malheureuse... *Détruite !* »

Vous vous effondrez. Qu'est-ce qui vous a pris ? Vous, dont le seul désir est de garder votre adolescente accrochée à votre pull-over comme un bébé guenon aux poils de sa mère. Vous allez dans votre bureau et vous tapez rageusement dix fois de suite sur votre machine à écrire : « ... Je suis une idiote... une mère indigne... une caractérielle... »

La porte de la chambre de Joséphine se rouvre. Votre respiration se bloque. Va-t-elle venir vous parler ?

Oui. Elle vient se jeter dans vos bras. Vous pleurez toutes les deux, enlacées follement. J'ai eu tort. Non, c'est moi. Etc.

Malgré tout, il est convenu que le petit boulot de gardienne-de-chien-à-votre-domicile ne sera plus exercé par Petite Chérie. En échange, vous allez la présenter, comme shampouineuse, à votre coiffeur.

Mais la bête de l'Apocalypse n'était pas totalement sortie de votre vie.

Vous allez au marché, comme tous les dimanches matin, encombrée d'un couffin plein de fruits de mer, pendu à votre épaule gauche, et tirant de la main droite un caddy bourré de yaourts et de légumes, tout en tenant en équilibre, tant bien que mal, le gâteau du déjeuner familial. C'est dans ces moments-là que vous en voulez à votre mère de ne pas vous avoir appris, dans votre enfance, à porter les paquets sur votre tête, comme les Africaines.

Tout à coup, vous êtes à moitié renversée par un monstre noir qui vous saute au cou : Rambo le baveur. Vous avez beau essayer de vous défendre avec le saint-honoré, il vous lèche avec enthousiasme la figure et le cou.

Votre calvaire n'est pas fini.

— Salope ! Je te tiens ! piaille à vos oreilles une voix féminine suraiguë.

Au bout de la laisse du grand dogue, une dame très élégante et maquillée (a-t-on idée d'aller au marché, à 9 heures du matin, en vison et rimmel ?) vous injurie. Elle glapit que vous êtes la petite amie de son mari, que Rambo vous a trahie et qu'elle va vous casser la gueule (sic).

— Espèce de putain ! ajoute-t-elle, pour faire bonne mesure.

On commence à s'attrouper autour de vous. Votre poissonnier, qui connaît votre faible pour les grosses crevettes et vous sert bon poids, vous regarde avec surprise. Votre marchande des quatre saisons, qui vous garde toujours un bouquet de basilic, s'arrête de héler le client et ricane derrière sa petite voiture. Votre charcutier — qui ne vous a jamais vraiment pardonné l'accusation de vol par Petite Chérie — hoche la tête, style « je-le-savais ».

La honte.

Vous réussissez à vous débarrasser de Rambo en lui abandonnant le saint-honoré qu'il avale, avec le carton. Et vous expliquez à la dame hystérique que vous ne connaissez nullement son mari mais son chien. Malgré ses vociférations, elle finit par comprendre. S'excuser. Et même sortir son éponge à maquillage de son sac pour essuyer votre visage. Elle vous croit. Avec votre vieux survêtement, vos baskets usées et vos cheveux à la diable, vous êtes trop moche pour être la maîtresse de son cavaleur de mari.

Elle commence à vous raconter ses déboires conjugaux. C'en est trop. Vous vous enfuyez. Elle vous poursuit. Elle part au Japon quinze jours avec son voyou d'époux (afin de mieux le surveiller au pays des geishas). Pourriez-vous garder la Bête puisque vous en avez l'habitude, qu'elle a passé de merveilleuses vacances chez vous, et qu'elle vous aime tant ?

Vous hurlez « Non ! » Elle vous supplie. Vous vous cachez, accroupie derrière le stand de pommes de terre, où, malgré ses recherches, elle ne vous débusque pas.

Et, pendant des mois, vous vous glisserez au marché comme une biche traquée, guettant la silhouette de Rambo et de son impétueuse maîtresse, prête à vous camoufler dans une porte cochère à la moindre alerte.

Vous l'annoncez triomphalement à Petite Chérie. Monsieur Patrice, votre artiste capillaire, est d'accord pour engager votre fille comme shampouineuse à l'essai. Et si elle se révèle « un bon élément », peut-être deviendra-t-elle une coiffeuse célèbre ? Parmi celles qui font et défont les chignons des stars ?

Joséphine est radieuse. Par une amie, elle a entendu dire qu'avec les pourboires, on pouvait se faire de bons mois. Et puis les horaires sont agréables. De 9 h 30 à 18 h 30. Ce qui lui permet de passer le matin au *Ker Gwen's Café* voir les copains, toujours en train d'éplucher les petites annonces. Le Matelot Tatoué continue de vendre des alarmes et des portes blindées. Mais aussi des tableaux de Saules-au-bord-d'un-ruisseau, peints en série dans des ateliers coréens, et qu'il présente comme ses propres chefs-d'œuvre d'étudiant fauché des Beaux-Arts. A votre grande surprise, ça marche. Les bourgeois ne se sont jamais remis de ne pas avoir acheté des Van Gogh quand il était inconnu.

Le soir, Petite Chérie revient titubante, épuisée par toutes ces heures passées debout, et affamée — à peine eu le temps d'avaler un sandwich.

Elle qui n'avait jamais fréquenté le salon de coiffure que comme cliente junior amenée par sa maman, elle en découvre des choses !

D'abord et surtout les pourboires les plus généreux sont ceux des hommes qui, enchantement supplémentaire, sont les plus faciles à shampouiner. Les demoiselles se battent à qui s'occupera de ces messieurs.

Ensuite les clientes, qui se divisent en deux camps : les emmerdeuses et les autres. (Vous vous demandez bien dans quelle catégorie vous êtes classée !)

En tant que nouvelle, Joséphine hérite des emmerdeuses.

Celles qui arrivent avec les cheveux gras et pas démêlés et ululent : « Vous me tirez, mademoiselle, vous me faites mal ! »

Les élégantes qui disent d'un ton sec, avant même de s'asseoir : « Attention à mon maquillage, ma petite ! », et glapissent si une goutte d'eau s'égare sur leur front.

Les snobs qui caquettent à voix très haute, décrivant les festivals de l'été (toujours sublimes) à de jeunes créatures qui ont passé leurs vacances au camping de Palavas.

D'autres annoncent d'un ton faussement détaché : « J'ai eu un terrible accident d'auto », pour expliquer les cicatrices des liftings dissimulées dans leur chevelure.

Les recommandations pleuvent : « ... Ne me grattez pas avec vos ongles !... massez-moi doucement... plus fort... l'eau n'est pas assez chaude... au secours, vous me brûlez... vous m'étranglez avec la serviette... », etc.

Vous apprenez que *TOUTES* les clientes sont *TOUJOURS* pressées. Même quand elles n'ont rien à faire de leur sainte journée. (Vous l'êtes aussi, bousculée — et à juste titre, à votre avis, mais vous, tout le monde s'en fout.)

Par principe, elles essaient vicieusement de passer avant leur tour. Cela vous exaspère. Vous surveillez fixement monsieur Patrice, pendant qu'il babille avec la cliente précédente, afin qu'il n'ose pas laisser une salope se glisser à votre place. Spécialité d'une ex-ministresse dont vous tairez — avec regret — le nom.

Certaines crient : « J'ai un rendez-vous d'affaires très important, mon petit Patrice, dépêchez-vous ! » en tapotant leur serviette Vuitton. (Vous n'avez jamais osé faire le coup. D'abord, vous n'avez pas de serviette Vuitton mais un cartable de Prisu en plastique rose que vous avez volé à votre cadette et que les producteurs de cinéma regardent avec horreur. Mais vous avez décidé qu'il vous portait chance et ne voulez pas vous en séparer.)

D'autres dames soupirent à voix haute : « Je DÉTESTE aller chez le coiffeur !... cela me donne de l'urticaire !... » (Vous les enviez d'être si culottées et d'affronter les regards haineux du personnel.)

Mais ce que vous redoutez le plus, ce sont les mal élevées qui interrompent votre brushing À VOUS pour montrer leurs racines d'URGENCE à monsieur Patrice. Il s'arrête alors, la brosse en l'air. Une conversation interminable s'engage sur l'état de ces saletés de racines dû au soleil de Saint-Tropez (la nouvelle boîte : formidable et bla-bla-bla) ou de Chamonix (un petit bistrot à fondues épatant et bla-bla-bla). Vous tapotez nerveusement sur la tablette devant vous pour marquer votre fureur. Personne ne daigne le remarquer.

Voilà pourquoi vous considérez le fait d'aller chez le coiffeur comme une des plus rudes épreuves de votre vie quotidienne.

Mais votre fille vous ordonne 1) de venir au salon tous les deux jours au lieu de tous les deux mois ; 2) de lui laisser un gros pourboire. A elle. Pas à la caisse. « On n'est pas sûr qu'ILS nous le redonnent. »

Vous obéissez en soupirant. Depuis que vous avez

coupé les nattes maigres de vos dix-huit ans pour les donner à votre amoureux (les a-t-il jetées dans la mer, le jour de son mariage-avec-une-autre ? Servent-elles de nids à souris dans un grenier ?), vous souffrez du regard apitoyé de tous vos coiffeurs successifs sur vos pauvres cheveux plats. Qui vous donnènt la tête d'un moinillon bouddhiste si vous les faites couper court. Ou d'une Papoue moutonneuse si vous cédez à la suggestion d'une permanente.

Vous ne supportez pas non plus la mémoire prodigieuse d'ordinateur de la seconde génération de monsieur Patrice.

— Ha ! ha ! Ça fait presque trois mois que vous n'êtes pas venue me voir ! vous reproche-t-il, acidement.

Comment diable s'en souvient-il ? Vous n'êtes qu'une modeste cliente, avec trois poils rabougris sur le crâne, au milieu de centaines de luxuriantes chevelures.

Dernier calvaire : le pourboire.

Vous êtes à la caisse, avec la tronche d'une marquise du XVIIIe à la perruque bouclée et tellement laquée qu'elle semble en fils de fer (demain, la laque sera partie sur votre oreiller et vos pauvres tifs s'effondreront, sur vos yeux, comme ceux d'un bichon maltais). Et vous vous posez l'éternelle question : que laisser à chaque personne qui a consenti à vous tripoter la tête ?

En plus des quinze pour cent déjà marqués sur la facture.

Trop. C'est mauvais pour votre porte-monnaie.

Pas assez. Vous aurez la réputation d'une radine et serez encore plus mal accueillie la prochaine fois.

Et puis, faut-il aller glisser votre obole dans le jean de monsieur Patrice si étroitement moulé sur ses petites fesses que la pièce de dix francs n'entre pas dans sa poche ? Et courser, à travers les salons, la shampouineuse, la décoloreuse, la permanenteuse, l'assistante de la permanenteuse, la balayeuse, la manucure, etc.

Vous préférez laisser les sous — après de sombres calculs — à la caisse. Où une ravissante créature — bien coiffée, elle — note vos largesses d'un air dégoûté sur un vague morceau de papier qu'elle va sûrement perdre. Ainsi que le prédit Petite Chérie.

Maintenant, vous allez tout savoir de ces mille détails si importants, grâce à votre shampouineuse de choc.

Le fait qui vous saute aux yeux, le premier jour où vous la réclamez, c'est qu'elle n'a pas mis de blouse blanche et qu'elle officie dans votre cachemire rose tout neuf qu'elle vous a piqué.

Vous le lui faites rudement remarquer à voix basse. Et la menacez d'enfermer à l'avenir vos chandails dans votre coffre-fort, avec vos ciseaux à ongles et vos deux écharpes Hermès.

— Ah ! pas de réprimande ! On n'est pas à la maison ! vous chuchote-t-elle rageusement, en vous aspergeant le cou d'eau glacée.

— Si tu me douches complètement, je te ne laisserai pas un rond ! menacez-vous, les dents serrées.

Du coup, Petite Chérie se met à vous masser délicatement la tête. Délicieux. Vous n'auriez jamais cru votre cadette capable d'une telle douceur. Vous la félicitez. Vous ne voulez pas savoir si c'est l'affection. Ou l'appât de votre gros pourboire (le double de celui que vous laissez habituellement). Rien de tout cela. Mais la perspective de deux clientes — du clan des emmerdeuses — qui attendent leur tour et que les shampouineuses essayent de se refiler.

La première a une splendide crinière rousse. Vous donneriez un an de votre vie pour avoir la même.

— T'es folle, une tignasse pareille, pleine de nœuds, c'est *galère!* se plaint Joséphine. Il faut une heure pour la démêler et, pendant ce temps-là, trois pourboires, enfin trois clientes, te passent sous le nez.

L'autre emmerdeuse est une grosse dame connue pour venir toutes les semaines raconter ses malheurs. Une interminable litanie. Ses maladies. Les enterrements auxquels elle a assisté. Les malheurs de ses enfants, loin d'elle en province, etc. Elle commence dès l'entrée dans le salon pour finir à la caisse, au départ. Sa comptine flanque le bourdon à tout le personnel. Monsieur Patrice refuse de s'occuper d'elle.

Vous, ce qui vous frappe le plus, ce sont les messieurs. Il n'y a pas si longtemps (enfin, dans votre jeunesse), jamais un représentant du sexe mâle n'entrait chez un coiffeur pour dames, sauf pour venir chercher la sienne et son petit chien.

Maintenant, non seulement ils se font couper les cheveux à côté de vous, mais ils n'hésitent pas à réclamer des soins comme les pires des coquettes. Le jour où vous avez vu un grand costaud avec des rouleaux de permanente sur la tête, vous n'en avez pas cru vos yeux. L'apollon bouclé a regardé vos tifs plats avec dédain.

Vous remarquez du reste — maintenant que vous venez tous les deux jours — un jeune homme brun au visage d'Indien qui se fait faire des « waves », des « balayages dorés », des « brushings », des soins pour les mains, pour les pieds, etc.

Un client exclusif — comme vous — de Petite Chérie.

Et il vous semble que... non, ce n'est pas possible !... si, c'est éclatant !... il lui décoche des œillades langoureuses.

Votre fille glousse.

Et que je te masse tendrement le crâne... Et que je te passe des crèmes pour les pointes... et que je t'arrange interminablement des turbans en serviette-éponge (vous, la serviette-éponge, on vous la flanque sur la tête, et vas-y, maman !).

Bref, tout un petit manège qui n'échappe pas à votre œil de mère.

Joséphine serait-elle en train de tromper l'abominable Yann ?

Quelle nouvelle épatante, ce serait !

Un dimanche où le Maudit Marin est parti, dans la camionnette de Gaël, faire un déménagement trouvé grâce à une petite annonce de *Libé* — vous apportez son petit déjeuner au lit à la Prunelle-de-vos-yeux.

Et essayez d'en savoir plus.

Vous êtes dévorée de curiosité (un autre de vos défauts. La liste est longue).

Vous adoptez la politique du renard tournant en ronds de plus en plus rapprochés autour de la poule. Vous commencez donc par un long discours sur les drôles de clientes et clients que vous fréquentez maintenant assidûment chez monsieur Patrice. Puis, mine de rien, vous parlez de cet étrange garçon au visage d'Indien, qui...

La mine de votre fille s'éclaire. Il vous semble même qu'elle rosit.

— C'est Juan, déclare-t-elle. Un étudiant qu'on a rencontré, en faisant les vendanges.

— Ah bon ! Il est étudiant en quoi ?

Votre cadette se met à jacasser avec animation.

Le dénommé Juan est péruvien. Il finit ses études dentaires à Paris avant de retourner se pencher sur les chicots de ses compatriotes.

Il est amoureux fou de Petite Chérie. Il vient la voir tous les jours au salon de coiffure et l'attend à la sortie pour lui remettre des poèmes en franco-péruvien.

— Et qu'en pense Yann ?

Joséphine paraît gênée. Ben... elle n'en a pas parlé à l'élu en titre à qui elle reste fidèle. C'est mon *Marcel*, tu sais bien !

Mais...

Vous comprenez.

Quelle femme ne serait pas flattée de provoquer une si violente passion ?

— Il veut m'épouser ! minaude votre héritière.

Alors là, votre cœur fait un bond.

Épouser un dentiste, bonne affaire. Votre fille ne manquera de rien. Même, au bout du monde, on trouve toujours des caries à soigner, des dents à arracher, des appareils à mettre aux petits enfants (à notre époque, on ne rencontre plus de jeunes sans appareil. Comment faisaient-ils au Moyen Age ? Ils avaient tous les dents en avant ?).

D'un autre côté, un Péruvien — emmenant votre princesse dans ce pays inconnu et lointain que vous confondez avec le Chili...! — Vous croyez savoir que les paysans y portent de petits bonnets de laine marrants, les femmes des chapeaux melons (à moins que ce soit les Boliviennes ?), qu'il y a une guerre civile, des lamas, des Incas... (les Aztèques, c'est au Mexique ?).

Comment supporterez-vous de vivre avec Petite Chérie de l'autre côté de la terre ?

Naturellement, si elle est heureuse, la tristesse d'une mère ne compte pas.

Mais une fille peut-elle trouver le bonheur si loin de sa *rem*?

Non. Toutes les mamans le diront.

Le téléphone existe, d'accord. Surtout qu'avec les satellites, on entend mieux l'Amérique que votre maison du Lot. Mais une heure de conversation, tous les jours, avec Lima, doit coûter la peau du dos. Comment paierez-vous? Vos notes de téléphone sont déjà astronomiques à cause de vos interminables bavardages avec Fille Aînée qui habite le quartier voisin.

Il faudra apprendre l'espagnol pour comprendre vos petits-enfants. Coiffés, eux aussi, de bonnets de laine multicolores? Avec des visages d'Indiens comme leur père?

D'un autre côté, être débarrassé du Matelot Tatoué et de ces projets infernaux de bateau charter ballotté par la houle des océans, quelle merveilleuse perspective!

Que faire?

Rien. Sinon toujours ce que vous détestez le plus : attendre. Sans un mot. Sans une allusion. Sans un « conseil de mère ». (Vous enviez follement celles qui ont des filles qui leur demandent leur avis. Cela ne vous est jamais arrivé. Ni à vous. Ni à vos copines. Peut-être dans les romans?)

La situation se dénoue brutalement.

Un matin, monsieur Patrice vous téléphone. La shampouineuse Joséphine n'a pas rejoint son poste. Est-elle malade? Vous galopez jusqu'à sa chambre où vous trouvez un papier arraché à votre bloc-téléphone :

« ... suis parti Plou-les-Ajoncs retrouvé Yann. Ne t'en fait pas... » (On remarquera que l'orthographe de Petite Chérie ne s'était pas améliorée malgré son succès au bac. Toujours merci à l'Éducation nationale.)

Vous ne saurez la vérité que plus tard.

Le Maudit Marin avait appris, Dieu sait comment, l'existence de son rival, Juan le Péruvien.

Au lieu de lui *avoiner la gueule*, comme l'aurait fait l'Homme, en son jeune temps, il avait suivi le conseil, numéro deux, de Napoléon. En amour, la victoire, c'est la fuite.

Il avait enfilé son sac à dos et fait du stop jusqu'à Plou-les-Ajoncs, pour s'effondrer, livide et silencieux, sur son cotre désarmé.

Affolée (« il aurait pu se suicider, tu sais, Maman !... » Tu parles !), Petite Chérie avait craqué et rejoint son navigateur bien-aimé — également en stop et en pleine nuit ! Heureusement, vous ne l'avez su qu'après. Ils avaient pleuré ensemble sur un sac de voiles.

Joséphine avait juré de rester fidèle à son amoureux tatoué et à leur projet de vie maritime.

Sous l'œil attendri de la famille de Yann.

Ce qui vous valut une belle lettre (la première, la seule, la dernière) de votre fille.

A la gloire des charcutiers bretons.

Elle avait découvert là, à Plou-les-Ajoncs, des parents formidables. Pas des bourgeois *nuls* (sous-entendu : comme vous. Prends ça en pleine gueule !) Ils l'avaient fêtée, elle, Joséphine, comme leur propre belle-fille. Alors que vous faites la tronche dès qu'elle prononce le nom de l'élu. Bref, des gens adorables. Une vraie famille ! (Et vous ? Vous êtes quoi ? Une bande de *ripoux ?*)

En plus, le papa charcutier, pour aider le jeune couple à payer la goélette tant convoitée, avait décidé de la sponsoriser. Pas comme l'Homme qui, à une tentative timide de sa cadette, avait répondu :

— Sponsoriser ? C'est quoi ? Moi pas comprendre franglais !

Désormais la *Belle Sirène II* s'appellera l'*Andouillette de Plou-les-Ajoncs*.

Ivre de rage et de jalousie, vous vous rongez les poings.

Vous rêvez de payer un terroriste pour plastiquer les charcutiers bretons qui vous ont pris le cœur de votre enfant ! Oui ! Vous offrirez un « contrat » à un des petits malfrats qui traînent chez maître Pathelot, l'avocat du premier. Boum ! Feu d'artifice de saucisses, de boudin, de pâtés, de côtes de porc !

Seule, la peur de vieillir en prison vous retient.

En attendant, l'andouillette sera interdite à vie à votre table.

Les amoureux reviennent à Paris, toujours en stop mais enlacés.

Juan disparaît.

Yann avait perdu sa cabine de bains. Le propriétaire de la piscine n'avait pas apprécié de se retrouver brutalement sans gardien de nuit ni nettoyeur.

Joséphine avait perdu son emploi. Monsieur Patrice n'avait pas aimé, non plus, la disparition subite de sa petite shampouineuse.

Vous avez perdu votre coiffeur. Vous n'osez affronter les lèvres pincées et le visage lourd de reproches de monsieur Patrice. Vous devez maintenant marcher des kilomètres à pied pour trouver un autre salon de coiffure où l'on vous accepte, vous et vos vilains cheveux plats.

Votre cœur et vos pieds crient vengeance !

6

Au téléphone, Fille Aînée est en larmes.

— Louis a perdu sa situation.

— Quelle horreur ! criez-vous.

— C'est à cause de cette salope ! hurle Justine.

— Superwoman ? demandez-vous, habituée à la guerre ouverte que se livrent Fille Aînée et sa redoutable belle-mère.

— Non. Jicky... !

Vous n'y comprenez rien. Qui est cette Jicky ?

Au milieu des sanglots, des injures, des phrases incohérentes braillées par votre héritière numéro un, vous réussissez à reconstituer la tragédie.

Monsieur Gendre, sous-directeur de son agence de voyages, s'était brusquement vu imposer une nouvelle directrice de trente-cinq ans environ, très branchée, d'une vitalité *d'enfer* et absolument persuadée de son droit de cuissage. Sur Louis.

— Mais c'est fini, le droit de cuissage, caquetez-vous avec indignation, nous avons assez milité au M.L.F...

— Ringard, ton vieux M.L.F. ! vous répond, sans pitié, Fille Aînée.

Et elle vous dévoile, à votre effarement, que non seulement le droit de cuissage existe encore dans les usines et les bureaux (les petits chefs envers les pauvres ouvrières et employées) mais que, avec la promotion de la Femme, certaines patronnes n'hésitent pas à leur tour à exercer leur odieux chantage sur leurs jeunes subordonnés mâles et appétissants.

Vous n'en croyez pas vos oreilles.

Quand vous défiliez dans les rues, avec vos vieilles

copines, pour l'égalité des sexes, vous n'aviez jamais imaginé chose pareille. Mais la vérité est là. Hideuse. La directrice de Louis l'avait, dès le premier coup d'œil, trouvé à son goût. Et lui avait fait une cour éhontée.

— Appelle-moi Jicky... Je suis contente qu'on travaille ensemble... tu sais, je peux beaucoup pour ta carrière (ton lourd de sous-entendus).

Puis elle était passée à l'offensive. Griffant lentement et voluptueusement, d'un ongle rouge démesurément long, le poignet de Louis tenant le téléphone. S'asseyant sans cesse sur son bureau dans un nuage de parfum (*Poison* de Dior). Ou venant se pencher par-dessus son épaule sous prétexte de regarder un dossier et en profitant pour lui caresser la nuque...

Louis, absolument terrorisé, se recroquevillait, sans oser envoyer foutre sa terrible séductrice.

Ni en parler, bien sûr, à sa femme.

Il avait perdu trois kilos et commencé à prendre des tranquillisants.

Un soir, après le départ des employés, sous prétexte de préparer le circuit, à travers le Sahara, d'une bande de cent mélomanes décidés à écouter *Aïda* assis par terre dans l'immensité désertique (alors qu'on est si bien à l'Opéra), Jicky avait coincé Louis dans un angle du bureau et essayé de le déshabiller à la hussarde. Louis avait tenté de se défendre.

— Non! Non! Madame! Je vous en prie...

— Je t'ai déjà dit de m'appeler Jicky, tête de mule!

— Ouiiiiiiiiii, Jicky!... Non! Non!

— J'ai envie de toi, laisse-toi faire, idiot! ulula l'amazone en lui arrachant sa chemise.

C'est à ce moment-là que Fille Aînée était entrée.

Telle la statue du Commandeur.

Ayant laissé ses enfants à une baby-sitter et prémédité d'aller dîner au restaurant chinois avec son cher petit mari. Lequel, voyant surgir sa femme, perdit complètement les pédales.

— Au secours ! Elle me viole ! strida-t-il.

Justine attrapa une lourde machine à composter les cartes de crédit et l'abattit sur le visage de l'ignoble Jicky.

Dont le nez craqua dans un bruit affreux.

Les patrons de l'agence « Nos voyages sont des contes de fées » réussirent à étouffer le scandale. Louis fut viré avec des indemnités. Jicky portait un énorme pansement sur le nez après une opération de chirurgie esthétique.

Et Monsieur Gendre avait été s'inscrire à l'A.N.P.E.

Au mot A.N.P.E., votre cœur se serre. Vous vous représentez une longue cohorte de malheureux chômeurs sales et en haillons, grignotant un vieux croûton de pain et reçus au bout de longues heures d'attente par des fonctionnaires hautains. Imaginer le père de vos petits-enfants dans cette situation, hélas trop courante, vous poignarde. D'autant plus que votre fille vous confirme que, si les infortunés chômeurs sont plutôt bien reçus par les fonctionnaires en question, ils ne trouvent jamais de travail par leur intermédiaire. Et que les locaux de l'A.N.P.E. sentent mauvais.

Vous lisez vous-même, dans un journal, qu'une secrétaire sans emploi avait mordu une hôtesse d'accueil. Que l'administration envisageait de sceller les bureaux dans le sol bétonné pour éviter que les malheureux en fin de droit ne les balancent sur les employés. On signalait le déboulonnage des radiateurs par des mains agacées, désireuses de s'occuper pendant une queue de plusieurs heures. Une circulaire recommandait aux agents des Assédic d'avoir toujours sous les yeux le numéro de téléphone du commissariat le plus proche. Le rapport concluait, avec un regrettable mauvais esprit, que la seule victoire de l'A.N.P.E. sur le chômage était le grand nombre de fonctionnaires qu'elle avait elle-même embauchés...

Vous faites part à Fille Aînée de vos inquiétudes.

— T'as raison. Mais il faut s'y inscrire pour avoir la Sec Soc et toucher les Assédic. Déjà une montagne de paperasses à fournir et à remplir. Mais pour dégotter un job, il vaut mieux se débrouiller entre les petites annonces, les chasseurs de têtes et les relations. Je vais demander à Papa. Pourquoi ne prendrait-il pas Louis à son usine ?

Vous en doutez. De fait, l'Homme, bien qu'il adore sa Fille Aînée, marmonne tant bien que mal un refus.

— J'ai été obligé de faire une compression de personnel. Si j'engage maintenant mon gendre, le comité d'entreprise et les syndicats se révolteront et me feront prisonnier dans mon propre bureau.

Vous savez que là n'est pas la vraie raison.

L'Homme a déjà été fait prisonnier dans son propre bureau, il y a quelques années, par quelques syndicalistes excités. Sa nature belliqueuse s'était alors révélée. Il avait fait la grève de la faim, menacé de se jeter par la fenêtre, envisagé de brûler son usine, simulé une crise cardiaque. Il finit par s'enchaîner par des menottes à son fauteuil patronal. Bref, il s'était rendu tellement insupportable que, le soir même, ses employés les plus violents craquaient. Et vous demandaient de l'emmener (vous étiez venue avec un sac de couchage pour l'aider à passer la nuit). Un cégétiste farouche vous avait chuchoté :

— Ce patron-là, c'est une bête !... Débarrassez-nous de lui... ou nous devenons fous !

Vous avez ramené l'Homme à la maison, absolument enchanté d'avoir si bien emmerdé son personnel révolté.

Ce qui le dérange, dans le cas de Monsieur Gendre, c'est d'avoir un œil familial dans son entreprise et une oreille qui l'écouterait avec amusement, le dimanche, au-dessus du saint-honoré, quand il prédit d'un ton sinistre la faillite de ses affaires. Voilà vingt ans que cela dure. Vous avez arrêté de prendre du Valium.

Il l'avoue :

— Je suis contre le travail en famille !

Puis, avec la mauvaise foi qui fait le charme des hommes, il demande à Justine pourquoi Louis n'irait pas bosser avec sa propre mère qui rêve d'avoir son héritier dans son bureau contre le sien.

— Jamais ! crie Fille Aînée, cette chienne me hait. Elle fera tout pour casser notre mariage.

Probablement exact.

Là-dessus, dans la foulée, votre Justine vous demande si vous comptiez lui offrir un cadeau de Noël.

Vous êtes un peu surprise parce que Noël est dans deux mois mais vous répondez que oui. Comme d'habitude. A elle (parfum). A Monsieur Gendre (cravate). A vos petits-enfants (robots et poupées).

Cette affaire de cadeaux de fin d'année est une épine qui empoisonne votre vie. Vous ne savez jamais quoi donner. Pas comme votre copine Sophie qui a l'art des trouvailles branchées. Caleçon et cravate assortie pour son beau-fils ! Balle de golf dorée. Caddie se transformant en chaise longue. Escarpins fluo. Sweat-shirts parfumés à la banane pour les enfants. Boa familier à nourrir d'une souris vivante par semaine. Etc.

Vous, vous attendez lâchement le dernier moment pour vous précipiter dans les magasins. Au milieu d'une foule en folie qui semble aussi désemparée que vous.

Si Fille Aînée a une idée, cette année, elle sera la bienvenue.

Fille Aînée a une idée.

Bloquer tout l'argent que vous comptiez mettre dans tous ces vilains cadeaux sans intérêt (merci, ma chérie !) et lui donner immédiatement une machine à écrire.

Elle va se mettre à la dactylographie à domicile de manuscrits, thèses, rapports divers, pour gagner des sous afin de compléter les indemnités de chômage de son époux.

Vous convenez que c'est là une très bonne idée.

A condition de savoir taper à la machine.

— Mais je sais ! rétorque Justine, avec hauteur.

Tiens ? Vous n'avez nul souvenir de lui avoir payé des cours chez Pigier.

— J'ai appris toute seule avec une vieille Underwood que tu avais mise à la cave, avoue votre héritière numéro un qui paraît gênée... quand je tapais des tracts pour les copains.

Vous frissonnez. Vous avez oublié la tumultueuse période anarcho-trotskiste de Fille Aînée adorée. Maintenant que la voilà transformée en une excellente mère de famille bourgeoise (l'affaire du nez cassé de l'abominable Jicky pouvant être considérée comme un acte de légitime défense), le passé vous semble lointain. En reste un bon côté. Justine sait vaguement taper à la machine.

Vous lui offrez sur-le-champ l'une des vôtres. Qu'elle refuse avec dédain.

Elle a raison.

Vous êtes une maniaque concernant les machines à écrire. Vous ne pouvez utiliser que des petites portatives préhistoriques. Le modèle de votre Olivetti préférée se trouve, du reste, exposé dans un musée à New York. Vous devez taper comme une sourde sur des touches très dures qui cassent vos ongles et vous font mal au bout des doigts. Sur votre Olivetti numéro trois, manque le point d'exclamation dont vous faisiez grand usage et qu'il vous a fallu éliminer de vos textes. Mais, surtout, changer le ruban est une opération archaïque réclamant une bonne matinée d'efforts et qui vous laisse barbouillée de noir et de rouge de la tête aux pieds, robe de chambre comprise (oui, vous travaillez en robe de chambre... heu... comme Balzac !).

Ce manque de modernisme exaspère l'Homme qui tente de vous offrir régulièrement des modèles moins vétustes.

D'abord, un superbe monstre noir électrique. Hélas, cette grosse bébête ronronne comme un chat ivre : ce bruit agaçant vous empêche de rassembler vos trois idées. Pour ne pas vexer votre époux, elle trône néanmoins sur votre bureau. Mais au moment d'écrire, hop, vous la rangez dans le placard (elle est si lourde que vos vertèbres en prennent un coup). Et vous sortez en douce une de vos très vieilles portatives mécaniques. Et en avant, dans un roulement de mitrailleuse, tac-tac-tac-tac-tac, qui exaspère vos voisins.

Au troisième lumbago, l'amour que vous avez épousé vous donne une minuscule et silencieuse merveille électronique avec écran, mémoire de deux mille mots, code, ruban en cassette, etc.

Malheureusement, vous avez beau apprendre par cœur le mode d'emploi et retourner cinq fois à la FNAC pour y prendre des leçons particulières, chaque fois que vous frappez une touche, la machine couine et le clavier se bloque. Personne n'a pu vous expliquer pourquoi. A la FNAC, les vendeurs se cachent quand vous entrez. Attention ! La voilà, la demeurée qui ne sait pas se servir d'une Cannon S 61...

Vous la proposez donc à Justine et le monstre noir électrique IBM en prime. Elle fait la moue.

— Toutes les dactylos convenables ont maintenant de grosses machines à traitement de textes. Je dois être compétitive.

Vous reculez, épouvantée par le prix desdites machines. De quoi vous payer cinquante portatives.

Vous convainquez Fille Aînée de démarrer avec votre minable matériel. Après, si son petit boulot marche, vous sacrifierez une partie de vos économies (placées en vue de vous épargner l'hospice sur vos vieux jours) pour lui offrir un outil de travail convenable.

Avec son énergie habituelle, Justine apprit en quelques heures à dompter vos machines, y compris la Cannon S 61 (« Je ne comprends pas, ma pauvre Maman, comment tu n'y arrives pas : un enfant de cinq ans saurait s'en servir !... » Les employés de la FNAC ont raison : vous êtes une *deb*. Personne n'est parfait).

Elle fonça mettre une annonce dans trois journaux (dont *Le Film français*) en compagnie de dizaines de « secrétaires confirmées ». Téléphona aux autres candidates en se faisant passer pour une cliente, afin de connaître les prix pratiqués. Les « secrétaires confirmées » en firent autant avec Justine. Tout le jeu consistait à annoncer des prix très élevés aux concurrentes et beaucoup plus bas aux vrais clients, pour enlever l'affaire. Le problème était de discerner les bons appels des mauvais.

Quelques obsédés sexuels téléphonèrent aussi. Et des farceurs réclamant la morgue à une heure du matin. (Vous n'osez croire qu'il s'agit de lecteurs du *Film français*.)

Le premier appel sérieux fut pris par Petit Garçon qui annonça que sa mère faisait pipi. Cela ne découragea pas l'interlocuteur.

— ... pour un travail URGENT, annonça-t-il à Fille Aînée arrivée en trombe des toilettes, la culotte sur les chevilles. Etes-vous prête à travailler aussi la nuit ?

— Oui ! Oui ! cria-t-elle avec ferveur. (Plus tard, elle vous révélera, blasée, que les clients étaient toujours — comme chez le coiffeur — hyperpressés et réclamaient systématiquement qu'elle tape jusqu'à l'aube.)

Elle ajouta qu'elle préférait venir chercher le texte. Afin d'éviter à son premier client la vision terrifiante d'un appartement où s'ébattaient deux enfants, dans le plus grand désordre. Traversa tout Paris pour se trouver en face d'un vieil avocat à la retraite, entouré de vingt-cinq chats blancs, qui venait d'écrire son premier roman d'amour. Il serrait le manuscrit sur son cœur.

— Je ne vous le confie qu'à une condition : vous me direz franchement ce que vous en pensez.

Justine lui arracha le texte et jura.

Tout en se promettant intérieurement de n'en rien faire.

Vous l'encouragez dans cette voie. Vous savez, par expérience, que, pour un auteur sensible (et tous les auteurs le sont), rien n'est plus odieux qu'une critique, même nuancée. Un écrivain ne se nourrit que de compliments. Sinon, il songe au suicide. (Avis à vos lecteurs : inutile de vous écrire des reproches, ils risquent d'avoir votre mort sur la conscience. En revanche, vous adorez les compliments même immérités. Merci.)

Fille Aînée se jeta sur son travail, avec un tel dynamisme, qu'elle empêcha Monsieur Gendre de dormir, la première nuit. Et oublia Jolie Princesse à la maternelle, le lendemain. La maîtresse dut lui téléphoner. Justine reprocha à Petit Garçon, toujours muni de ses trois montres, de ne pas lui avoir rappelé l'heure. Sébastien répliqua avec hauteur que personne ne le payait pour surveiller sa sœur et qu'il avait cru que sa mère l'avait abandonnée, à la satisfaction générale.

A peine ramenée à la maison, Émilie profita d'une porte ouverte pour le chat et s'enfuit dans la rue, à quatre pattes au milieu des voitures, à la pâtisserie où la boulangère la bourra de petits pains au chocolat.

Votre héritière numéro un abandonna l'idée de bourdonner sur son IBM aux heures où ses enfants étaient présents. Et, pour épargner le sommeil de son mari, s'installa, la nuit, dans le couloir, devant la porte de son appartement. A la grande fureur des voisins. Mais rien, dans le règlement de l'immeuble, ne prévoyait d'empêcher une prolétaire de taper à la machine, jusqu'à l'aube, sur son palier. Une pétition circula quand même dans l'immeuble. Justine menaça de faire intervenir Arlette Laguillier. Plutôt que d'affronter la pasionaria des « Travailleuses-Travailleurs », les voisins achetèrent des boules Quiès.

Et Fille Aînée, en signe de conciliation, se constitua un petit igloo grâce à une énorme couette qui étouffait le son mais sous laquelle elle ruisselait.

Quand elle ramena le fruit de son travail à l'avocat aux vingt-cinq chats blancs, elle lui jura que son roman à l'eau de rose méritait le Goncourt. Il la crut. Fut ravi (ah! la vanité des auteurs!). Mais essaya néanmoins de payer moins cher que le prix convenu. Erreur. Certes, il avait affaire à une mère de famille fauchée mais aussi, sans s'en douter, à une ex-trotskiste de choc. Elle menaça froidement de déchirer en confettis le manuscrit du maître qui, terrorisé, allongea les sous en tremblant. Justine sortit la tête haute. En repoussant la tentation de se venger par la révélation à l'auteur que son livre était de la bouillie pour porcelets. Peut-être le maître écrirait-il un deuxième roman aussi niais que le premier et Justine le taperait-elle?

— Dans la vie, faut faire des concessions, remarqua-t-elle, sombrement.

Hé oui, ma chérie!

Fille Aînée se constitua un petit groupe de clients fidèles.

— C'est pas de la tarte, les auteurs, vous avoua-t-elle.

Toujours hyperagités, considérant leur manuscrit comme le chef-d'œuvre du siècle, réclamant leur texte pour la veille, écrivant comme des cochons. Spécialement les étudiants qui s'exerçaient déjà à rédiger leurs futures ordonnances en écriture apocalyptique que Justine baptisait AMY: « Aïe Mes Yeux! ». Ou dictant sur un ton pâmé de vieux tragédiens ringards, de la poésie à compte d'auteur...

Certains s'allongeaient sur le divan du salon et racontaient leur vie. A la grande fureur de vos petits-enfants privés de télévision. Un fou délirant, spécialiste de polars, téléphonait sur le coup de minuit:

« On change tout », et dictait une autre fin encore plus sanglante. Une ancienne prostituée apporta ses Mémoires. Impubliables. Monsieur Gendre, lisant par-dessus l'épaule de sa femme, faillit en avoir une attaque. Il interdit à Justine de continuer à taper de pareilles horreurs. Elle le menaça de travailler comme « animatrice mi-temps pour téléphone érotique — conversations libérées — cinq jours par semaine. Vos tabous ne sont qu'un mauvais souvenir. Rémunération très attrayante. Anonymat respecté... ».

Le plus étrange de tous les clients de Fille Aînée se glissa chez elle, un soir, et après lui avoir fait jurer qu'elle n'avait pas été suivie chez l'épicier et qu'elle ne possédait pas de photocopieuse, exigea de rester là, assis, les bras croisés, toute la nuit, dans le couloir, à la surveiller en train de taper un rapport secret-défense sur une centrale atomique.

— Vous n'avez pas de secrétaire à la Défense nationale ? s'étonna Justine, sur le coup de 3 heures du matin.

— Elles sont toutes payées en douce par le ministère de l'Intérieur, murmura l'espion amèrement.

— Pourquoi m'avoir choisie, moi ?

— A cause de vos enfants. Une mère de famille ne met pas en péril la vie de ses petits.

Et il s'en alla silencieusement à 7 heures du matin en chuchotant :

— Oubliez tout... cela vaut mieux pour vous !

Votre fille adora cette atmosphère de films d'espionnage. Monsieur Gendre, pas du tout. Il acheta un revolver.

Petit Garçon, lui, se considérait comme l'assistant de sa mère. Il recevait les clients, leur servait du café, les raccompagnait jusqu'à la porte et assurait au téléphone que : « Maman tape très bien, même les trucs idiots. »

Jolie Princesse était moins sérieuse. Elle mâchonna un jour, avec bonheur, une page d'un manuscrit d'un académicien. Justine, affolée, la lui fit recracher. Et vous demanda de la réécrire. Vous peinâtes. L'académicien ne s'aperçut de rien. Vous vous plaisez parfois à penser que c'est même là son passage préféré...

Seul Monsieur Gendre était malheureux. Il ne mangeait plus. Dormait mal. Promenait autour de lui un regard traqué. Il culpabilisait de voir sa jeune femme travailler si dur alors qu'il était toujours chômeur.

Et pourtant, il n'avait jamais été si occupé.

Il passait des heures à lire des petites annonces. Pas les mêmes que celles de Petite Chérie. Il recherchait des offres d'emploi « haut de gamme », réclamant des qualités que dix patrons réunis ne possédaient pas. Louis était certes un cadre brillant, sorti de Sciences-Po, d'un caractère travailleur et apparemment affable. Nul n'avait à savoir, en dehors de la famille, qu'il était fou de jalousie de sa Justine, capable d'arracher d'un coup de dents l'oreille d'un rival. Ni qu'il avait l'exaspérante habitude, pendant les repas, de se coller sur le nez des boulettes de pain en forme de corne de rhinocéros. (Ce petit travers présentant, peut-être, un handicap pour les repas d'affaires avec Japonais ?)

Monsieur Gendre se mit à rédiger des C.V. (curriculum vitae). A la main, à la machine, courts, longs, sérieux, humoristiques. Il lut de nombreux livres sur l'art et la manière de rédiger un C.V. *magique*. Tous recommandaient :

— d'éviter les fausses flatteries : « Votre société est formidable et votre patron ressemble à Bernard Tapie. » Certains patrons détestent le Tapie en question et tous pensent que leur société est formidable et qu'on ne leur apprend rien ;

— de ne jamais parler de ses problèmes personnels. Le patron s'en fout. Éviter de raconter : « Le chômage perturbe ma vie sexuelle. » Ou : « Je ne supporte plus de voir mes enfants pleurer et je vais me suicider. » Les chefs du personnel sont blasés question suicide et haïssent les enfants qu'ils soupçonnent d'attraper toutes les maladies pour les embêter, eux ;

— de ne pas hésiter à remonter jusqu'à son enfance : « J'aimais mon papa et ma maman... et mon papa un peu plus que ma maman ! » (Ça alors ! Quel est l'infect qui a imaginé cela ?) Et d'insister sur les engagements de sa jeunesse (« Je voulais partir soigner les lépreux aux Indes. »). Ce conseil vous paraît curieux ;

— de signaler ses activités extra-professionnelles. Louis n'en avait pas. Excepté de faire collection de vieilles boîtes de fromage. Pas de quoi, à votre avis, fasciner un chef d'entreprise. Vous lui suggérez de s'inventer une passion pour le vol à voile et l'apiculture. Vous êtes prête à jurer qu'il vous aide à extraire le miel de vos ruches alors que la vue d'une pauvre petite abeille picorant son jambon de pays le rend hystérique.

Restait le plus important. Les manuels étaient unanimes. L'écriture devait être belle, claire, séduisante pour le graphologue auquel le C.V. serait confié.

Or Louis écrivait comme un médecin fou. Et ne barrait pas ses « t ». Très mauvais ! Justine prit l'habitude de le faire à sa place.

Et demanda à son père, P.-D.G. d'une importante usine, de rédiger de sa main patronale une candidature particulièrement importante.

Les graphologues furent unanimes : « Personnalité instable, inhibée, dénotant des tendances paranoïaques. A éloigner de tout poste à responsabilité. » L'Homme eut du mal à s'en remettre. Et flanqua à la porte son propre graphologue d'entreprise qui paya pour les autres.

A joindre au C.V. une photo. D'une importance inouïe, car elle était examinée par des morpho-sociologues. Capables, paraît-il, de révéler le caractère profond du demandeur d'emploi d'après la forme de son nez ou la longueur de ses oreilles. Louis envisagea de raboter son appendice nasal et de raccourcir ses *feuilles*. Justine s'y opposa. Elle aimait son homme comme il était et merde pour les morpho-sociologues. (D'abord, qui c'est, ceux-là ?)

Arrivait le moment crucial : la convocation de l'employeur.

Louis souligna dans son *Guide sur le premier entretien* une foule de conseils :

— Être très poli avec les secrétaires. (Curieuse recommandation : vous n'imaginez personne entrant dans un bureau de secrétaire en lui disant : « Alors, hop, que ça saute, salope ! ») — S'habiller proprement : pas de pellicules sur la veste (Dieu merci, Monsieur Gendre n'en avait pas, mais par acquit de conscience, Justine le brossait longuement avant son départ). — Bien choisir sa cravate (pas de femmes nues fluo : faire gaffe au prochain cadeau de Noël). — Les chaussures brillantes, comme neuves. (Petit Garçon s'offrit à les cirer pour dix francs la paire.) — Attention à la poignée de main qui en dit long aux chirologues (d'autres ennemis des demandeurs d'emploi). Si vous avez des paluches moites, coupez-les.

Mais la pire épreuve restait à venir. Les tests.

Louis — toujours avec l'aide de manuels : *Comment réussir les tests d'entreprise* — s'exerçait inlassablement à y répondre.

Un dimanche, il vous demanda de l'aider. Vous hésitez. Vous n'êtes pas arrivée à comprendre les révisions du bac de Petite Chérie. Et les devoirs de vacances de Sébastien commencent à être trop durs pour vous.

— Si, si, insiste Fille Aînée, tu verras, c'est très amusant et ça t'apprend plein de trucs sur ta personnalité.

Vous n'êtes pas déçue.

La première chose que vous découvrez sur vous est que vous êtes alcoolique. En effet, dans le *test de l'arbre,* vous avez dessiné des racines au peuplier.

D'après le *test de personnalité,* vous êtes carrément idiote. Vous restez bouche bée devant cette demande :

— Préférez-vous élever des scorpions ou des grenouilles ?

L'idée ne vous en était jamais venue ni pour les uns ni pour les autres.

Du reste, toutes les questions vous semblent étranges :

— Avez-vous des pensées dégoûtantes ?

Que répondre ? C'est quoi, des pensées dégoûtantes ? Quel est le psychologue tordu qui a concocté de pareilles interrogations ?

Vous apprenez que, pour avoir un emploi de cadre, vous devez affirmer que vous n'avez jamais été tenté de quitter la maison (vous, au moins dix fois par jour !). Que vous n'avez jamais rien chipé dans le porte-monnaie familial (aïe, aïe, aïe ! A sept ans, vous avez piqué une pièce à votre grand-mère pour acheter un roudoudou. La route de la direction d'entreprise vous est coupée. Le crime est toujours puni).

Vous devez affirmer que vous ne vous faites jamais de souci. Vous n'avez jamais connu personne qui ne soit pas légèrement angoissé dans la vie. Pour vous, c'est un demeuré. Erreur, c'est vous qui avez un « profil paranoïaque ».

Quand vous vous attaquez au test de *Rorschach* ou test des *taches d'encre*, le diagnostic se révèle désastreux. Vous n'avez aucune maturité affective, une absence de culture totale, un comportement maladroit, une intelligence stéréotypée, une tendance névrotique, etc.

Quant à Louis, il voit des trucs épouvantables, qu'il n'ose même pas révéler, dans les bandes dessinées de *Rosenzweig* et répond soit trop lentement (désordre grave psychopathologique) soit trop vite (incohérence des idées — défaillance de la pensée).

Monsieur Gendre frôla la dépression.

Mais il résistait toujours héroïquement à la tentation d'entrer dans l'entreprise de sa mère.

Pour combien de temps ?

7

— Qu'est-ce que tu comptais me donner pour Noël ? interroge paisiblement Petite Chérie tandis que vous êtes en train de faire rissoler des pommes de terre — surgelées — pour le dîner. (L'Homme adore les macaronis mais, hélas, pas tous les soirs.)

Décidément, cette année, vos filles sont en avance pour réclamer leurs cadeaux. Pourtant, d'habitude, avec Joséphine, vous n'avez pas à vous casser la tête. Elle aime les bons gros chèques. Immédiatement avalés par son compte postal qui, malgré cet apport, vire au rouge comme tous les mois. Mais les postiers sont très coulants avec votre cadette et lui laissent de fréquents découverts. Ce qu'elle semble trouver parfaitement normal, alors que cela ne vous est jamais arrivé, en trente ans de cohabitation avec votre banque. Vous n'en dormiriez pas de la nuit.

Vous répondez donc :

— Des sous !

— Et Papa ?

— Je pense que Papa aussi...

L'Homme, plus délicat, glisse des billets dans un joli portefeuille en cuir que Petite Chérie vous redonne quelques jours plus tard, en guise de cadeau d'anniversaire (vous êtes, hélas, née en janvier : dramatique ! Personne n'a plus un centime !). Vous avez ainsi toute une collection de *Must Cartier*, de couleurs diverses, que vous assortissez à vos sacs, en oubliant d'y mettre de l'argent ou une carte de crédit. Vous vous retrouvez à l'autre bout de Paris sans un franc pour payer vos achats.

Joséphine insiste.

— Est-ce que cette année, vous pourriez envisager, tous les deux, de me donner un peu plus que d'habitude, en bloquant Noël, le 1er janvier, mon anniversaire, ma fête et même Noël prochain ?

Oh ! la la ! que vous n'aimez pas cela ! Petite Chérie s'apprête à vous demander un bout du moteur de l'*Andouillette de Plou-les-Ajoncs*. Et vous vous êtes juré de ne pas mettre un centime dans cette saloperie de goélette qui va emporter votre fille adorée, de l'autre côté des océans, avec le Maudit Marin.

Mais votre cadette vous surprendra toujours.

Elle désire que vous lui payiez des cours dans une auto-école pour passer son permis.

Entraînée par le soulagement et la générosité maternelle, vous vous écriez que, bien sûr, vous êtes d'accord. Hors cadeau de Noël. A votre avis, une jeune fille moderne doit savoir conduire une voiture. Sans compter que cela vous arrangera divinement, l'été, à la campagne, que votre héritière numéro deux aille au marché à votre place. Acheter des tonnes de nourriture, tous les jours, pour votre bande d'affamés qui l'avale aussitôt, tel un vol de sauterelles, constitue un calvaire qui gâche vos vacances.

La Prunelle-de-vos-yeux vous saute au cou.

Le Père est moins enthousiaste. Il ne l'est même pas du tout.

— Et quand elle aura son permis, elle voudra une voiture ! En tout cas, moi, je ne lui prête pas la mienne.

— Bah ! On a un bon délai pour y penser, ripostez-vous. Le temps qu'elle apprenne son code et qu'elle se fasse recaler, une bonne dizaine de fois, à l'épreuve de conduite, une année sera passée.

Ce qui démontre votre profonde ignorance de la débrouillardise des adolescents quand ils désirent vraiment quelque chose.

Quinze jours plus tard, Petite Chérie avait son permis.

— Elle l'a acheté dans un bar à Pigalle où l'on trouve de faux papiers et des cartes de crédit volées, assura tante Madeline qui lit les faits divers de *France-Soir* avec passion.

Joséphine avait simplement suivi un stage intensif dans une auto-école spécialisée.

Transportée dès l'aube, en car, dans un immense terrain de banlieue aménagé exprès, elle passait dix heures par jour à conduire-conduire-conduire, radio-guidée par une tour de contrôle. Le soir, elle rentrait épuisée mais résolue. Et, après un échec, obtint son permis haut la main.

Vous en restez baba.

D'autant plus que vous avez, vous-même, mis dix-huit mois et le double des leçons habituellement nécessaires, pour réussir à votre propre examen. Vous ne l'avez, du reste, obtenu que parce que vous étiez enceinte jusqu'aux yeux de Fille Aînée et que vous avez menacé l'inspecteur d'accoucher de désespoir sur le trottoir.

Et, comme l'avait prévu l'Homme, Petite Chérie vous emprunte immédiatement votre vieille 2 CV à laquelle vous tenez tant.

La première fois, vous prêtez Miss Charleston de bon cœur. Ce que vous craignez le plus pour la Prunelle-de-vos-yeux, c'est une collision grave due à l'inexpérience. Et vous ne croyez pas que quinze jours de cours, même intensifs, aient fait de Joséphine une conductrice expérimentée. Les statistiques sont formelles. Les accidentés de la route les plus nombreux sont les adolescents.

Votre assureur vous le confirme et votre prime d'assurance fait un bond.

Vous adressez de longues recommandations à votre cadette. Elle jure d'être plus que prudente. Timorée.

— *Balise* pas, Ma Maman ! Tout ira bien.

Elle avait compté sans la perversité des autres voitures qui, au dire de Joséphine, se jettent sur votre brave 2 CV. Cassent tous ses feux. Cabossent ses petites ailes jaunes. Démantibulent ses parechocs. Même les lampadaires lui sautent dessus.

Très vite, malgré d'incessantes réparations au garage de monsieur Albert enchanté, Miss Charleston prend un air d'épave gitane. Un livreur vous le confirme : « Ça roule, ce tas de boue ? » Vous vous consolez en pensant que personne ne vous la volera vraiment jamais.

L'intérieur ne le cède pas à l'extérieur. Vous trouvez, sur la banquette arrière, des objets aussi étonnants qu'une chapka de fourrure roumaine, un éventail japonais, des emballages de chocolat Mars et des bouteilles de Coca vides (palliatifs au régime *d'enfer* de Petite Chérie à la maison).

Vous remontez de votre parking en hurlant que, si votre résidence secondaire à roulettes n'est pas tenue propre, c'est bien simple... vous ne la prêterez plus ! Joséphine s'élance alors pour un nettoyage géant. Quelques jours plus tard, une nouvelle stratification de détritus divers apparaît.

Ce qui vous exaspère le plus, c'est de vous retrouver, régulièrement, la jauge d'essence à zéro. Pour des raisons évidentes d'économie, votre fille roule le plus longtemps possible sur la réserve. Comptant sur vous pour refaire le plein. Certains jours, vous n'arrivez même pas à démarrer.

Pour vous venger, vous ne prévenez personne et abandonnez votre véhicule. Vous avez la satisfaction de voir, de votre balcon, Petite Chérie déconfite sortir du parking, une bouteille d'Oasis vide à la main, en guise de bidon d'essence de secours, et courir jusqu'à la pompe chercher de quoi dépanner la voiture.

Ces petits incidents n'altèrent pas l'ardeur de votre cadette à se servir de Miss Charleston. Elle a toujours une bonne raison pour vous l'emprunter. Et, insensiblement, elle s'en empare. Grâce à un truc très simple. Elle omet tout bonnement de vous rendre les clefs et les papiers. Et disparaît au moment où vous allez sortir. Vous reculez devant le travail d'Hercule que représenterait la fouille de sa chambre.

Vous n'avez plus qu'à marcher. Très bon pour la santé.

Et votre 2 CV devient ainsi la 2 CV de Petite Chérie.

D'autant plus qu'elle lui sert professionnellement.

D'abord, comme voiture-ventouse pour les besoins d'un film (petit boulot trouvé grâce à une copine dont le beau-frère du cousin est assistant stagiaire).

La voiture-ventouse doit être garée, la veille au soir, à l'emplacement où, le lendemain matin, les camions transportant groupe électrique, projecteurs, câbles, accessoires divers, viendront s'installer devant l'immeuble du tournage.

Votre héritière numéro deux se garde bien de vous révéler que chère Miss Charleston dort dehors, dans la rue, et non à l'abri dans votre coûteux parking. Pas plus qu'elle ne vous dévoile qu'elle s'en sert pour effectuer de petits transports. Toujours pour le compte du film.

Vous le découvrez en empruntant de force, un jour, votre voiture :

— Si tu ne me la rends pas, je jette toutes tes bouteilles de parfum à la poubelle !

Vous comptez déjeuner dans un *restau branché* avec une journaliste sur laquelle vous désirez faire bonne impression.

Vous reculez, épouvantée par l'odeur de vos coussins.

Joséphine a-t-elle transporté des acteurs de cinéma, jamais lavés ?

Non. Un cochon.

Comment ça : un cochon ?

Parfaitement. Un cochon de cinéma, acheté très cher à un fermier de la Corrèze et qui jouait un rôle symbolique dans ce film d'avant-garde. Le tournage terminé, il était prévu que l'animal (nourri à la cantine de la production et bien gras) se transformerait en saucisses et jambon. Le metteur en scène poussa un cri déchirant. Il s'était attaché à son acteur. Il refusait qu'on l'égorge. Et décida de le garder chez lui, dans le garage de sa belle maison de Neuilly.

Petite Chérie fut chargée du transport avec le jeune assistant stagiaire. Le goret refusa d'abord farouchement de monter dans votre bien-aimée Charleston. L'équipe entière l'y poussa. La bête glapit comme si on la saignait à mort et laissa des traces malodorantes de son passage, sur votre banquette arrière.

Arrivé à Neuilly, il fallut trouver de la paille, produit agricole peu courant dans cette banlieue chic de Paris. Joséphine dut se rendre jusqu'en Normandie en charger des ballots. Qui remplirent votre 2 CV de brins qui bouchèrent votre aspirateur. Des années plus tard, vous continuerez à trouver des graminées collées à vos vêtements.

Vous croyez savoir que l'animal favori de B. T. (devinez qui c'est!) s'est longtemps promené dans le jardin de la plaisante villa de Neuilly. A l'indignation des voisins qui se plaignirent de l'odeur et du jardinier portugais, snob, qui démissionna. La bête devint énorme et s'échappa. Le metteur en scène courut tout le quartier en criant : « Avez-vous vu mon gros cochon ? » Il ne le retrouva jamais. Même chez Brigitte Bardot.

Quant à vous, vous vous opposez violemment à ce que Miss Charleston serve à l'avenir au transport des porcs, même de cinéma.

Petite Chérie est d'accord.

— Du reste, ça ne paie pas, ajoute-t-elle, amèrement.

Et puis elle a trouvé un nouveau petit boulot. Épatant, celui-là.

Chiffonnière.

Elle a décidé de vendre tous les objets inutiles qui encombrent votre appartement.

Et Dieu sait s'il y en a !

Parce que vous avez un affreux défaut (encore un).

Vous ne jetez jamais rien.

C'est plus fort que vous.

Le sens de l'économie bourgeoise la plus stricte coule dans vos veines. Vous avez été élevée au cri de guerre de :

« Ça-peut-peut-être-encore-servir-un-jour ! »

Sûrement, les disciples de M. Freud y verraient de monstrueuses tendances œdipiennes (l'absence de pénis, toujours l'absence de pénis !). Mais qu'y faire ?

Quelquefois, en septembre (votre mois des grandes résolutions), vous faites le serment de jeter la moitié des horreurs qui s'entassent chez vous. Mais, au moment d'appeler l'abbé Pierre ou la Croix-Rouge et une dizaine de camions de déménagement, quelque chose se bloque en vous. Vous-ne-pouvez-pas...

Or donc, s'empilent sur vos étagères et dans vos buffets de cuisine une quantité impressionnante d'appareils ménagers que vous avez achetés dans l'espoir de devenir une bonne cuisinière. Éplucheuses à frites (pour remplacer les surgelés). Yaourtières (vos chers magazines féminins assurent que les yaourts maison sont meilleurs que ceux du commerce : vous, vous n'avez jamais obtenu qu'un curieux liquide laiteux). Machines à faire des gaufres (molles comme de la terre glaise), des pâtes (sèches et cassantes), du pop-corn (cramé). Centrifugeuses diverses, mues par une telle vitalité que des taches de pulpe de couleurs différentes ornent le plafond de votre cuisine.

Encore heureuse d'avoir pu vous servir de l'engin. Souvent, soit il n'y a pas de mode d'emploi dans votre carton. Soit il est en flamand ou en coréen, langues que vos parents peu prévoyants ne vous ont pas enseignées.

Après vous être débattue tout un après-midi avec ces appareils sophistiqués (vous êtes, comme l'on sait, d'une maladresse redoutable ! chacun porte sa croix ici-bas), vous vous révélez généralement incapable de les faire marcher. Vous les lavez. Vous les rangez. Vous les oubliez.

Et ils restent là, butés et inutiles, à occuper votre espace vital. Ainsi le couloir menant de la chambre de Petite Chérie à la cuisine est désormais obstrué par des colonnes d'emballages divers.

MAIS VOUS NE LES JETEZ PAS.

Une deuxième marée envahit vos tiroirs et vos armoires : celle des cadeaux de la fête des Mères et maintenant des Grands-Mères. Vous possédez un nombre incroyable de coussins gonflables appuietête pour la baignoire qui se dégonflent plus vite qu'ils ne se gonflent. Des dizaines de cendriers informes en poterie — bien que vous ne fumiez pas. Des pots de yaourts (décorés par de petites mains chéries) pour ranger des centaines de crayons. Des boîtes à œufs peintes en rouge sang où camoufler des tonnes de trombones (vous êtes toujours épatée par l'imagination inlassable et perverse des maîtresses d'école). Des peignes soufflants qui ne bouclent pas vos cheveux raides mais les brûlent.

Mais surtout et surtout, d'innombrables réveils et montres de Hong Kong ou de Taïwan dont vous ne trouvez jamais les remontoirs vicieusement cachés ou trop petits pour vos yeux lunettés et vos gros doigts malhabiles.

Ce qui vous pose de graves problèmes deux fois par an.

Vous vous élevez violemment contre cette manie française du changement horaire, au printemps et à l'automne. Qui oblige de pauvres ménagères, non polytechniciennes comme vous, à manipuler toute une batterie horlogère aux mécanismes infernaux. Sans oublier les pendules du magnétoscope et du micro-ondes qui reviennent à zéro quand l'électricité

170

saute chez vous (ce qui arrive chaque fois que vous branchez le four et la machine à laver ensemble).

Vous avez dû vous habituer à vivre avec une heure différente dans chaque pièce.

Un jour, de rage, vous avez flanqué toutes vos tocantes à quartz dans une caisse et vous avez fait l'acquisition d'une bonne grosse montre-bracelet à l'ancienne. Mais on ne se méfie jamais assez. Le fabricant n'avait pu s'empêcher de dissimuler quelque part (vous n'avez jamais trouvé où) un mécanisme qui émet brusquement des bip bip criards à des heures inattendues. Vous terrorisez ainsi restaurants et cinémas où les ouvreuses hurlent : « Alerte à la bombe ! »

MAIS VOUS N'AVEZ RIEN JETÉ, ni vos cadeaux (d'abord, les cadeaux, ça ne se jette pas), ni votre montre-bracelet caractérielle.

Autre exemple d'entassement paranoïaque. Les souvenirs de vacances. Vos placards sont bourrés de chapeaux mexicains (que vous avez rapportés en pile sur votre tête), d'oiseaux en céramique de tous pays, de sacs en affreux crocodile (mais crocodile tout de même) du Sénégal, de colliers de coquillages tahitiens qui prennent admirablement bien la poussière, de babouches par dizaines (vous adorez l'idée de porter des babouches mais elles vous scient douloureusement le cou du pied). Etc.

Sans oublier les Vierges de Fatima et les napperons en dentelle offerts par votre femme de ménage portugaise au retour de ses propres vacances et que vous tentez de refiler à Noël à votre voisine du Lot. Jusqu'au jour où elle vous dit carrément que ses tiroirs à elle sont pleins, eux aussi. Et que le berger qui garde les troupeaux derrière la colline n'en veut pas.

Vous les gardez donc mais VOUS NE LES JETEZ PAS.

Le pire, ce sont les vêtements. Ces ravissants modèles que vous portiez quand vous aviez huit kilos de moins et dont vous n'arrivez pas à vous séparer. Espérant toujours que vous allez les perdre, ces satanés huit kilos, grâce à un nouveau-régime-miracle. Et que vous pourrez réenfiler ce manteau de daim violet bordé de renard noir de la boutique Cardin dans lequel vous vous êtes un jour miraculeusement glissée. Ou cette robe en crêpe à fleurs de Pucci qui vous moulait divinement — d'après l'Homme — au baptême de Petite Chérie. Et qui, maintenant, souligne méchamment vos formes volumineuses. Ou ce pantalon de cuir de Mac Douglas qui vous donnait l'air d'une amazone et qui ne ferme plus depuis longtemps. Même si vous vous couchez par terre sur le dos, en arrêtant de respirer, pour remonter la fermeture Éclair.

Vous allez maigrir un jour, c'est sûr. Vous serez à nouveau la femme la plus élégante de la rue. Oui, mais quand ?

En attendant, VOUS NE LES JETEZ PAS.

Quelquefois, vous vous découragez et vous offrez à vos filles le fameux et unique manteau de fourrure panthère qui vous boudine désormais à faire péter les boutons. Mais vos héritières ricanent :

— Tu me vois porter ce truc *looké dadame !*

Vous le rangez pieusement avec le reste (y compris le sarouel touareg qui a taché de bleu indigo toute une fournée de machine à laver, y compris les caleçons du Maudit Marin, ce qui vous a un peu consolée) dans des valises en carton du Prisu, que vous empilez sur le haut de la penderie.

Votre névrose s'étend même aux magazines. Tant que vous ne les avez pas terminés, vous craignez de manquer un article important. Ils s'entassent en piles vacillantes dans le salon. De temps en temps, quand votre canapé menace de disparaître derrière des murailles de revues, vous en descendez le contenu de plusieurs ascenseurs à votre chère concierge. Qui les apporte à un hôpital de province. Ceux de Paris — que vous aviez contactés — vous ont répondu fièrement que leurs malades avaient déjà des journaux à ne savoir qu'en faire. Ce qui vous fait entrevoir que vous n'êtes pas la seule à être incapable de balancer même un magazine.

Petite Chérie commence très habilement par vous proposer de débarrasser votre cave de toutes les saloperies.

— ... dont tu te plains toujours, Ma Maman, qu'elles t'encombrent.

Vous avez un pincement au cœur.

— ... Il y a peut-être, dans le tas, quelque chose qui peut encore servir, ne peut s'empêcher de dire la paysanne qui est en vous.

Mais vous reconnaissez honnêtement que vous devez faire un effort. Vous descendez donc dans ce lieu souterrain et obscur avec Joséphine et une lampe électrique. Le cadenas a été forcé. Allons bon ! des cambrioleurs !

Vous avez un haut-le-corps.

La cave est bourrée, jusqu'à la gueule, de sommiers défoncés, de matelas éventrés, de vieilles chaînes hi-fi cassées, de livres jugés trop mauvais pour votre bibliothèque (vous ne donnerez pas de noms bien que cela vous brûle la langue), de vieilles cassettes pour apprendre l'arabe (une résolution de septembre), de parapluies sans manches, de plumeaux sans plumes, de poêles cabossées (ça peut être commode pour griller les châtaignes, non ?). Bref, un bric-à-brac insensé. Que les voleurs écœurés ont dédaigné.

Votre cadette pousse un cri de bonheur et, ayant

arraché votre accord (vous ne croyez pas que quelque chose puisse encore être utilisable dans ce fouilli pourri), s'improvise brocanteuse.

La voilà dans une vieille salopette, la tête recouverte d'une casquette de chasseur de canards américain, chargeant vos trésors dans Miss Charleston ou la camionnette de son copain Gaël. Et partant, le samedi, avant l'aube, s'installer sur un bout de trottoir aux Puces de Montreuil. En compagnie du Maudit Marin. Que vous ne voyez jamais mais dont l'ombre plane sur votre vie.

Votre cave se vide à une vitesse inouïe. Qui peut bien acheter vos rebuts ? Quand vous lui posez la question, votre « chineuse sauvage » reste évasive.

— Des Arabes, au cri de « combien ti mi li vend ? »

Vous croyez comprendre qu'elle a enfin découvert sa vocation.

Surtout quand elle s'attaque à votre appartement.

Là, vous vous défendez âprement.

Joséphine s'empare, en premier, de la bicyclette d'intérieur qui trône dans votre entrée (pas de place ailleurs pour installer cet énorme engin). L'Homme, cet amour, vous l'a offert à votre demande, sur la recommandation de vos chers magazines féminins. Rien de tel pour se muscler chez soi.

Après une matinée où vous vous êtes ennuyée mortellement à pédaler cinquante kilomètres avec une pente de sept pour cent, vous avez dû rester couchée deux jours avec d'abominables courbatures.

Vous avez ensuite essayé de traîner la machine devant la télévision et de tricoter des papattes en regardant le film du dimanche soir. Déplacer ce lourd appareil vous a valu un tour de reins.

Quant à pédaler toute seule, dans votre entrée, avec vue sur la chambre en désordre de votre fille, cela vous déprimait. Vous avez carrément laissé tomber et vous ne remarquez même plus cette maudite bicyclette qui vous sert à accrocher les manteaux des visiteurs surpris.

Petite Chérie la vendit immédiatement. De temps en temps, vous vous demandez quelle grosse dame pédale à votre place et où ?

Dans la foulée, Joséphine débarrassa votre salle de bains de la ceinture vibromasseuse — dont le grondement vous fait peur. Et de l'appareil électrique à muscler le ventre en dormant — qui vous picote et dont vous craignez qu'il vous électrocute.

Ensuite, votre fille s'attaqua à vos bibelots.

— Y en a marre de ces affreux trucs, s'écria-t-elle, en s'emparant de votre énorme tête de mort en papier mâché mexicain.

— Touche pas à mes souvenirs !

— Tu dis toujours qu'on ne doit pas s'attacher aux choses.

C'est vrai. Une partie de vous-même a été fortement impressionnée par le livre de Perec, *Les Choses*, et souhaiterait vivre en ascète dans un décor vide. Embarqués votre tête de mort mexicaine... vos hiboux en céramique... votre phoque esquimau en pierre d'Alaska acheté à l'aéroport d'Anchorage... vos canards italiens au bec cassé... et vos affreux vases 1900 camouflés dans la bibliothèque.

— C'est tante Madeline qui les a donnés à ton père, protestez-vous. Qu'est-ce qu'elle va dire ?

— Tu répondras que c'est la femme de ménage qui les a cassés...

— Ah ! Ne prends pas mes vieux disques de Bessie Smith !

— Tu ne les écoutes jamais !

Exact. Mais vous pourriez. En rêvant à votre jeunesse. Embarqués les vieux disques...

Vous n'osez plus quitter votre appartement de peur de le retrouver entièrement vidé à votre retour. Vous clouez vos tapis.

Mais la plus grosse bagarre éclate au sujet de vos chers vieux vêtements trop étroits.

— Tu sais bien que tu ne maigriras jamais ! vous lance votre impitoyable héritière. Et si tu perds tes kilos, toutes ces horribles frusques ne seront plus à la mode.

Et hop, embarquées...

Vous avez du mal à imaginer une opulente femme berbère se dandinant dans votre étroite robe à fleurs de Pucci. Ou une Noire ougandaise se trémoussant dans votre robe de mariée en plumetis blanc transformée en robe de cocktail (dans laquelle vous auriez souhaité être enterrée, à condition de découdre toutes les coutures dans le dos). Vous réussissez à sauver votre manteau de daim violet à bordure de renard noir (le renard noir, ça sert toujours), votre panthère (peut-être pourriez-vous la transformer en blouson ?), et la robe de jeune fille à carreaux roses et blancs avec laquelle vous avez séduit l'Homme. Vous les planquez sous votre lit.

Quand il ne reste plus chez vous la moindre boîte à cigarettes en cuir décoloré, la plus petite bouteille de chianti pour-faire-une-lampe et que même les vieilles chaussettes dépareillées de l'Homme ont disparu (vous les gardez pieusement, espérant toujours le retour de la sœur perdue), Petite Chérie s'attaque à Fille Aînée. Qui, elle, conserve avec ferveur poussettes et brassières premier âge de ses enfants.

Justine commence par résister.

— Et si j'ai un autre bébé ?

— T'es pas assez folle pour t'embarrasser d'un troisième *têtard !* observe brutalement Joséphine.

Fille Aînée exige alors une forte commission.

Travailleuse au noir, la nuit, elle est la femme d'un chômeur. Petite Chérie piaille :

— J'ai mes frais...

— Parlons-en ! Tu utilises la voiture et l'essence de Maman...

— Et les bakchichs que je dois donner aux autres vendeurs pour qu'ils ne me dénoncent pas à la police parce que je n'ai pas de patente ?

Un accord fut conclu à la satisfaction des deux parties.

Embarqués les affaires de bébé et les vieux cadeaux de mariage impossibles. (Dans le sang de Justine coulait votre incapacité à jeter même une cloche sans plateau à fromages.)

Et Fille Aînée soutint sa sœur quand celle-ci s'abattit, telle une pie dévastatrice, sur la maison de votre mère.

Avant que celle-ci ait eu le temps de réagir, tout un ensemble de canapé et fauteuils style XVIIIe, rangé au grenier, fut enlevé prestement. Dans le jardin, Joséphine tira dessus au fusil « pour faire des trous de vers » et transformer ces meubles quasi neufs en XVIIIe d'époque, suivant une technique bien connue des antiquaires.

— Une belle affaire ! avouera-t-elle, un soir de confidences.

Le canot de survie de l'*Andouillette de Plou-les-Ajoncs*.

Votre mère retrouva ses esprits et réagit au cri de : « Vous aurez tout à ma mort et rien avant ! » Et, méfiante, ferma désormais ses portes à clef, même pour aller cueillir une salade au jardin.

Un soir, Petite Chérie vous fait un câlin alors que vous battez les œufs pour l'omelette.

— Non, dites-vous fermement.

— Mais j'ai encore rien demandé !

— Mon petit doigt m'a avertie. Tu ne toucheras pas au grenier de la maison du Lot. Le voisin et les gendarmes sont prévenus. Pan ! Pan ! dans tes pneus. Et moi, je viderai ton compte postal avec un faux chèque.

Joséphine marmonna qu'elle avait une mère *déjantée grave* mais ne se laissa pas abattre. Elle dessina une affiche :

VIDEZ VOS CAVES...
DÉBARRASSEZ VOTRE VIE DE L'INUTILE...
APPELEZ JOSÉPHINE, LA BROCANTEUSE DE CHOC !

qu'elle photocopia sur votre vieille Sharp, agrafa sur tous les réverbères du quartier et colla sur les vitres des commerçants amis.

Succès. Le téléphone ne cessa de sonner et vous de répondre. Non, vous n'êtes pas la brocanteuse Joséphine, seulement sa secrétaire. Vous notez noms et adresses. Cela vous empêche de travailler. Vous vous en plaignez à votre chiffonnière-chef. Qui échange immédiatement à ses Puces bien-aimées un service à fondue — dont vous ne vous êtes jamais servi — contre un répondeur téléphonique.

— Comme ça, tu écoutes qui appelle, explique Petite Chérie, et si ce n'est pas pour toi, tu ne décroches pas.

Hélas, si.

Vous avez déjà eu un répondeur téléphonique. Mais :

1) la seule sonnerie vous déconcentrait ;

2) une intense curiosité s'emparait de vous : qui était-ce ? Peut-être Hollywood ? Vous n'y connaissez personne et surtout personne ne vous y connaît. Mais on peut rêver, non ?

3) ensuite et surtout, vous ne résistiez pas au désir de bavarder avec la personne qui appelait : bonne excuse pour interrompre vos activités soi-disant intellectuelles. Donc, vous décrochiez toujours et le répondeur ne servait à rien. Vous détestez les gens qui ont la force d'âme de rester planqués sans répondre quand ils entendent votre voix amicale. Qu'ils crèvent !

4) quand vous sortiez et branchiez l'appareil, votre femme de ménage vous faisait la gueule car elle attend toujours un appel d'une de ses nombreuses sœurs ou cousines portugaises :

— Tou peux parler parche que la patronne, elle est pas là...

Vous avez rangé votre répondeur sous votre bureau où votre fille l'a trouvé et vendu. Et voilà qu'il vous revient (si ce n'est lui, c'est un de ses frères). Vous préférez encore prendre les messages pour Joséphine. Tandis qu'elle sillonne les rues comme une guêpe assoiffée, et vide toutes les caves du quartier. Puis des quartiers voisins.

Et attrape des contraventions.

Vous vous refusez à les payer.

— Mais je le ferai moi-même, répond votre fille dressée sur ses ergots comme une poulette en colère.

Étant douée d'une nature pessimiste, vous en doutez. Vous vous plaignez à l'Homme.

— Tu n'as qu'à retenir leur montant sur son argent de poche.

— Mais nous ne lui donnons plus d'argent de poche !

Vous écartez l'idée de donner à nouveau de l'argent de poche à votre fille pour pouvoir retenir dessus le montant de ses contraventions.

Du reste, vous devez convenir que, par rapport aux infractions commises, le nombre des amendes récoltées par Joséphine n'est pas énorme. Vous en avez l'explication lorsque vous la surprenez, par hasard, en vive discussion avec les flics et autres pervenches.

— Monsieur l'agent, j'ai grillé un feu rouge pour aller plus vite à l'hôpital où Ma Maman est mourante...

Variante :

— Madame la contractuelle, je me suis garée en sens interdit, devant la pharmacie, le temps d'acheter des médicaments pour Ma Maman qui vient d'avoir une crise cardiaque...

Vous interdisez furieusement à votre héritière numéro deux d'utiliser de telles excuses. Vous avez peur que cela vous porte malheur ! Vous préférez encore payer les contredanses... Ou attendre l'élection d'un nouveau président de la République (sept ans, c'est long ! Vous militez pour une amnistie annuelle !).

Vous avez d'autres problèmes.

Depuis que Petite Chérie s'est emparée de votre voiture, vous êtes obligée de prendre les transports en commun. Pardon aux millions d'usagers, mais vous détestez.

Le métro sent mauvais. Vous souffrez d'angoisse aux heures de pointe, écrasée contre les énormes mamelles des dames noires ou les estomacs rebondis des travailleurs sortant de leur bureau. Vous attirez systématiquement — votre allure bourgeoise ? — toutes les gitanes, jeunes et vieilles, portant de faux bébés emmaillotés, qui vous poursuivent en implorant pitié puis en vous insultant. Ainsi que les immigrés yougoslaves perdus et éperdus, qui vous tendent un papier portant une adresse incompréhensible dans un quartier inconnu. Vous vous enfuyez (pardon, Petit Jésus, pour ce manque de charité) en prétendant ne parler qu'anglais.

Vous vous perdez dans les interminables couloirs déserts que vous parcourez en tenant votre sac à deux mains depuis qu'un voyou vous l'a arraché. Et que vous vous êtes retrouvée sans un sou, sans un papier d'identité, sans vos clefs d'appartement, à la station République. Et sans craie pour faire la manche, assise par terre, après avoir écrit sur le sol : « Je suis une honnête mère de famille qui a tout perdu. Donnez-moi un franc pour m'aider à rentrer chez moi. » Ou mieux : « Je sors de prison. Je suis sans travail. Mon mari m'a abandonnée... »

Une brigade de surveillance de la R.A.T.P. vous a retrouvée alors que vous essayiez de vendre votre montre (celle qui fait bip bip, n'importe quand) à un clochard hilare. La police vous a exceptionnellement ramenée chez vous dans le panier à salade, toutes sirènes hurlantes. Ce qui a beaucoup agité les mauvaises langues de votre quartier qui vous soupçonnent de vous livrer à de coupables activités grâce au minitel rose.

Quant aux autobus, vous n'avez jamais pu mettre la main sur une liste vous expliquant clairement où ils allaient. Les rares fois où vous avez réussi à en attraper un dans la bonne direction, il est resté bloqué dans son couloir réservé par un camion stationnant en fraude. Vous n'avez pas crié comme tout le monde « à la fourrière ! ». Car vous avez vu un jour, de vos propres yeux, charger, sur une dépanneuse, Fille Aînée donnant le biberon à Petit Garçon, à l'arrière de sa vieille voiture. Depuis, vous haïssez la fourrière sans pitié.

De toute façon, pour vous diriger dans Paris, il vous faudrait un plan. Or, Petite Chérie les mange au fur et à mesure que vous les achetez. En tout cas, vous avez beau les cacher dans vos dossiers EDF ou LOYER, ils disparaissent mystérieusement dans sa chambre.

Alors petit à petit, honteusement (c'est cher) vous faites appel aux taxis.

Mais si vous vous abandonnez aux délices du luxe, vous faites de sacrées expériences.

D'abord, en téléphonant aux compagnies de radios-taxis.

Vous découvrez que vous avez une voix antipathique — ce dont vous ne vous doutiez pas —, car la standardiste vous répond toujours sèchement. Visiblement, votre appel ne lui plaît pas. Elle vous branche sur un message enregistré par un perroquet qui répète inlassablement : « Merci de votre appel... ne quittez pas ! » Et vous fait attendre dix minutes. Il est clair que les chauffeurs ne se battent pas pour venir vous chercher. Pourtant, vous donnez de bons pourboires. Clac. La voix cassante de la standardiste revient et vous informe triomphalement... « qu'il n'y a aucun véhicule disponible pour l'instant ! Rappelez dans un quart d'heure ». Re-clac.

Affolée (vous allez être en retard à votre rendez-vous), vous galopez à la station de taxis, au coin de la rue. Douze personnes y piétinent déjà, chacune indiquant par une mimique d'angoisse (soupirs, regards à sa montre, gestes désordonnés des bras en direction de véhicules passant au large sans s'arrêter) qu'elle a un rancart des plus impérieux.

Vous vous mettez en treizième position, au bout de la file d'attente. Vous surveillez la petite dame, arrivée après vous, qui s'est éloignée en douce, à trente mètres en amont, pour arrêter un G7 avant qu'il ne rejoigne la station. Immédiatement, branle-bas général dans la queue. Émeute. Vous hurlez tous, agitez poings, jambes et parapluies en direction de la traîtresse créature. Propos indignés : « C'est inouï !... vous avez vu ça ?... quelle honte !... Y'a des gens qui ne doutent de rien...! » Un monsieur court lui dire son fait. La dame s'enfuit un peu plus loin dans la rue, hors de vue de la station, et continue son vilain petit manège.

Vous êtes la première de la file ! Le prochain taxi est pour vous. Vous ne serez en retard que de vingt minutes. Malheureusement, il n'arrive pas. Vous n'êtes pas étonnée. Votre vie quotidienne est un long tissu de petits embêtements. Le seul endroit où vous n'attendez jamais de *tac*, c'est l'aéroport d'Orly. Mais vous hésitez à vous rendre à Orly — comment ? Par le car d'Air France ? — pour y trouver un véhicule qui vous conduira au Châtelet.

Le voilà ! Non ! Parce qu'une dame très vieille sur des béquilles ou une jeune femme avec trois petits enfants accrochés à ses jupes vous supplie de la laisser passer à votre place. Au moment de répondre vertement qu'elles n'ont qu'à avoir leur propre Rolls avec chauffeur, votre bonne éducation — que vous ne cessez de reprocher à votre mère — vous fait dire courtoisement : « Allez-y, je vous en prie ! » Du reste, elles ont des cartes de priorité.

Vous recommencez à piétiner. Ce qui vous énerve le plus, c'est qu'en bout de station, sont garés deux véhicules, gaines sur leurs loupiotes, dont les conducteurs bouffent joyeusement au café. Naturellement, vous êtes d'accord que les chauffeurs de taxi doivent se nourrir comme tout le monde mais pourquoi systématiquement aux heures où vous avez un rendez-vous à l'autre bout de Paris ?

Enfin, votre *bahut* arrive. Fermé de l'intérieur. Avant de débloquer le loquet, le chauffeur et son chien vous dévisagent de la tête aux pieds. Sans enthousiasme. Vous n'en menez pas large. Vous savez qu'ils ont le droit de vous refuser s'ils jugent que votre tenue est de nature à salir et à détériorer l'intérieur de la voiture. Vous vous efforcez de paraître bien proprette sinon élégante. Hourra ! déclic de la portière... Ils vous laissent monter. Sur une banquette recouverte de poils de chien mouillé et qui s'effondre sous votre poids (la banquette, pas le chien mouillé). Avez-vous encore grossi ou les amortisseurs sont-ils défoncés ?

Vous dites « Bonjour » de votre voix la plus enjouée. Que vous n'auriez pas pour le président de la République. Vous le faites toujours depuis qu'un chauffeur vous a reproché : « Vous allez me confier votre vie et vous ne me saluez même pas ! » Cela vous a frappée. Vous êtes la seule. Personne ne vous retourne jamais votre politesse. Le conducteur attend dans un silence impatient que vous lui donniez l'adresse où vous allez tous vous rendre. Le chien vous méprise ouvertement. Vous le détestez sournoisement. Il a le droit d'être là, lui ! Alors qu'il n'est même pas question que votre cher vieux Roquefort puisse vous accompagner.

— Ah non ! Moi, je prends pas de monstre...

Votre mère qui transporte son minuscule Yorkshire, camouflé dans un sac, se fait interpeller de la même façon. L'œil perçant du chauffeur l'ayant tout de suite repéré :

— Hé ! Pas de petit chien dans ma voiture ! Ça pisse tout le temps.

Ou :

— Il va agacer mon chien-loup.

Certains de vos amis prétendent que la gent canine de taxis est très affectueuse et baveuse sur les clients.

Vous n'avez jamais rencontré cette espèce-là. Ceux à qui vous essayez de faire lâchement des mamours : « Oh, qu'il est beau !... De quelle race est-il ?... Comment s'appelle-t-il ?... » regardent d'un air lointain à travers le pare-brise et son maître ne vous répond même pas. Plus snob qu'un chien de taxi, tu meurs !

Quand le chauffeur n'a pas de toutou, il a une radio. Vous préférez encore le doberman menaçant à la voix qui crachote inlassablement des noms de rues, en s'égosillant pour des usagers dont vous ne faites pas partie. Le bruit vous exaspère. Rassemblant votre courage, vous demandez au maître du véhicule de baisser le son. Il le fait en bougonnant. Du coup, vous n'osez pas le prier d'arrêter de fumer sa clope pourrie, à l'odeur qui vous soulève le cœur, alors qu'il y a un écriteau, bien en vue à cinquante centimètres de vos yeux : « Interdit de fumer. » Pour le client. Pas pour le chauffeur. La seule fois où vous avez protesté, vous avez été éjectée du taxi à six heures du soir, sous la pluie, sur les quais.

Vous devez à la vérité qu'il y a toutes sortes de catégories de conducteurs de voitures de place. Et pas seulement le hargneux au clebs. Ou le parano qui vous révèle que vous êtes assise sur un siège électrique destiné à électrocuter le client qui lui déplaît.

D'abord, celui bavard comme une pie ! A vous donner le tournis. Il babille du temps. Des embouteillages. De la politique. Là, se méfier. Des fanatiques de droite comme de gauche. Ne répondre que par des *hon-hon* prudents et un sourire niais quand, dans son excitation, il vous darde de regards brûlants et interrogateurs dans son rétroviseur.

Vous le préférez encore à celui qui garde un silence glacé quand vous babillez à votre tour. Du temps. Des embouteillages. De la politique. Pourquoi ne lui plaisez-vous pas ? Vous vous sentez vaguement coupable. Peut-être d'être une sale bourgeoise qui a les moyens d'emmerder les taxis ? Quand vous êtes coincée pendant une heure, dans un capharnaüm de voitures, en compagnie d'un de ces muets au dos hostile, vous stressez ferme.

De plus en plus, ces chauffeurs de taxi parisiens typiques disparaissent au profit d'une nouvelle catégorie.

Celle des conducteurs sénégalais, guinéens, maliens, zambiens, vietnamiens, cambodgiens, etc. Qui transforme la moindre course en voyage exotique.

Tous ces braves gens ont en commun non seulement de mal comprendre le français, de le parler avec un accent qu'à votre tour vous ne comprenez pas, mais surtout d'ignorer totalement notre belle capitale et ses kilomètres de rues.

— Rue du Cheval-Blanc, près du boulevard Richard-Lenoir, énoncez-vous lentement et clairement à un élégant jeune homme noir, habillé de mauve.

Il roule des yeux effarés.

— Bleva... icha... Lenoua... ? répète-t-il, avec consternation.

Il est visible qu'il n'a jamais été dans cette brousse perdue.

— Par la Bastille, dites-vous avec entrain.

— ... Pastille ?

Il n'a pas, non plus, entendu parler de cette oasis paumée dans les sables.

Il s'arrête brusquement (coups de freins et klaxons des voitures derrière). Fouille dans une masse de gris-gris entassés dans sa boîte à gants, transformée en autel des dieux Ouolofs, et en tire un plan de Paris qu'il regarde avec désespoir. A l'envers. Vous le lui arrachez. Et vous cherchez vous-même votre rue du Cheval-Blanc perdue dans le dédale sournois du XIᵉ. Puis vous repartez tous les deux, vous guidant ce fils de l'Afrique égaré dans la jungle parisienne. Vous tentez de ne pas vous énerver quand il tourne à gauche quand vous lui indiquez la droite. Après tout, l'Homme fait la même chose. Et ne doit-on pas aider les immigrés ?

Même s'ils veulent vous enlever aux îles du Cap-Vert quand vous vous rendez rue des Filles-du-Calvaire.

Curieusement, les Asiatiques, malgré leur réputation, ne sont guère plus débrouillards. Un Vietnamien vous a conduite un jour rue de la Maison-Blanche au lieu de la rue Malebranche, en poussant des cris rauques terrifiants à chaque feu rouge.

En revanche, une dame thaïlandaise vous a fait subir, d'une voix flûtée, un interrogatoire que même un juge d'instruction n'oserait se permettre, en l'absence de votre avocat. Vous avez été obligée de mentir sur votre âge. Vous êtes descendue en vitesse au moment où elle vous ordonnait de lui révéler ce que vous gagniez par an (secret que seul votre inspecteur des impôts partage : vous le cachez même à l'Homme). Vous étiez si pressée de fuir que vous n'avez pas réalisé, sur le moment, que vous aviez payé cinq fois plus cher la course au retour qu'à l'aller.

Mais votre Thaïlandaise ficelle, vous la regrettez entre 18 heures et 20 heures. Dans ce laps de temps, aucun taxi n'est en vue, même du Burkina Faso. Ils sont tous rentrés se planquer chez eux. Les seuls survivants sont retenus par des associés qui prennent des cartes de priorité pour leur

PDG, à un prix qui vous permettrait d'acheter une seconde voiture.

Vous avez donc une idée. Puisque Petite Chérie ne veut pas vous rendre Miss Charleston, elle vous servira de chauffeur. Votre cadette paraît enchantée.

— J'adore conduire ! s'exclame-t-elle.

— J'adore être conduite !

Folle que vous êtes !

La première fois, vous montez à la place du passager avant, sans méfiance. Vous bouclez quand même votre ceinture de sécurité parce que vous êtes une citoyenne respectueuse des lois. Et puis les parents ne doivent-ils pas donner le bon exemple ? Joséphine ne vous imite cependant pas.

— Mets ta ceinture ! ordonnez-vous d'un ton sans rappel.

— Ça m'écrase les seins et ça ne sert à rien, grommelle votre fille.

— Je reprends les clefs... ! chantonnez-vous.

Votre cadette se sangle précipitamment.

— Bon, on y va !

Vous y allez, en effet.

A une vitesse foudroyante.

Petite Chérie fait partie de ces conducteurs fous furieux qui transforment la moindre course en rallye. Vous voilà à cent à l'heure, Place de l'Étoile, dans votre fragile petite *caisse*, dont les tôles craquent et gémissent si fort que vous craignez que Miss Charleston ne s'ouvre en quatre comme une figue mûre et ne vous laisse assise sur la chaussée, au milieu du tourbillon des voitures.

Terrifiée, vous perdez complètement votre sang-froid.

Vous braillez :

— Ahaaaaaaaaaaahhhhhhhhhh... moins vite !

188

ooooooooohhhhhhhh! attention au camion à droite... ahhhhhhhhhh! tu vas emboutir la Peugeot devant... freine! FREINE!! FREINE!!!

Et quand elle rase le museau d'un autobus à cinq centimètres, vous poussez une clameur d'agonie.

Joséphine tourne la tête vers vous, joyeusement :

— T'as vu ce salaud? J'avais la priorité! C'est pas parce qu'il est gros et que je suis une *meuf* qu'il doit passer de force.

— Et s'il nous avait aplaties?

— T'as peur?

— Penses-tu! Nous venons seulement de frôler la mort vingt fois. Tu conduis comme une dingue!

— C'est toi qui roules trop lentement. Beaucoup plus dangereux! Tous les conducteurs de Formule 1 te le diront.

— Cette voiture n'est pas une Formule 1 sur un circuit spécial, mais une brave petite 2 CV destinée à se faufiler tranquillement dans les embouteillages parisiens.

— Bah! se marre Joséphine, sois pas *molleton!* La rue, *c'est struggle for life.*

— Arrête! Si tu ne conduis pas plus prudemment, à l'avenir, je te retire Miss Charleston dé-fi-ni-ti-ve-ment.

Petite Chérie ricane.

— Avec ce que j'ai gagné comme brocanteuse, je peux m'acheter une Super 5 GT Turbo d'occase. Et alors, tu verras...

Le soir, vous en parlez à l'Homme. Dilemme. Préférez-vous voir votre fille cadette dépenser le montant de son livret d'Épargne dans un bolide même d'occasion? Ou dans un immense spi rouge pour l'*Andouillette de Plou-les-Ajoncs.* Quel mal est le moindre?

Après discussions, vous tombez d'accord que le

plus grave danger est le plus proche. Petite Chérie roule en voiture. Elle n'est pas encore partie affronter les cyclones. D'ici là, beaucoup de choses peuvent se passer, sous votre mauvaise influence.

A tout prix, éviter le bolide même d'occase.

Joséphine continua donc à foncer, accélérateur au plancher, dans votre pauvre et lente vieille 2 CV.

Et vous, à affronter les taxis.

Les mères doivent savoir se sacrifier pour le bien de leur *têtard*.

8

Petit Garçon avait été abordé à la sortie de l'école par un jeune homme à la voix zozotante.

— Cela t'amuserait de faire du cinéma ?

— Ma maman m'interdit de parler aux gens que je ne connais pas, avait répondu avec hauteur — et sagesse — Sébastien.

— Elle a raison. Tiens, voilà ma carte. Dis à ta mère de me téléphoner si la publicité t'intéresse. C'est marrant et cela rapporte de l'argent.

Petit Garçon rentra à la maison, hors de lui. Un mot avait fait tilt. Le mot sublime d'*argent*. Vous pensez quelquefois que le premier balbutiement de l'aîné de vos petits-enfants n'avait pas été « maman » ou « papa » (ou mieux « mamie ») mais « des sous ! ». Cette disposition horriblement bourgeoise étant, à votre avis, l'héritage de son autre grand-mère, la terrible femme d'affaires Superwoman.

Sébastien, fou d'excitation, interrompit sa mère dans la frappe d'un M.B.F.O. (manuscrit bourré de fautes d'orthographe, cas malheureusement de plus en plus courant) et lui fit part des pluies d'or qui n'allaient pas manquer de se déverser sur lui.

Justine trouva l'idée excellente. L'occasion, pour son fils, de gagner lui-même son argent de poche et de se heurter, dès l'aube de sa jeune vie, aux dures réalités financières. Monsieur Gendre fut contre. Il était chômeur, soit, mais ses allocations lui permettaient cependant de donner patriarcalement quelques francs, chaque semaine, à son garçon. Surtout qu'on lui proposait un poste très intéressant au Burkina Faso. Fille Aînée cria qu'en aucun cas elle n'irait au Burkina Faso dont personne ne savait où c'était sur la carte et où il n'y avait pas la moindre école convenable. Et vous téléphona pour avoir votre appui. La pensée que votre héritière numéro un adorée et sa chère petite famille puissent disparaître à Ouagadougou, chez les Burkinabés vous parut abominable mais vous n'en laissez rien voir.

Ne jamais intervenir ouvertement dans les discussions du jeune couple, telle est votre magnifique et courageuse attitude.

Vous vous contentez de sous-entendus.

Le coup de l'école, c'est vous, la semaine dernière, quand on a offert à Louis un job au Qatar. Vous gardez en réserve une deuxième insidieuse interrogation :

— Y a-t-il un très bon hôpital, si les petits ont l'appendicite ?

Pour Zanzibar, vous vous êtes contentée de lire au téléphone un article découpé dans un de vos chers journaux :

« Dans ce pays, au nom merveilleusement exotique, quand on veut se débarrasser de quelqu'un, on l'emmène faire un tour en bateau.

« L'équipe pisse dans l'eau, ce qui, paraît-il, a le

don d'exaspérer les requins. On jette alors l'indésirable à la mer. Rideau. »

Désormais, au seul mot de Zanzibar, Fille Aînée grince des dents.

Peut-on reprocher à une mère de désirer garder ses enfants et petits-enfants dans le quartier voisin ? Qu'on vous lapide avec des chocos B.N. !

Le mercredi suivant, Justine emmena Sébastien et Émilie dans les bureaux exigus et pas très propres d'une société de production de films publicitaires où grouillait déjà une foule d'autres jeunes candidats. La mêlée était indescriptible. Des bébés cavalaient partout à quatre pattes. Certains hurlaient « Pipi ! » De plus grands s'arrachaient des petites voitures en plastique. D'autres mâchonnaient des biscuits qu'ils recrachaient sur la moquette en réclamant à boire. Un rouquin lança un frisbee qui cassa une lampe.

Fille Aînée remarqua qu'un certain nombre de mères paraissaient là comme chez elles, et discutaient savamment des mérites des publicités Schoupm ou Biribi.

Une jeune femme sortit d'un bureau, tirant derrière elle une fillette en larmes, et hurlant, courroucée :

— Pas belle, ma Julie ! Vous êtes le premier à me le dire, connard !

Un garçonnet s'adressa à votre petit-fils avec assurance :

— T'as déjà fait de la pub ?

— Non.

— Aujourd'hui, j'ai la rougeole mais je suis venu quand même parce que je suis la vedette. Cette année j'ai déjà tourné les pâtes Ramollo et les chaussures Paras. Tu ne m'as pas vu ?

Sébastien le détesta. Heureusement, un assistant

vint le chercher avec Fille Aînée et Jolie Princesse avant qu'il ait pu répondre :

— Vouais, mais t'as une sale gueule !

Le trio fut cérémonieusement introduit dans un bureau où trônait Luc Papounik, un metteur-en-scène-célèbre qui, entre deux films ratés mais encensés par la critique, gagnait sa vie en tournant des « pubs ». Il regarda pensivement Petit Garçon qu'un assistant agité mesurait, étiquetait, photographiait.

— C'est pour quoi, exactement ? s'inquiéta Justine.

— Un nouveau fromage aux noix, laissa tomber le maître.

— Il n'a pas les yeux bleus ! murmura l'assistant, mécontent, en désignant Sébastien.

— Ça c'est embêtant, soupira un personnage aux fonctions imprécises, assis sur une chaise derrière le metteur-en-scène-célèbre, les blondinets aux yeux bleus sont plus vendeurs...

Petit Garçon se sentit visé.

— Parce que les petits garçons aux yeux verts ne mangent pas de fromage aux noix ? demanda-t-il, indigné.

— Tiens, il est marrant, celui-là ! laissa tomber Papounik. Faisons-lui faire un essai vidéo.

L'assistant fit tourner sa caméra.

— Tu aimes les publicités ?

— Ouais ! Et je les connais toutes par cœur ! répondit avec enthousiasme Sébastien.

C'est, hélas, vrai. Même celles des colles pour dentiers. Alors que vous avez le plus grand mal à lui apprendre qu'Henri IV était un grand roi de France et que sept fois neuf font... (vous ne savez pas non plus et vous regardez sournoisement au dos de son cahier de calcul).

— Pourquoi veux-tu faire du cinéma ?

— Pour gagner des sous, dit froidement Petit Garçon. Est-ce que tu paies bien ?

Luc Papounik parut douloureusement surpris de cette attitude terre à terre. Il changea de conversation.

— Montre-moi ton profil droit.

— C'est quoi, un profil ? demanda candidement Sébastien.

— Allons bon ! Ce n'est pas un pro ! Il ne sait même pas ce que c'est qu'un profil ! clama l'assistant en regardant Petit Garçon avec horreur.

— J'en ai ma claque de ces mômes qui vous demandent quelle est la caméra qui tourne et s'ils sont en gros plan, répliqua le metteur-en-scène-célèbre. Je veux des enfants frais... des...

La sonnerie du téléphone le coupa.

— Les réfrigérateurs Tripéavie insistent pour leur nouvelle pub au Groenland, dit l'assistant.

— Ah non ! cria Luc Papounik, jamais plus je ne tournerai avec un attelage de rennes. Y'en a toujours un qui veut aller d'un côté et l'autre de l'autre. Plus con qu'un renne au cinéma, tu meurs ! Raccroche ! Je préfère encore travailler pour la télé !

L'incident clos, le maître se tourna à nouveau vers Sébastien.

— Tu fais cuire les spaghettis chez toi ?

Petit Garçon roula des yeux ronds.

— J'ai une maman pour cela, expliqua-t-il, très macho, elle ne fait pas une cuisine terrible... sauf le poulet aux frites, ajouta-t-il honnêtement, après une seconde de réflexion.

Justine resta impassible mais elle vous avoua plus tard que cela lui avait coûté.

— Tu es dans une maison toute noire et tu entends du bruit ! reprit Luc Papounik... montre-moi comment tu regardes s'il y a des voleurs !

— Si la maison est toute noire, je ne peux rien voir, riposta Sébastien, et je mets ma tête sous mon oreiller.

— Bon, on prend celui-là! dit le metteur-en-scène-célèbre, d'une voix lasse, à son assistant.

— Ce serait plus sûr d'avoir le jeune Arnaud en numéro un, fit observer ce dernier, c'est quand même un vrai pro. Avec lui, on n'aura pas de mauvaise surprise...

— Et il est blond aux yeux bleus, glissa l'obsédé des petits garçons blonds aux yeux bleus.

— O.K. Vous avez peut-être raison! Inscrivez-moi celui-là en numéro deux, dit Luc Papounik en désignant Sébastien comme un petit veau à la foire.

Le petit veau ne se laissa pas démonter.

— Moi, je ne joue qu'avec ma sœur, dit-il fermement.

Tous les yeux se portèrent sur Jolie Princesse, sagement assise sur les genoux de Fille Aînée.

— Ah! Et pourquoi?

— Elle ne sert jamais à rien. Et là, elle pourra gagner des sous.

— D'accord, laissa tomber le réalisateur, mais tu es responsable d'elle. Si elle pleure, c'est toi que j'engueulerai.

— Elle ne pleurera pas, assura Petit Garçon, sinon elle sera privée de télé pendant un mois et elle mourra...

Le grand jour du tournage arriva.

Sébastien découvrit que lui et Jolie Princesse étaient costumés en pêcheurs bretons avec cirés, chapeaux et bottes jaunes. Cela lui déplut fortement.

— Pourquoi est-ce qu'on doit s'habiller en marin pour manger du fromage aux noix? demanda-t-il à l'habilleuse.

— T'occupe ! répondit celle-ci, peu gracieuse.

Elle finit par dévoiler que les jeunes acteurs devaient dévorer avec une mine gourmande des carrés de crème Rabania dans une barque en pleine tempête — c'est-à-dire secouée par des machinistes musclés et inondée grâce à des seaux d'eau déversés par trois assistants. Cette séquence remarquable avait été concoctée, pendant des semaines, par une agence de publicité, et chaleureusement approuvée par le client. Petit Garçon n'eut pas l'air enthousiaste mais garda un silence prudent.

Jolie Princesse se débattit avec la maquilleuse qui voulait lui dessiner des taches de rousseur à la Marlène Jobert. Il fallut toute l'autorité de Justine pour lui faire comprendre que lesdites taches de rousseur s'enlèveraient *après*.

On fit sortir les mères du plateau afin qu'elles n'énervent pas leurs rejetons par mille recommandations : « Sois poli... souris au monsieur, là-bas... relève ton chapeau : on ne voit pas tes yeux bleus... crache ton chewing-gum... etc. »

— Tout le monde dans la barque ! cria l'assistant numéro un.

Les enfants se bousculèrent pour y grimper. La vedette, le jeune Arnaud, en profita pour écraser, avec son pied, la main de Petit Garçon qui répliqua par un pinçon tourné.

— Il faudrait peut-être leur faire d'abord goûter le produit ! remarqua le conseiller en communication des Fromageries Rabania, qui assistait au tournage d'un air sévère.

— Absolument ! s'écria, obséquieux, le metteur-en-scène-célèbre (le client a toujours raison).

L'assistant numéro deux distribua à la ronde des carrés de fromage que les bambins eurent un mal fou à dépiauter de leur papier d'argent. Puis une bonne moitié des jeunes acteurs recracha ledit produit en criant : « Beurk ! » Le digne conseiller en communication des Fromageries Rabania en rougit de fureur.

— Où avez-vous trouvé ces petits imbéciles ? hurla-t-il à Luc Papounik qui blêmit.

— Virez-moi tous ceux qui ont craché ! brailla-t-il, à son tour, à ses assistants.

Les enfants éclatèrent en sanglots et s'accrochèrent à la barque. On appela les mères. Certaines plaidèrent la cause des coupables... « Hein, que tu aimes le fromage Rabania ? Dis-le au monsieur !... Y'en a toujours à la maison... Donnez-lui une autre chance... ce sont les noix qui l'ont surpris... »

Dieu merci, Petit Garçon avait avalé stoïquement son infâme morceau de crème fromagère. Jolie Princesse, elle, le mâchait interminablement dans un coin de sa joue mais ne l'avait pas recraché. Sauvée.

— Bon, tout le monde en place ! cria le réalisateur qui commençait à devenir nerveux.

— Ici... là... plus loin... plus près... debout... assis... crièrent ensemble les trois assistants.

Le maître regarda dans son viseur d'un air important. Chacun retint son souffle.

— Quand je crierai : « moteur », vous brandirez TOUS votre fromage et vous mordrez dedans avec enthousiasme. J'ai dit : en-thou-sias-me ! Vous savez ce que cela veut dire en-thou-sias-me ? Cela veut dire que vous avez l'air content... TRÈS CONTENT ! Toi, Arnaud, tu diras : « Hourra pour le fromage Rabania ! » et tous les autres, vous crierez : « Hourra ! hourra ! » deux fois. Compris ?

La voix du jeune Arnaud s'éleva :

— Je veux un Coca !

— Tu auras ton Coca après ! glapit le metteur-en-scène-célèbre.

— Non ! dit, d'une voix décidée, la star. Je le veux

maintenant. Sinon, je pleure. Et il faudra refaire le maquillage.

Du haut de ses dix ans, il défiait ouvertement le maître, ses assistants, son équipe, les Fromageries Rabania, le monde entier.

Un silence pétrifia l'assistance.

Luc Papounik regarda sa montre. Soupira.

— On est déjà à la bourre. Va lui chercher son Coca à ce petit merdeux de Delon en herbe, éructa-t-il à son assistant numéro trois.

— Moi, j'avais dit qu'il ne fallait pas prendre de pro, pleurnicha ce dernier en partant au pas de course vers la buvette du studio, c'est toujours comme ça avec eux !

— Que personne ne bouge ! hurla le deuxième assistant.

Trop tard ! Tous les jeunes acteurs avaient bougé. Certains réclamaient « popo ! » avec insistance. D'autres avaient écrasé leur morceau de fromage sur leurs cirés jaunes que l'habilleuse dut changer en vitesse. Les plus petits appelaient leur mère d'une voix déchirante.

Petit Garçon refusa qu'on changeât sa salopette déchirée au derrière par un clou :

— Je ne me déshabille pas devant tout le monde, dit-il fermement.

L'assistant numéro trois revint.

Avec un Pepsi.

— J'avais demandé un Coca. J'aime pas le Pepsi, remarqua froidement la star.

— Si tu ne le bois pas, explosa le grand Papounik, je t'étrangle. Non ! Je te remplace !

Le jeune Arnaud céda. Il voulait bien être étranglé. Pas remplacé. Il but son Pepsi le plus lentement possible. Quarante personnes attendaient. Puis les trois assistants firent reprendre leurs places aux acteurs en herbe.

— Moteur ! cria enfin le réalisateur, au bord de la crise de nerfs.

On recommença la scène vingt-quatre fois.

Le maître était un maniaque du détail. Les cirés brillaient trop ou pas assez. Les chapeaux devaient être relevés tantôt devant, tantôt derrière. Les barrettes des cheveux des petites filles étaient posées alternativement à droite et à gauche.

A la vingt-cinquième prise, Petit Garçon, entièrement trempé, avala son fromage avec un net dégoût. Le représentant des Fromageries Rabania qui surveillait la scène d'un œil de vautour s'en aperçut et vint chuchoter dans l'oreille de Luc Papounik, en pointant son doigt sur le coupable.

— J'aimerais que ce petit-là ait la mine plus gourmande.

Le metteur-en-scène-célèbre, qui avait pris Sébastien en affection, le fit descendre du bateau et l'entraîna à l'écart.

— Essaie d'avoir l'air plus content... le client n'est pas satisfait !

— Ça fait vingt-cinq fois que je mange sa cochonnerie, répondit Petit Garçon avec aigreur et j'ai mes bottes pleines d'eau.

— Fais un effort, je t'en prie, tu as été épatant jusqu'à maintenant !

Courageusement, Sébastien remonta dans sa barque, avala son vingt-sixième carré de fromage en roulant des yeux exorbités de bonheur et en se frottant l'estomac au cri de « Miam ! Miam ! »

— Non ! hurla Luc Papounik, Sébastien ! Tu en fais un camion !

La vingt-septième prise fut la bonne.

Il était temps. La star se mit à vomir sur les bottes

de Jolie Princesse et Petit Garçon, volant au secours de sa sœur, envoya charitablement un coup de poing sur le nez du jeune Arnaud.

— Les enfants, quel calvaire ! soupira le conseiller en communication des Fromageries Rabania. Heureusement que c'est vendeur... !

On rappela les mères qui se précipitèrent sur leurs chers petits à moitié noyés et les épongèrent. Les habituées vinrent faire leur cour au réalisateur effondré (mais sec) sur son fauteuil. « Vous avez été content de mon petit Xavier ? Si vous le voulez pour une autre publicité, vous n'avez qu'à me téléphoner... »

Un premier drame éclata. Jolie Princesse refusa de rendre son ciré jaune auquel elle s'était attachée.

— Il est à moi ! hurla-t-elle, entre deux sanglots, en s'agrippant à son manteau breton. L'habilleuse finit par lui faire lâcher prise en lui promettant en échange la barrette rouge qui ornait ses cheveux.

Quant à Petit Garçon, il piqua une grosse colère en découvrant que quatre-vingt-dix pour cent de son cachet était versé à une Caisse des Dépôts et Consignations jusqu'à ses dix-huit ans. Et qu'il ne toucherait qu'une petite somme insuffisante pour acheter le robot de ses rêves.

— Mais, à dix-huit ans, tu seras content de retrouver plein de sous ! remarqua Justine.

— A dix-huit ans, cela ne vaudra plus rien, répondit, boudeur, le futur spéculateur boursier.

Quelques jours plus tard, il se couchait avec la rougeole attrapée du jeune Arnaud. Puis ce fut au tour de Jolie Princesse. Justine calcula qu'elle avait également perdu deux après-midi où elle aurait pu travailler, sur une T.I.B. (thèse incompréhensible de biologie).

La carrière cinématographique de Petit Garçon et de Jolie Princesse s'arrêta là.

Sébastien refusa même de pistonner Petite Chérie qui avait envisagé, elle aussi, de devenir figurante dans de nombreux films. Un petit boulot génial et marrant, selon elle. *Fun*.

Vous commencez par décliner sa demande d'emprunt pour de prétendus frais de dossier dans une agence bidon. Mais vous craquez pour le tirage et l'envoi de trois cents photos de son plus joli sourire aux agences de publicité, directeurs de *casting* et autres maisons de production de films.

Les photos disparurent mystérieusement dans les dossiers des assistants ou dans leurs poubelles.

Cependant, à votre grand étonnement, elle fut convoquée.

La première fois, l'assistant lui dit aimablement :

— Toi, la grosse, tu rentres chez toi !

La seconde, le réalisateur la reçut lui-même et lui expliqua qu'elle serait déguisée en Bécassine dans le cadre d'une sarabande de personnages de B.D. Il ajouta :

— Et, en dansant, tu montres tes seins...

— Je ne me fous pas à poil, vieux *corback* ! cracha votre digne héritière.

— Virée, dit simplement le metteur en scène.

La troisième expérience sembla plus prometteuse. Petite Chérie fut priée de se présenter en culotte de cheval (avec bombe), à 6 heures du matin, dans un café de la place Champerret d'où un car l'emmena à Chantilly, en compagnie d'une foule d'autres figurants, cavaliers et cavalières. On lui demanda de caresser un cheval devant une écurie. Malheureusement, la carne comprit, au premier coup d'œil, que Joséphine qui pouvait à peine respirer dans le costume de ses quinze ans (la bombe était trop étroite et en équilibre sur sa tête) n'était pas à son aise. Elle tenta de lui décocher une ruade. Puis la mordit. La scène fut coupée au montage.

Aucune autre convocation n'arriva. Malgré de nombreuses relances de la comédienne Joséphine.

Qui abandonna, à son tour, ce métier ingrat.

Vous vous faites à l'idée qu'aucune Marilyn ne viendra illuminer la gloire de votre nom.

Vous vous lavez les dents. Opération, à votre avis, remarquablement embêtante. Y a-t-il des gens que cela amuse de se laver les dents ? Vous, vous êtes toujours pressée d'aller, le matin, travailler, le soir, dormir. Mais on vous a inculqué, dès votre plus jeune âge, que le brossage des quenottes (trois minutes, sinon cela ne sert à rien...!) marquait la séparation des êtres humains en deux catégories : les civilisés aux dents propres, les barbares aux chicots pourris. Pourtant, vous ne pouvez vous empêcher de constater que ce sont les Noirs, au fond de la savane africaine — où la brosse à dents n'a pas pénétré — qui ont la denture la plus éclatante. Énervant, non ?

Brutalement, la sonnette de votre appartement retentit. Deux coups. Le code familial. Vous entendez, de votre lavabo, des sanglots déchirants derrière la porte d'entrée. Vous avalez votre eau dentifricée et, entortillée dans votre serviette de bain, foncez ouvrir.

Fille Aînée, en larmes, s'abat sur votre large poitrine, la figure rouge comme une langouste d'avoir pleuré. Entourée de ses deux enfants qui braillent aussi. Votre cœur s'arrête. Quel est le drame du jour ?

— Louis ?

— Je vais la tuer !

Ah bon ! Encore Jicky ? Non. En dix secondes, vous imaginez le pire. Monsieur Gendre trompe votre héritière numéro un avec la directrice de l'agence de chasseurs de têtes qui lui recherche un job. Et Justine vient de l'abattre à coups de lampe halogène.

— Mais non ! Tu es toujours à côté de la plaque (merci, ma chérie !)... Superwoman ! cette salope...

Vous voilà rassurée. La guerre sournoise et implacable que se livrent Fille Aînée et sa terrible belle-mère relève du folklore familial.

— Qu'a-t-elle encore fait ?

— ... embobiné Louis et ça y est ! Il va travailler avec elle !

Vous plaidez la cause de Monsieur Gendre. Quatre mois au chômage peuvent acculer un homme au désespoir.

— Il avait trouvé un job dans une agence de voyages, répond Justine.

— ... qui a fait faillite immédiatement et il s'est retrouvé, avec trois cents petits vieux, bloqué à la Réunion, où il a failli être lynché !

Mais Fille Aînée, hystérique, n'entend rien.

— Et tu sais ce que cette garce lui a offert comme poste ?

— Balayeur ! Coursier ?

— Ça va pas, la tête ? Elle l'a couvert d'or et nommé directeur des succursales étrangères. Il va voyager sans arrêt. Je ne le verrai plus. Il va me tromper avec une Japonaise ou une Brésilienne... attraper le Sida... notre vie est foutue !

Elle se remet à ululer, accompagnée par le chœur de ses enfants.

— Taisez-vous tous ! criez-vous en brandissant votre brosse à dents. D'abord, qu'est-ce qu'ils font là, les petits ? Ils ne devraient pas être à l'école ?

— Mercredi...

Voilà un autre point de discorde entre l'Éducation nationale et vous. Vous détestez le repos du mercredi matin compensé par le travail du samedi matin. Vous savez que Mgr Lustiger, Mme Ahrweiler, recteur de l'Académie de Paris et beaucoup de pédiatres, en particulier un certain docteur Vermeil — plaident pour une coupure dans le travail scolaire en milieu de semaine. Vous ne désirez pas polémiquer avec d'aussi hautes personnalités, mais vous aimeriez savoir s'ils ont beaucoup d'enfants et si ce sont eux qui se lèvent le matin pour les habiller (« Maman ! je trouve pas mon bonnet ! »... « Maman ! des sous pour la cantine ! »... « Maman ! je peux te réciter une dernière fois *La Cigale et la Fourmi* ? », etc.). Connaissent-elles, ces hautes personnalités, la joie d'un long week-end de tranquillité pour parents et rejetons réunis, loin des soucis de classe et de bureau, avec deux bonnes grasses matinées de suite ? Bonheur inouï car quand on a plusieurs héritiers, avec un peu de chance, les uns vont en classe le mercredi et les autres le samedi. Et qui doit se lever à l'aube TOUS LES JOURS pour préparer le petit déjeuner ? La mère de famille ! Surtout si, comme chez vous, le dimanche, une tante Madeline réveille toute la maisonnée, dès 7 heures et demie, avec le téléphone. (Pour paresser au lit, un seul moyen radical : vous enfuir aux îles Maldives, sans donner votre adresse.)

Pour l'instant, il y a plus urgent. Calmer Fille Aînée.

— Il ne s'agit que de quelques mauvais mois à passer. Et hop, un peu de mort-aux-rats dans le café de ta belle-mère et Louis prendra la direction générale de ses affaires.

Cette perspective amène un sourire charmé sur le visage tuméfié de Justine.

— Rien ne t'empêche de voyager avec lui en douce...

— Et qui va garder les enfants ?

— Pas moi, dites-vous précipitamment. Tu sais que j'adore les petits. Mais je n'ai pas le temps. Avec tout mon travail...

— Quand est-ce que tu prendras ta retraite et t'occuperas de ta famille ? marmonne votre fille avec sévérité.

— Jamais. Je suis contre la retraite. On attrape dix ans de vieux en vingt-quatre heures.

— T'as raison, admet Justine. Moi, je vais continuer à taper à la machine. J'aime bien avoir ma petite indépendance financière.

En revanche, Fille Aînée décide d'abandonner son activité de représentante des produits de beauté Bapavan.

A votre vif soulagement.

Parce que vous êtes la cliente préférée de votre héritière numéro un qui, un jour de folie, s'est inscrite comme « ambassadrice » desdits produits, vendus exclusivement par relations, en échange d'une maigre commission.

Justine avait fondu sur vous avec l'ardeur d'une fauconne sur une taupe tapie tranquillement dans la prairie.

— Insensé ! s'était-elle écriée, tu n'utilises jamais de produits de beauté ?

Vous reconnaissez que c'est inconcevable à notre époque, où tant de fabricants travaillent si dur pour embellir les femmes, de ne mettre sur sa figure qu'un peu de fond de teint mat et de rouge « pour avoir bonne mine ». Vous êtes sûrement la seule au monde. Même les Africaines s'enduisent de henné ou de beurre de karité ou de bouse de vache. Vous, rien. Honte ! Honte !

Fille Aînée débarqua chez vous avec une masse de prospectus et un sac bourré de produits de démonstration. Elle se lança dans un discours échevelé.

— Tu ne t'occupes pas de ton capital beauté ? Monstrueux ! Est-ce que tu te rends compte que, grâce à l'utilisation régulière des produits Bapavan, les signes visibles de ton vieillissement peuvent être stoppés...

Vieillissement ? Quel vieillissement ? Certes, vous ne rajeunissez pas tous les matins mais vous trouvez que vous avez une bonne grosse figure ronde sans trop de rides. Grâce à vos huit kilos de trop. Et à l'adage de votre grand-mère : « A cinquante ans, une femme doit choisir entre sa figure et son derrière. »

Vous le répétez à Justine.

— Foutaises ! s'exclame-t-elle. Avec les produits Bapavan, on garde sa figure et son derrière jeunes !

Et, youpi ! elle vous commande une crème régénératrice aux liposomes pour votre figure fatiguée. Des gouttes qui adouciront vos paupières congestionnées. Un gel réparateur du contour flétri de vos yeux. Un effaceur de rides de votre cou plissé comme celui d'un dindon. Un élixir pour les ridules autour de la bouche qui vous font le museau d'une vieille paysanne (ça alors !). Un sérum hydratant qui va rendre éclatant votre teint grisâtre. Un sublimateur, à raffermir vos joues. Du gloss qui humidifiera vos lèvres desséchées et vous fera une bouche pulpeuse. Un lait pour votre corps à la peau rugueuse de crocodile. Une huile nourrissante pour vos fesses décrépites. Une émulsion revitalisante pour la fermeté de vos mains, le tonus de votre petit ventre rond, le remodelage de vos cuisses. Un masque exfoliant...

Vous sursautez :

— ... exfoliant ? C'est du napalm ?

— Je ne sais pas trop, répond Justine, mais c'est épatant ! Avec tout ça, en te soignant dix minutes par jour, tu vas perdre dix ans !

A son ton, vous comprenez que vous en avez drôlement besoin.

Vous êtes effondrée. Vous ne pensiez pas être si détruite que ça. Vous demandez à votre Fille Aînée de vous jurer solennellement que si vous vous tartinez tous les matins de la tête aux pieds avec les produits Bapavan, vous retrouverez la fraîcheur de votre adolescence.

— C'est écrit là, clame-t-elle, en agitant son catalogue (épais).

Mais l'ardeur de votre héritière n'est pas épuisée. Elle a une gamme de shampooings aux vitamines pour vos pauvres cheveux (mous et plats, je sais, merci, ma chérie), du gel fortifiant pour que vos cils ne tombent pas. (Comment ça ? Vous n'aviez jamais imaginé que vos cils puissent tomber ! Vite, du gel fortifiant !), des vernis à ongles qui vous feront des griffes d'acier que la machine à écrire n'abîmera plus (ollé !).

Et puis des parfums.

Vous tentez de protester. Vous adorez *Diorissimo* que vous utilisez depuis toujours.

— C'est un tort, vous apprend Justine, une femme doit savoir se renouveler.

Fini votre cher muguet au profit des senteurs riches, profondes, complices, orientales du patchouli.

Sous toutes ses formes. Eau de toilette. Mousse pour le bain. Gel pour la douche. Savon. Sans

oublier les pétales parfumés pour le linge, le papier
sent-bon pour vos tiroirs et les bougies odoriférantes
pour le salon.

L'Homme rentre et renifle avec horreur. Qu'est-ce
qui pue ici ?

Vous tentez de l'embrasser tendrement.

— Mais c'est toi ! s'écrie-t-il en se reculant. Ça
vient d'où, cette affreuse odeur de bazar ?

— Heu... des produits de beauté vendus par ta
fille...

— Je t'interdis, crie l'Homme, tu avais un très bon
parfum...

— C'est pour me renouveler, murmurez-vous.

— Je ne veux pas que tu te renouvelles, gronde
l'Homme. Tu n'es pas parfaite, loin de là, mais au
moins, je suis habitué...

Vous vous gardez bien de lui annoncer qu'empor-
tée par la fougue de l' « ambassadrice » Justine,
saoulée de paroles, vous avez acheté toute une
gamme pour homme : eau de toilette, lotion après-
rasage, mousse à raser, savonnettes, perles de senteur, etc. Vous offrirez l'énorme paquet au berger qui
s'occupe de vos moutons dans le Lot. Il a l'air
surpris. Ses brebis aussi. N'ont pas l'habitude
d'avoir un gardien de troupeau parfumé à la rose de
Bulgarie.

— Avec tout ce que tu as acheté, vous annonce
Justine, exaltée, tu as droit à un service à café
gratuit, en plastique.

Quelques immenses cartons de produits Bapavan
arrivent chez vous.

Pendant trois jours, vous vous crémez conscien-
cieusement des pieds à la tête. Vous ne constatez
aucun rajeunissement. Simplement, vos lunettes
glissent sans cesse sur votre nez « revitalisé par un

concentré gras bio-énergique » (?). Vous êtes obligée de travailler en les tenant de la main gauche.

Vous avez dû faire une liste accrochée dans votre salle de bains pour éviter de vous masser les pieds avec la « bio-essence gommant les pattes d'oie ». (Beaucoup de produits Bapavan sont « bio ». Vous ne saurez jamais ce que ça veut dire. Sûrement épatant.)

Le quatrième jour, ça vous embête carrément mais vous êtes femme de devoir et en avant pour la séance de tartinage !

Le cinquième jour, vous oubliez.

Les jours suivants, aussi.

Sauf un matin où la fantaisie vous prend d'étaler un masque de pâte noire à l'odeur de marée pourrie, supposé « désincruster » votre figure (de quoi ?) à la peau à la fois sèche et grasse. (Vous n'avez jamais su et les esthéticiennes interrogées sont toujours restées dans le vague.) Vous l'oubliez.

Sonne à la porte un jeune agriculteur normand venu, sans méfiance, vous vendre cinquante kilos de pommes de terre de propriétaire. Vous ouvrez avec votre visage noir et repoussant, en criant « Hello ! »

Il s'enfuit, terrorisé, dans l'escalier. Persuadé qu'à Paris, des sorcières nichent dans les quartiers de la rive droite.

Vous téléphonez, enchantée, à Justine pour lui raconter. Elle vous interdit de mettre, tous les jours, un masque « désincrustant » même pour faire fuir les agriculteurs en pommes de terre. Cela va te peler la peau !

Bon. Mais que faire maintenant de tous ces produits (très chers) qui sont un reproche vivant (vous serez bientôt une petite vieille toute ridée, tant pis) et qui encombrent votre salle de bains. L'Homme prétend qu'il n'a même plus la place de poser sa brosse à dents.

Vous essayez de les donner à Palmyra, votre femme de ménage portugaise. Elle refuse :

— La pauvre madame, elle ch'est fait rouler. Tout cha, ch'est de la mauvaise qualitad...

Elle vous remercie à peine pour le service à café en plastique. Elle en a déjà reçu un, en vraie porcelaine anglaise, des produits Trarins.

Vous songez à les apporter à madame Mado, votre voisine du Lot.

L'Homme s'y oppose. Spécialement les trucs parfumés au patchouli. Qui, selon lui, vont polluer l'air pur quercynois. Vous n'osez lui avouer que le berger se promène déjà sur le Causse dans un nuage d' « effluves fleuris voluptueux » (texte prospectus Bapavan).

Ne vous reste plus qu'à demander à Petite Chérie (en lui faisant jurer le secret) de les vendre aux Puces de Montreuil. Votre chiffonnière ricane :

— *Ça craint !* Même les Pakistanais n'en voudront pas !

Votre salle de bains continue donc à ressembler à une parfumerie en gros, un jour d'inventaire. Et l'Homme à grommeler contre vos dépenses inconsidérées. J'avais épousé une fille sérieuse. Je me retrouve avec une coquette, folle de son corps...

— Tu sais bien que c'est pour aider notre Fille Aînée, ripostez-vous, vexée.

— Ça coûte cher aux parents, les petits boulots de leurs enfants, remarque-t-il, acide.

Hé oui !

9

Question petits boulots, Petite Chérie était à nouveau dans une passe difficile. Plus une cave à vider dans les quartiers autour de chez vous. Elle essaya de pousser une pointe jusqu'en banlieue mais se heurta à une bande de gitans qui lui firent comprendre qu'elle devait quitter leur territoire et *fissa*.

Elle se reconvertit...

... dans l'animation, le samedi, des gondoles de promotion du Podec du coin.

Déguisée en Auvergnate, une coiffe sur la tête, des jupons cachant ses baskets, elle se démène avec entrain, un micro à la main :

— ... Approchez, messieurs, mesdames, venez déguster notre délicieux fromage, et nos saucissons au prix cassé !...

Vous avez été priée de faire le baron. Vous êtes donc plantée là, avec un air prodigieusement intéressé, en compagnie de vos petits-enfants. Vous goûtez de minuscules morceaux de cantal et de charcuterie, sur une musique de bourrée, dans le bruit d'enfer du cliquètement des caisses et du roulement des chariots.

Vous encouragez Petit Garçon et Jolie Princesse à mâchonner, eux aussi, le produit des vaches et des cochons auvergnats, en criant :

— Sublime !... hum... hum... que c'est bon ! Goûtez, mes chéris !

Mais Sébastien et Émilie ne veulent plus avaler une seule lichette de fromage, depuis leur expérience cinémato-publicitaire.

Vous faites les gros yeux à Petit Garçon :

— Si tu ne manges rien, je ne t'emmène pas voir *Star Trek* n° 19.

Il cède.

Et clame :

— Tata ! Ton saucisson, il est extra !

Joséphine est furieuse :

— Ne m'appelle pas Tata en public ! siffle-t-elle entre ses dents. Ou je te coupe les oreilles avec mon grand couteau.

Craignant de voir la situation dégénérer en bagarre familiale, vous intervenez, toujours à tue-tête :

— Vos produits sont exquis, mademoiselle, et vraiment pas chers ! Je vais vous prendre une roue entière de...

— Est-ce qu'il se garde ? interrompt une cliente attirée par votre tapage et qui se goinfre de dés de cantal gratuits, à une vitesse vertigineuse.

— Il est encore meilleur ! crie Petite Chérie, mesdames, messieurs, ce fromage et ce saucisson sont fabriqués, avec un soin inouï, par des maîtres artisans de la France profonde... et non dans des usines...

— Donnez-m'en vite tant qu'il en reste ! braillez-vous... et dix saucissons !

Attirée par les hurlements de Joséphine et les vôtres, la foule se précipite.

Vous vous enfuyez, mission accomplie, avec votre roue de cantal que Petit Garçon coltine sur sa tête comme un porteur, dans la brousse, du Dr Livingstone. Et les dix saucissons que vous allez porter aux Restaurants du Cœur.

Parce que le saucisson est interdit chez vous.

Par un phénomène qu'aucun professeur en médecine n'a pu expliquer, lorsque l'Homme en mange, son nez grossit et devient rouge vif comme une tomate. Il le tripote alors sans arrêt devant la glace, en se regardant avec inquiétude. Vous en êtes donc réduite à dévorer cette charcuterie dont vous raffolez, en douce, chez votre mère qui en a toujours qui sèche pour vous dans la cheminée.

Mais Petite Chérie ne vend pas que des cochonnailles et du fromage fermier. Vous qui avez toujours eu une sainte méfiance des « promotions » dans les hypermarchés, vous vous retrouvez, toutes les semaines, en train d'acheter vaillamment des œufs trop vieux pour être coque, des petites culottes en fausse dentelle qui, au premier lavage, rétréciront juste assez pour la poupée de Jolie Princesse, des collants qui fileront au fur et à mesure que vous les enfilerez, des barres de chocolat aux cacahuètes à donner mal au cœur à des singes, etc.

Sébastien et Émilie ne sont pas contents.

Le samedi après-midi est réservé au cinéma. Pas à écouter les sornettes de Joséphine.

Compromis. De 2 à 4 heures : chœur familial autour de la gondole de Petite Chérie. De 4 à 6 heures : films d'horreur-qui-vous-terrorisent mais enchantent vos chères petites têtes blondes.

Justine proteste.

— Tu me ramènes les enfants trop tard pour le bain du soir.

— Il faut aider ta sœur, remarquez-vous sévèrement. Sinon je donne à Sébastien le vieux tee-shirt de Joséphine, marqué : DOUKTUPUDONKTAN.

Elle se tait.

Si, le samedi, Petite Chérie est la reine de la gondole du Podec, le dimanche matin, elle vend des chaussures dans un des magasins ouverts du marché. Cette fois, elle vous interdit d'y venir :

— Ce sont des tatanes *dégueus*, déclare-t-elle, franchement.

Elle se plaint également de l'odeur des pieds des clientes.

Les clientes, elles, se plaignirent que les chaussures noires déteignaient sur leurs *panards*. Une mère outrée ramena, le dimanche suivant, son petit garçon dont les chaussettes blanches avaient pris une teinte grisâtre...

— Ces modèles ne sont pas doublés, expliqua votre fille, suave, et peut-être que votre petit garçon sue des petons...

— Mon petit garçon ne sue pas des petons ! glapit la maman. Et pourquoi vos souliers ne sont-ils pas doublés ?

— Je peux vous en vendre une paire doublée mais elles sont beaucoup plus chères.

— Qu'est-ce que je vais faire ? demanda la dame égarée. Toutes les chaussettes de mon Gérard ont déteint et même avec la lessive Blanchissima, je ne peux pas les ravoir.

— Je ne vois qu'une solution, fit Joséphine avec aplomb, acheter des socquettes noires... j'en ai là, justement, en solde...

Elle vous avoua que le travail de vendeuse ne l'exaltait pas.

Si elle s'avançait vers la cliente qui entrait dans le magasin, en disant :

— Je peux vous aider, Madame ?

... la dame terrorisée se sauvait immédiatement. (C'est votre cas.)

Si elle restait tapie derrière sa caisse, une *pouff* hargneuse l'interpellait :

— Peut-être, mademoiselle, pourriez-vous me consacrer quelques-unes de vos précieuses minutes ?

Toutes désiraient essayer un modèle de la vitrine,

en plein milieu de l'étalage, qui s'effondrait quand Joséphine tentait d'attraper l'escarpin gauche désiré. (Cinquante godasses à remettre en place.)

Il lui fallait ensuite descendre en courant, au stock, chercher l'escarpin droit. Quand elle remontait, haletante, la cliente était partie en fauchant les bottes mexicaines en promotion et en laissant à la place de vieilles ballerines déformées.

Si l'acheteuse, exceptionnellement honnête, était restée là, elle enfilait la paire convoitée. Et remarquait que, par un curieux phénomène, les deux chaussures lui plaisaient moins sur ses pieds que dans la vitrine. Elle hésitait alors interminablement, le temps d'acheter trois voitures. Petite Chérie, à croupetons devant elle, bouillait d'impatience. (Elle était à la commission.)

— Vous croyez vraiment qu'elles me vont bien ? Vous ne les avez pas en rouge ?... en bleu ?... en daim ?... et avec un talon haut ?...

Joséphine redescendait, en courant, au sous-sol et remontait avec une pyramide de cartons qui cascadaient dans la boutique.

Enfin la cliente se décidait. (Pas toujours.)

En faisant le paquet maladroitement (vous non plus, vous n'avez jamais su faire un paquet) votre cadette essayait de vendre (toujours à la commission) une crème pour cirer. Une crème pour nettoyer. Une crème pour adoucir. Une crème pour imperméabiliser, etc.

La dame refusait généralement. Il vous arrive à vous, par lassitude, de dire oui. Et de vous retrouver à la tête d'un carton de tubes de crème pour imperméabiliser. Ce qui vous semble une bonne idée. Mais vous n'avez jamais le temps de vous livrer à cette opération. Et quand il pleut, vous enfilez bêtement des bottes en caoutchouc.

Un dimanche, vous bravez l'interdiction de votre fille et allez lui faire une petite visite dans son magasin.

— Depuis ce matin, je n'ai vendu que des chaussures trop petites, grommelle-t-elle. Et après, les mémères reviennent se plaindre. *C'est douleur !*

Ça aussi, vous connaissez. Avant de décider, une fois pour toutes, de prendre la pointure 39 (trop grande, vos tatanes ont tendance à quitter vos papattes), vous avez vécu des années d'enfer dans du 38 trop petit mais qui vous faisait l'arpion mignon. Il vous a fallu longtemps pour ne plus croire la vendeuse qui vous jure, sur sa tête, que « le modèle va se faire à vos pieds ». Faux ! Faux ! Faux ! C'est vos pieds qui se recroquevillent avec des cloques partout. Vous obligeant à trottiner en boitant des deux côtés.

Petite Chérie ne s'intéresse pas à vos expériences. Elle voudrait aller faire pipi.

— Tu veux que je te remplace deux minutes ? proposez-vous.

Joséphine hésite.

— Ça ne t'embête pas ? *Discretos*...

— Non ! non !

Ça vous amuse même de jouer à la marchande.

Votre cadette fonce au café d'en face.

Entre une dame. Votre première cliente !

— Vous désirez ? demandez-vous d'une voix onctueuse, avec votre plus beau sourire.

— Juste regarder tranquillement, répond-elle sèchement.

Ailons bon ! Une femelle hargneuse, méprisante du petit peuple ! Pincée, vous la regardez farfouiller à la ronde.

— Salope ! Je t'ai vue ! hurle un gros jeune homme entré en trombe dans la boutique. Qui se jette sur le

216

cabas de la dame d'où il extrait une paire de boots dorés.

Comment a-t-elle fait ? Vous ne l'avez pas quittée de l'œil.

— C'est à moi, crie la créature.

— Avec le prix encore dessus ? Et pas d'emballage !

A ce moment-là, le gros homme vous aperçoit :

— Et vous ? Qu'est-ce que vous faites derrière ma caisse ? Voleuse ! J'appelle la police ! Où est ma vendeuse ? Cette petite pétasse s'est encore tirée...

— Elle est partie aux toilettes et je la remplace. Je suis sa mère, faites-vous avec la dignité douloureuse d'une Mère Thérésa.

— Sa mère ! Purée ! Qui voit même pas qu'on vole sous son nez ! Aïe, Aïe, Aïe, je suis bien parti, moi...

Retour de Petite Chérie. Altercation générale. La dame détale en douce. Sans ses boots dorés que vous vous croyez obligée d'acheter pour calmer la colère du patron de votre fille. Elles vont très bien à Palmyra qui les adore. Vous êtes peut-être la seule maîtresse de maison française dont la femme de ménage passe l'aspirateur en boots dorés.

Les aventures de votre cadette vous apprennent beaucoup.

Désormais, vous êtes plus indulgente avec les petites vendeuses qui constituaient, jusque-là, votre bête noire.

Surtout les snobs, qui, après un coup d'œil à votre forte carrure, vous susurrent avec l'accent anglais :

— Oh non, madââââââââme, nous ne faisons pas VOTRE taille !

Déprime.

Vous détestez aussi celles qui poussent des piaillements hystériques quand vous défaites leurs piles de pulls pour attraper le modèle du dessous. Vous ne le ferez plus, même chez Benetton. Vous l'avez promis à Petite Chérie.

Celles qui gloussent au téléphone et vous laissent repartir sans un mot, la mine méprisante (cette *pouff*, elle est fauchée... pas la peine de raccrocher avec mon *Marcel*).

Mais aussi les collantes qui vous suivent à cinquante centimètres et s'exclament, à tout bout de champ, que vous devez essayer cet ensemble vert pomme qui vous ira di-vi-ne-ment. Que si vous ne le prenez pas im-mé-dia-te-ment, il sera vendu quand vous vous déciderez. Et qui font la gueule quand vous répondez : « Tant mieux ! »

Désormais, au nom de votre fille bien-aimée, vous sortez des boutiques en disant poliment : « Au revoir et merci », même quand personne ne vous répond et que vous sentez un regard de haine vous poignarder le dos parce que vous n'avez rien acheté.

Petite Chérie est également vendeuse en extra chez votre ami, le libraire du coin, le lundi, jour de repos de sa chère assistante, mademoiselle Clémence.

A votre surprise, vous découvrez que la vie y est plutôt agitée.

D'abord, les futurs lecteurs n'arrêtent pas de feuilleter les romans et ne les remettent jamais à leur place. (Cela aussi, vous ne le ferez plus.) Les étudiants posent leurs sandwiches graisseux sur les livres d'art à sept cents francs. Vous apprenez que vous n'êtes pas le seul écrivain du quartier et que tous, sans exception, viennent quotidiennement contrôler (comme vous) si leur livre figure bien dans la vitrine.

L'ÉCRIVAIN : Comment ça, il est épuisé ? Mais il faut en réclamer d'autres, tout de suite ! Je cours téléphoner à mon éditeur.

L'ÉDITEUR : De quoi elle se mêle, cette emmerdeuse ?

LE LIBRAIRE : De quoi elle se mêle, cette emmerdeuse ?

LE REPRÉSENTANT : De quoi elle se mêle, cette emmerdeuse ?

Vous jurez que, désormais, vous n'embêterez plus personne. Mais vous ne pouvez vous empêcher de jeter un coup d'œil rapide de côté pour vous assurer, quand même, que votre dernier bouquin trône bien dans la vitrine. Il n'y est plus. Salauds !

Joséphine vous révèle que des passants n'hésitent pas à entrer pour téléphoner et réclamer les toilettes. Une mère de famille lui demanda même de garder son bébé pendant qu'elle allait déposer son linge au pressing. Un automobiliste, en double file, cria qu'il avait besoin, dans la seconde suivante, de la carte routière pour aller à Uzerche. Où c'est ça, Uzerche ? Z'avez qu'à regarder, c'est votre boulot, espèce de manchote !

Vous apprenez que l'achat d'un stylo exige l'essai de toutes les marques en magasin (à remplir d'encre pour la circonstance). Pour se terminer par l'acquisition d'un feutre à cinq francs. Une dame âgée réclama un répertoire téléphonique bon marché sans les lettres X, Y, Z, sous prétexte qu'elle ne connaissait personne dont le nom commençait par ces initiales. Sans parler des impatients qui ruinent la vente d'un superbe album à huit cents francs sur Marilyn Monroe, en criant par-dessus l'épaule de l'acheteur hésitant :

— Z'avez pas des enveloppes non doublées ?

Mais surtout, Petite Chérie retrouve son ennemie : la fauche.

Vous ne la croyez pas. Que des affamés volent des

saucissons auvergnats au Podec ou que des chô-meuses emportent des bottes mexicaines, soit ! Mais des gens assez raffinés pour aimer les livres ne peuvent être des voleurs !

Si.

L'honorable membre de l'Institut — avec Légion d'honneur —, que vous croisez parfois au rayon Essais politiques, a la triste habitude de poser un *Figaro* sur le dernier Goncourt et d'embarquer le tout, mine de rien.

Votre ami, le libraire, vous le confirme.

Il n'a pas assez d'yeux pour empêcher les élégantes du quartier, avec sacs en crocodile, d'y glisser le dernier roman de Françoise Dorin. Ou le professeur d'anglais du lycée d'à côté de venir avec un immense blouson, de le remplir d'éditions de luxe d'Arthaud et de ressortir avec un estomac deux fois plus gros qu'à l'entrée.

Mais les pires sont les mères d'enfants ayant piqué une B.D.

— Vous n'allez quand même pas accuser mon fils de voler ! hurlent-elles, alors que le chérubin ricane, avec, dans son cartable, le dernier *Astérix*.

Petite Chérie, une fois, ouvrit la sacoche et brandit l'objet du délit. La maman ne se démonta pas.

— Il allait le payer ! Hein, mon chéri, que tu allais le payer ? En tout cas, moi, je vais porter plainte contre des gens comme vous qui traumatisent les gosses...

— Tout le monde fauche n'importe quoi ! vous assure Petite Chérie blasée. Même les manuels de l'Éducation des filles au XIXe siècle...

Vous entrevoyez un monde que votre naïveté ignore. Vous en parlez à Fille Aînée qui rigole.

— Moi aussi, j'ai piqué quand j'étais petite !

— Toi ! criez-vous, ce n'est pas possible !

— Avec Camille, ma cousine. On a subtilisé deux cents boucles d'oreilles aux Galeries Farfouillettes.

— Mais tu as horreur des boucles d'oreilles !

— Ouais. C'était juste pour le sport. On les a jetées dans la Seine.

Vous êtes effondrée. Votre héritière numéro un, une voleuse. Et vous ne vous êtes jamais doutée de rien. Elle ricane.

— J'ai même embarqué des couronnes de perles dans les cimetières pour faire des bracelets que je vendais sur les marchés.

Quelle horreur ! Dépouiller des morts ! Vous allez déshériter Fille Aînée...

— Et toi, tu n'as jamais rien chipé ?

— Absolument pas !

Menteuse !

Et l'argent dans le porte-monnaie de votre grand-mère pour acheter un roudoudou ? Vous vous en souvenez ?

La honte revient, lancinante. Qui vole un roudoudou peut voler un recueil de poèmes.

Petits enfants, ne fauchez jamais rien, même une piécette dans le porte-monnaie familial, vous ne pourrez plus faire la morale aux autres quand vous serez devenus grands !

En dehors des heures consacrées à ses petits boulots fatigants et peu rentables de vendeuse intérimaire, Petite Chérie passait le plus clair de son temps chez la Babouchka.

Il s'agissait d'une vieille danseuse russe chez laquelle l'abominable Yann avait trouvé une chambre et une salle de bains, en échange de travaux divers, deux heures par jour. Comportant passage de l'aspirateur en grand, nettoyage des vitres, astiquage du samovar, descente de la poubelle et accompagnement de la Babouchka à la poste quand elle y retirait son argent.

La ballerine assoluta semblait avoir eu une vie tumultueuse avant de devenir une grosse dame âgée aux admirables yeux verts mais au nez en forme de patate, portant toujours maquillage de scène, blouse de soie blanche et petit chignon serré. En gloussant, elle présentait le Matelot Tatoué comme son gigolo. Ce dernier avait abandonné la représentation de la société Sécurité pour tous et ses déménagements avec la camionnette de son copain Gaël (la concurrence dans les petites annonces de *Libé* était effrénée) pour se lancer dans la réfection — au noir — d'appartements dans le Marais.

Vous n'avez jamais su comment il trouvait ses chantiers mais le fait est qu'il y travaillait le jour et quelquefois la nuit. Samedi et dimanche compris. Vous croyez entrevoir que rien de ce qui est plomberie, électricité, peinture, etc., ne lui est étranger.

Voilà qui ferait bien votre affaire pour votre maison du Lot. Car vous n'avez aucun talent pour le bricolage. Et les artisans locaux attendent que vous soyez à moitié noyée par une fuite d'eau ou dans le noir depuis trois jours, avant de se déplacer. Quant à l'Homme, vous vous opposez à ce qu'il regarde un marteau. Il plante son doigt au lieu du clou. Vous devez ensuite le soigner et subir ses gémissements. Malgré cela, il continue à refuser que le Maudit Marin — qui lui avait pris sa cadette adorée — mette les pieds chez lui. Même en cas de court-circuit dans la cuisine alors que vous devez faire cuire les spaghettis, à la lueur d'une lampe-torche.

En attendant, à votre profond déplaisir secret, le capitaine de l'*Andouillette de Plou-les-Ajoncs* gagnait de quoi vivre et acheter des bouts de sa saleté de goélette.

Joséphine, plus libre, prit l'habitude de venir le remplacer auprès de la Babouchka. Qui l'adopta à son tour.

Vous devez l'avouer, d'imaginer votre fille cadette en train de laver par terre la cuisine, de nettoyer les vitres, ou de descendre les ordures, toutes tâches ménagères qu'elle n'a que très rarement accomplies chez vous, vous agace profondément. Mais vous ne dites rien.

« On devrait élever une statue au silence », dit le proverbe anglais.

A vous aussi.

Petit à petit, le jeune couple s'installa carrément chez la Babouchka, ravie de tromper sa solitude. Vous cachez au Père que sa fille découche désormais toutes les nuits, ne surgissant chez vous, en coup de vent, qu'à l'heure de la machine à laver (une chance pour vous : la Babouchka n'en avait pas) et pour piquer quelques provisions dans le frigo.

Au passage, elle vous confie, haletante, les merveilleuses histoires de la danseuse russe. Dont une pièce de l'immense appartement est pieusement remplie de ses tutus et costumes de scène. La Babouchka est intarissable sur son passé. Elle avait eu chauffeur, zibelines, amants fastueux dont l'un lui avait laissé une pension... « qui lui permet à peine de vivre, parce que, figure-toi, Ma Maman, que ce n'est pas avec leurs minables retraites que les pauvres vieux peuvent acheter du saumon fumé !... ».

Vous êtes contente qu'à travers la Babouchka, Joséphine découvre un des drames de la vieillesse. Vous en profitez pour attirer son attention sur la vôtre.

— J'espère que quand nous serons âgés et fauchés, ton père et moi, tu ne nous laisseras pas tomber...

Petite Chérie ouvre des yeux comme des soucoupes. L'idée que vous deveniez, à votre tour, faibles et sans ressources lui semble burlesque.

Pour l'instant, elle hante l'église orthodoxe russe de la rue Daru et vous narre, hors d'elle, la beauté des cérémonies religieuses qui ne l'avait jamais frappée dans la religion chrétienne de ses ancêtres. *Éclatant !* Je te jure, Maman !

Puis elle découvre la cuisine russe.

Et le drame explose.

La Babouchka achetait dans les épiceries de la rue Daru toujours, pirojki, harengs fumés, gros cornichons, gâteaux au pavot et surtout bortsch...

Les dents serrées de rage, vous apprenez que Joséphine avale, avec extase, la typique soupe aux choux rouges alors que la moindre odeur de ce légume dans votre appartement lui avait donné mal au cœur, toute son enfance. Par un miracle de volonté, vous ne faites aucune réflexion, là non plus.

« L'arbre du silence porte les fruits de la paix », dit le proverbe arabe.

Les fruits de la paix, votre mère n'en eut cure. Qui piqua, elle, ouvertement, une violente crise de jalousie.

— Quand je pense que, non seulement ma propre petite-fille ne vient jamais me voir, alors qu'elle vit fourrée chez cette vieille pute russe (telle était son aigreur qu'elle employa le mot « pute »), mais qu'en plus, elle refuse de manger ma bonne soupe de légumes français !

— Hé oui ! soupirez-vous en écho.

— Puisque c'est comme ça, je vais la payer à l'heure, moi aussi, pour avoir le droit de dîner avec elle !

Vous ne pensez pas que ce soit une bonne attitude. Non pas que vous n'y avez pas pensé vous-même, mais vous êtes une idéaliste qui croyez aux relations humaines désintéressées. Enfin, presque.

— Attends qu'elle ait des enfants, conseillez-vous à votre mère. Tu verras comme elle reviendra vers nous, au galop, pour nous les filer aux vacances...

En attendant, l'amitié de la vieille dame russe et du jeune couple déclenche l'ire du neveu de la Babouchka. Car elle avait un neveu. Un hyper-beauf, déclara Joséphine avec dégoût, marié à une *hyène* affreuse et pourvu d'un fils taré. Ce charmant trio guettait l'héritage de l'ex-danseuse et venait régulièrement surveiller les bibelots.

— Ils ont peur qu'on les fauche, ricanait Petite Chérie. Mais Babouchka les déteste. Ils veulent qu'elle vende son grand appart, qu'elle s'installe dans une résidence du troisième âge et qu'elle leur donne *un méga-max de flot* pour ouvrir un restau.

La Babouchka se refusait farouchement à entrer dans une maison de retraite. Où mettrait-elle ses tutus et ses robes de scène ? Mais, par sadisme, elle faisait croire à ses neveux haïs qu'elle allait déménager pour un petit logement et leur donnerait, en liquide, de quoi acheter la pizzeria de leurs rêves.

Pour se distraire, de temps en temps, elle partait avec Joséphine et Miss Charleston (vous, vous continuez à sillonner Paris dans des taxis exotiques, merci !) visiter des studios neufs qu'elle s'amusait à décorer en imagination.

— Et tu sais ce que je ferai de l'arrgent, chuchotait-elle à votre cadette, je le cacherrrai avec mes bijoux... Tu ne le dis à perrsonne... tu le jurres ?... dans la doublurre de la pelisse du prrince Igor et Ils ne le trouverront jamais... Ils chercherrront... Ils chercherront... pendant que, de là-haut, je les regarderai en rigolant !

Un après-midi, Petite Chérie accompagna Babouchka à la poste retirer une partie de sa modeste pension. En sortant, alors que votre fille était restée en arrière pour jeter des lettres dans la boîte, un petit jeune homme, vêtu de cuir noir, tenta d'arracher le sac de la vieille dame. Qui s'y agrippa en hurlant. L'agresseur tira de toutes ses forces. La danseuse russe ne lâcha pas. Joséphine surgit et, tirant de son sac une bouteille de vodka Zubrówka — à l'herbe de bison —, l'abattit sur le crâne du loubard qui s'étala sur le trottoir, les bras en croix. Pour faire bonne mesure, la Babouchka le piétina avec les grosses charentaises dans lesquelles elle promenait ses pieds déformés. La foule s'attroupa.

— Un assassin de vieilles dames, cria une voix.

— Lynchons-le ! proposa une passante.

— Brravo ! Brravo ! fit la danseuse russe, ravie.

Votre cadette eut un éclair de lucidité.

— Non ! Non ! Appelons les flics !

Quand Police-Secours arriva, le jeune braqueur avait retrouvé ses esprits. Et un certain culot. Il accusa tout simplement Joséphine et la Babouchka de l'avoir agressé, lui, à la vodka Zubrówka, alors qu'il se promenait tranquillement, à la recherche d'un emploi. Il menaça même de porter plainte contre ces femmes terroristes.

Mise au courant, vous bondissez sur le téléphone pour appeler votre avocat. Heureusement, la police découvrit rapidement que le délicieux adolescent avait déjà à son actif une bonne vingtaine de vols à l'arraché et vous n'entendez plus parler de lui.

Pour remercier Petite Chérie, la Babouchka lui offrit la couronne en faux diamants du *Lac des cygnes*. Que Joséphine posa pieusement sur la commode de sa chambre. Commençant ainsi à s'encombrer de bibelots inutiles mais chers au cœur, dont elle s'était tant moquée — quand il s'agissait des vôtres. Le gène « on-ne-jette-rien » s'était enfin réveillé chez votre héritière numéro deux.

Malgré le travail de ravaleur d'appartements de Yann, les heures passées avec la Babouchka et ses petits boulots de vendeuse extra, votre cadette se rongeait les sangs. L'argent rentrait lentement et le mirage de la goélette-charter aux Antilles ne se rapprochait que très doucement.

— Qu'est-ce que tu dirais si je reprenais mes études ? vous demande-t-elle, d'une voix douce et charmeuse, un matin où vous la croisez par hasard (que vous croyez) dans votre cuisine où elle vide le congélateur. (Vous en déduisez qu'elle commence à se lasser des pirojki et de la soupe aux choux.)

— Comment ça ? vous étonnez-vous. Tu veux te remettre au bambara ?

— Le bambara, *ça me troue*, vous apprend-elle. Non, je voudrais suivre des cours de cuisine.

Vous restez bouche bée.

Depuis sa plus tendre enfance et ses premières dînettes, Petite Chérie n'a jamais montré le moindre intérêt pour l'art culinaire.

Vous ne lui jetez pas la pierre. Vous n'êtes pas, on le sait, une cuisinière de choc. Vous savez tout juste nourrir votre famille sans qu'une mutinerie éclate dans votre cuisine. Pas Joséphine, spécialisée désormais dans les hot dogs et les frites-merguez.

— C'est une merveilleuse idée ! vous exclamez-vous, avec sincérité.

Vous notez, en passant, que depuis qu'elle a arrêté ses études, votre fille n'a jamais autant manifesté le désir de suivre des cours. Une mère ne peut qu'encourager cette soif d'apprendre, même tardive.

— Tu as l'intention d'ouvrir un restaurant ?

— Non. Mais on a pensé, Yann et moi, que quand on fera du charter aux Caraïbes, ce serait *bonos* de proposer de la grande cuisine française aux clients étrangers.

Votre enthousiasme retombe. La peste soit de cette obstination à courir les mers avec son Matelot Tatoué.

L'Homme fut emballé par le projet de sa cadette. Vous soupçonnez qu'il rêve de rosbeef à point (les vôtres ont tendance à être soit un peu trop cuits soit pas assez...), de desserts lui rappelant son enfance (vous ignorez complètement le secret de l'île flottante aux pralines de sa maman), etc.

— Banco, fit-il, magnanime, à Joséphine.

Il apparut alors que Petite Chérie avait porté son choix sur une école très chic — très chère — à l'usage des dames et demoiselles américaines désirant apprendre les subtilités de la *french cooking*.

Et que les cours étaient donnés en anglais par un chef alsacien baragouinant avec l'accent de Strasbourg. Vous ne voyez pas l'intérêt d'apprendre la cuisine française en anglo-alsacien. Mais votre héritière vous fait comprendre que vous êtes *deb*. Au contraire. Elle saura ainsi jargonner sauces et rôts, dans la langue de Shakespeare et de Woody Allen, avec la clientèle de l'*Andouillette de Plou-les-Ajoncs* qui ne saurait être qu'internationale.

Bon.

Elle découvre vite que devenir cordon-bleu requiert de se lever tôt. A 5 heures du matin. Le chef, suivi de sa petite troupe étrangère (Joséphine étant la seule indigène) parcourt les Halles, dans la nuit noire, et palabre sur les légumes hollandais et les fruits espagnols. Petite Chérie a peine à garder ses yeux ouverts sur les jeunes carottes promises à la vichyssoise ou les daurades scintillantes sur leur lit d'algues.

De retour dans une immense cuisine, le maître queux lisait son cours magistral, toujours en anglo-alsacien, à un public qui prenait des notes frénétiques, dans un silence religieux.

Ensuite, c'était au tour des *meufs* du Texas ou du Minnesota de réaliser les plats. Dans la chaleur infernale des fours et des spots de caméras (chaque élève avait droit à une vidéocassette des exercices).

C'est là que l'horrible vérité se fit jour. Le chef alsacien avait un goût très prononcé pour les sauces, la crème fraîche épaisse, les mets compliqués nécessitant parfois deux jours de travail. Ainsi la gigue de chevreuil à l'ancienne, la potée auvergnate (difficile à caser, sous les palmiers, par 30 degrés à l'ombre), le lièvre à la royale (comment trouver un lièvre en pleine mer des Caraïbes ?).

Le pire vint. Votre cadette devait non seulement manger sa propre cuisine à l'école (qui la rendit malade) mais s'exercer à la maison et essayer ses talents sur sa malheureuse famille.

Vous voilà en train de courir au marché pour acheter des produits follement onéreux tels que homards, cuissots de marcassin, bécasses, etc., ou de galoper chez Hédiard vous y procurer des épices inconnues.

Au troisième faisan farci au foie gras à la Souvarof, et à la cinquième charlotte de la Saint-Martin (aux marrons), l'Homme demanda grâce.

Et un simple poulet rôti.

Mais le simple poulet rôti, Petite Chérie n'avait pas appris.

Au bout de six semaines, elle obtint un diplôme qu'elle fit encadrer (pour épater les populations) et revint tranquillement à la confection de ses chers sandwiches et frites-merguez.

Quant à l'Homme et à vous, le médecin vous prescrivit une cure de bouillon de légumes et de yaourts nature, pour requinquer vos estomacs épuisés.

Sonnerie du téléphone.

Deux heures du matin. Voix terrifiée de Joséphine.

La Babouchka est étendue toute raide et blanche par terre. Elle ne peut ni bouger ni parler. Numéro du médecin de famille ?

Il y a longtemps que vous n'avez plus de médecin de famille. Depuis le départ à la retraite du cher vieux docteur Hugonet qui portait encore des chemises à col dur et une montre à gousset. Maintenant, vous ne voyez plus que des spécialistes qui vous soignent par pièces détachées. Vos vertèbres. Votre foie. Votre cœur. Votre épaule gauche. Vos yeux. Vos dents, etc. Vous avez l'impression d'être devenue une vieille bagnole tripotée par une bande de garagistes qui, malheureusement, ne peuvent même pas changer les pièces défectueuses (quel bonheur ce serait ! Crac, une nouvelle colonne vertébrale ! Hop, des yeux tout neufs ! Zoum, l'estomac greffé d'une jeune autruche, etc.).

Vos hypocrites Hippocrates vous donnent des listes impressionnantes de médicaments à prendre, sans se soucier des ordonnances du voisin. Qu'ils traitent éventuellement de « belles saloperies ». Si vous absorbiez toutes les pilules, gélules, poudres, comprimés, etc., prescrits, vous seriez la bienfaitrice de la pharmacie de la place (vous l'êtes déjà en partie) et vous n'auriez plus une minute de libre.

Vous avalez donc, au hasard, le contenu de quelques boîtes, selon l'urgence de la douleur.

La seule maladie que vous vous efforcez sauvagement de ne pas attraper, c'est la grippe. A votre connaissance, à Paris, plus aucun médecin ne visite un de ses malades grippés. Il faut aller chez eux avec quarante de fièvre. Vous préférez rester sous votre couette, avec une bouteille de rhum.

Certains font appel à S.O.S. Médecins. Malgré le fameux feuilleton de la télévision, vous éprouvez une certaine méfiance à leur égard. Ce sont des inconnus qui ne savent rien de vous, ni vous d'eux. Et puis vous avez remarqué que quelques-uns (pardon pour les autres, appelés en pleine détresse) semblaient plus intéressés par l'examen de vos meubles que celui de votre gorge.

Vous donnez donc à Petite Chérie le numéro de téléphone des Pompiers, de Police-Secours, du Samu.

La Babouchka fut transportée d'urgence à l'hôpital.

D'où elle ne sortit que pour aller dans une sinistre maison de retraite pour vieillards impotents, près de Tours.

Joséphine fit le voyage pour lui porter, en douce, une dernière bouteille de Zubrowka et des pirojki tout frais. La Babouchka la reconnut à peine. Petite Chérie pleura pendant huit jours.

Les neveux détestés ne restèrent pas inactifs. Ils chassèrent Yann de sa chambre, en deux heures. Vendirent l'appartement et ce qu'il y avait dedans, après avoir fouillé comme des fous, pendant des semaines, pour retrouver les bijoux de l'ex-danseuse. Ils ne mirent jamais la main dessus. Votre fille se garda de leur révéler que les trésors de la vieille dame russe étaient cousus dans la doublure de la pelisse rapée du prince Igor.

Quelquefois, vous rêvez à leur destin. Y sont-ils toujours, se promenant sur le dos d'une femme de ménage marocaine ou d'un clochard alcoolique? Ont-ils fait le bonheur d'une famille de chômeurs qui n'a parlé à personne de sa découverte mais a pu payer son loyer et son électricité? Ou un acteur de province joue-t-il Hamlet sur un modeste plateau de tournée sans se douter qu'il a une fortune dans l'ourlet de son costume de scène?

Petite Chérie n'oublia jamais le triste destin de sa chère Babouchka. La vie se chargeait de lui apprendre ses terribles tours.

10

Après avoir assuré la promotion de shampooings aux herbes de Provence (c'est fou ce qu'on peut faire avec les herbes de Provence!), de thé ceylanais à l'odeur de foin, de papier toilette « remarquablement moelleux, messieurs-dames, et d'une ravissante couleur mauve... », Petite Chérie commença à se lasser de son petit boulot du samedi, à la tête de gondole au Podec.

Elle demanda son changement. La direction la mit aux sacs poubelles sur le trottoir. Votre placard de cuisine déborda immédiatement de quoi empaqueter vos ordures jusqu'à l'an 3 000.

Puis elle fut affectée à la caisse numéro trois. Elle crut devenir folle. Elle rentrait, le soir, la haine des ménagères au cœur.

Celles aux chariots débordant de marchandises, avec enfant sur le dessus qui jetait tout par terre. Les méticuleuses qui recomptent longuement leur ticket de caisse, créant une émeute derrière elles. Les illettrées qui mettent une heure à remplir un chèque. Les pressées essayant de gratter une place dans la file d'attente.

Vous faites partie des *speedées*. Vous comptez le nombre de clientes attendant devant vous et évaluez le contenu de leurs caddies. Puis vous changez de file comme une musaraigne poursuivie. Espérant que vous allez gagner dix minutes. Malheureusement, la créature, devant vous, qui n'avait à payer qu'une savonnette et du riz complet diététique, a pris son paquet sans étiquette de prix. La caissière ferme alors sa caisse et, d'un pas lent et majestueux, va se renseigner au bout du magasin. Pendant ce temps-là, la file que vous venez de quitter passe à toute allure, et vous constatez, avec fureur, que, si vous y étiez restée, vous seriez déjà sortie de cet enfer.

Joséphine demanda encore à changer. Agacée, la direction la transféra à la poissonnerie. Elle rentra à la maison dans une odeur qui dérangeait jusqu'à Roquefort qui refusait de se laisser caresser.

Du coup, Petite Chérie repoussa l'offre de devenir vendeuse à temps complet, au sous-sol des Galeries Farfouillettes, comme sa copine Stéphanie que les clientes attrapaient par la manche en criant : « C'est vous, la vaisselle ? »

— Vendeuse, c'est un travail fatigant et mal payé, grommela votre cadette, surtout avec ces charges sociales qu'on te retire. *Ça me troue...*

L'Homme fut enchanté de cette remarque. Les charges sociales étaient sa bête noire. Mais il se refusa à payer celles de sa fille.

Quant à Yann, viré de l'appartement de la Babouchka, il commença par dormir au milieu des gravats de ses appartements en ravalement, dans un duvet, la tête sur son sac de marin.

Restait le problème de la toilette.

La question fut résolue quand Ahmed trouva, à son tour, un boulot de veilleur de nuit dans un petit hôtel. Le Matelot Tatoué prit l'habitude, vers une heure du matin, de squatter les baignoires inoccupées, ronfler dans les lits vides et même manger les croissants des petits déjeuners laissés par les clients matinaux. Il devint ainsi le fantôme de l'*Hôtel des Acacias Fleuris*.

Jusqu'au jour où il fut surpris par un couple espagnol qui poussa des hurlements de terreur. Et dut s'enfuir tout nu dans l'ascenseur.

A partir de là, vous n'avez plus de nouvelles. Mais vous constatez que votre tapis de bain, quand vous rentrez chez vous, en fin d'après-midi, est transformé en éponge gluante et glacée. Que vous devez tordre et faire sécher sur le radiateur. Le fantôme du capitaine de l'*Andouillette de Plou-les-Ajoncs* flotte-t-il désormais dans votre baignoire quand vous vous absentez ? Vous craignez que oui. Vous avez déjà connu ça avec Monsieur Gendre. Mais lui avait la délicatesse de ne pas tremper votre tapis de bain.

Lâchement, vous ne faites aucune réflexion à Joséphine.

Elle traverse, en effet, un moment de découragement.

Vous vous en apercevez au nombre de tablettes de chocolat qu'elle dévore. Signe, chez elle, d'une bonne déprime. Chaque être humain a le sien. Vous, vous pleurez dans votre bain. Et vous vous réconfortez d'un cocktail de blanquette de Limoux à la liqueur de pêche (terrible pour le cholestérol). Votre copine Victoire se rue dans les magasins acheter des vêtements trop petits qu'elle essaie de rendre ensuite. Votre autre amie, Jeanne, change tous ses meubles de place. Et se colle un lumbago du tonnerre. Tandis que son mari, rentré de voyage en pleine nuit sans savoir que son mobilier a bougé, et ne voulant pas réveiller sa femme, se casse un petit doigt, dans l'obscurité, sur un pied de commode qui n'aurait pas dû être là.

Quand votre cadette eut grossi de trois kilos de chocolat posés sur ses fesses, et envisagé d'être « testeuse de médicaments » — ce à quoi vous vous opposez farouchement —, vous décidez qu'il est temps pour vous d'agir.

D'abord, en la faisant entrer comme téléphoniste, pour un mois, à l'usine de l'Homme. Remplaçant mademoiselle Yvette, partie en vacances. Une créature à la voix curieusement geignarde et qui annonce en sanglotant : « Allô ! Ici, les Usines B. » De quoi flanquer le bourdon à tous les clients. Mais le comité d'entreprise prétend qu'il n'y a pas là motif de renvoi.

Le Père commence par refuser. Comme pour Monsieur Gendre. Et se lance dans un discours grandiloquent sur le thème : « Moi, quand j'étais jeune, personne ne m'a aidé ! » se terminant piteusement par : « Que va dire mon chef du personnel ? »

Vous lui répondez qu'il n'aura à dîner que des pommes de terre à l'eau jusqu'à ce qu'il cède. Et qu'il doit choisir entre son chef du personnel et vous.

L'Homme craque devant la perspective des pommes de terre à l'eau et d'une longue bouderie conjugale. Le chef du personnel craque devant la perspective d'une longue bouderie patronale.

Le Père propose même à sa fille de l'emmener en voiture, le matin, avec lui. Joséphine hésite.

L'Homme, petit patron de choc, obsédé par son travail, part aux aurores et adore montrer à ses employés et à ses ouvriers qu'il est au boulot bien avant eux. Vous avez toujours soupçonné que, loin de provoquer l'admiration de son personnel, cette manière de faire l'exaspérait. Mais vous n'en avez jamais rien dit, pour ne pas briser l'ardeur de votre époux à s'en aller le matin. Vous laissant travailler en paix, à votre tour.

Votre adolescente râle de devoir se lever si tôt mais calcule que le trajet dans la voiture paternelle lui évite métro, autobus et marche à pied.

Autre délicat problème : est-il de bonne politique que la standardiste intérimaire des Usines B. arrive dans la voiture du patron ? Non. Il est hypocritement décidé que Joséphine descendra de la Citroën directoriale, avant le coin de la rue, et se présentera, seule et à pattes, à la pointeuse.

Elle utilisera son temps libre, avant l'ouverture des bureaux, à téléphoner gratuitement aux petites annonces du journal, pour trouver son boulot suivant.

Une discussion violente éclate, le premier matin. Sur la façon dont Petite Chérie doit être habillée.

— Ma standardiste ne porte pas de jupe qui lui couvre à peine le derrière, de sweat-shirt marqué HAINE et de baskets à fleurs mauves, clame l'Homme. Mets une jupe et un chandail décents.

— Tu n'as pas le droit de m'imposer comment je dois m'habiller, siffle votre cadette. Je suis sûre que tu outrepasses tes droits d'employeur...

Les mots de « convention collective », « patronat policier »... volent dans l'air. Vous arrachez de force la bande de tissu qui entoure les fesses de votre fille, lui enfilez une longue jupe plissée et votre dernier chandail en cachemire (ça, elle porte toujours).

— Mais je ne suis pas à l'accueil. Personne ne me voit dans mon placard! grommelle Joséphine en cédant.

— Si. Mon personnel.

Vous regardez partir le père et la fille avec une certaine inquiétude.

Mais vous avez la force de caractère d'attendre la fin de la matinée pour téléphoner et prendre des nouvelles. Vous faites le numéro. On décroche.

VOUS : Allô, Petite Chérie?

VOIX DE JOSÉPHINE : Allô! Ici, les Usines B. Ne quittez pas...

Et hop, elle vous branche dans les oreilles la Neuvième de Beethoven. Poum-poum-poum... poum!

Vous ne connaissez rien de plus infernal que ces musiques que toutes les sociétés dignes de ce nom (ou pas) vous balancent dans les tympans, pendant de longues minutes d'attente, au téléphone. Sous prétexte de vous faire patienter gaiement. Vous, vous ne patientez pas gaiement. Au bout de sept minutes, vous haïssez le *Concerto nº 1* de Chopin, *Les Quatre Saisons* de Vivaldi, *Il était un petit navire* (spécialité des Bateaux-Mouches), le duo d'opéra de la Société des auteurs, dont personne n'a pu vous préciser de quelle œuvre lyrique il était tiré (seul un huissier le savait, paraît-il, et il avait pris sa retraite), etc.

Enfin, la musique s'arrête. Ouf!

VOIX DE JOSÉPHINE : Allô, ici, les Usines B. Vous désirez?

VOUS : Petite Chérie, c'est maman! Est-ce que...

VOIX DE JOSÉPHINE : Ne quittez pas. Je reviens tout de suite...

Poum-poum-poum... poum!

Vous pensez des choses très grossières, telles que

« merde à Beethoven », pendant sept minutes de plus.

VOIX DE JOSÉPHINE (toujours impersonnelle) : Allô, ici les Usines B. Vous désirez ?

VOUS (qui avez abandonné l'espoir d'un doux bavardage avec votre cadette) : Passe-moi papa !

VOIX LOINTAINE DE JOSÉPHINE : Ne quittez pas. Je vous passe sa secrétaire.

VOIX DE LA SECRÉTAIRE DE L'HOMME : Il n'est pas dans son bureau. Je vais voir si je peux le trouver...

Poum-poum-poum... poum !

Vos nerfs flanchent. Vous raccrochez. Vous direz que vous avez été coupée.

L'Homme vous rappelle, inquiet. Que se passe-t-il ? Rien. Votre nature curieuse voulait savoir comment se débrouillait votre standardiste de fille.

— Pas mal, dit le Père, sauf qu'elle me passe directement les pompiers, pour leur bal annuel. Et qu'elle fait attendre les clients importants de Tokyo.

Vous vous demandez si le système nerveux des Japonais est assez costaud pour écouter, de Tokyo, poum-poum-poum... poum, pendant quatorze minutes.

Ce qui vous amuse, c'est d'avoir une espionne dans la place. Contre l'éventualité de la chambre du sixième, reprise au jeune Chinois Li, l'année prochaine, Joséphine vous raconte les coulisses des Usines B.

Vous apprenez ainsi que la secrétaire de l'Homme téléphone, tous les jours, à sa vieille maman, à Nice, aux frais de l'entreprise.

Ah ! Ah ! Bon à savoir — pour un petit chantage — si madame Simone refuse de vous passer votre époux, soi-disant en conférence. Quant au neveu de monsieur Gazier, le chef du personnel, il vient faire des photocopies personnelles sur la machine de la société et flanque le planning de la journée en l'air. Parfait ! parfait ! Autre petit chantage.

Vous découvrez également que l'Homme est surnommé Oncle Picsou par ses employés. Et que, lorsqu'il s'élance pour une inspection surprise à travers son usine, il est trahi par Roquefort qui gambade devant lui, en aboyant joyeusement. A l'apparition du chien patronal, toutes les cigarettes disparaissent sous les bureaux, les employés s'écrasent le nez sur leurs ordinateurs et les ouvriers redoublent de bruit.

Petite Chérie vous révèle également qu'une guerre fait rage à la comptabilité. Autour du thé de 4 heures. Deux clans s'affrontent. Le premier accusant le second de ne pas participer à l'achat du lait adoucissant le Ceylan (le sucre est piqué, lui, à la cantine). Le deuxième groupe prétend que, prenant du citron (également piqué à la cantine), il n'a pas à payer le produit laitier en question. Après de violentes discussions, il fut voté — à bulletins secrets — qu'il y aurait deux services de thé. Celui avec lait. Et celui avec citron. Deuxième complication : Qui boirait son Ceylan en premier : les partisans du lait ou les partisans du citron ? On re-vota, à bulletins secrets, pour un tour alternatif marqué sur un agenda spécial de bureau. Mais la guerre civile continua. Le second service accusant le premier de mal laver la théière.

Bref, un *pipeau d'enfer* (*dixit* Joséphine) occupait la comptabilité une heure par jour. Ce dont votre patron de mari ne se doute pas. Vous n'allez pas le lui révéler. Vous vous contentez d'en rire avec votre cadette.

Mais vous ne riez plus du tout quand celle-ci, naïvement, vous révèle que l'Homme a été choisir une robe, dans une boutique, pour madame Picropus. En sa compagnie.

D'abord, vous n'en croyez pas vos oreilles. Certes — contrairement à vous — l'Homme adore faire du shopping. Mais, dans votre idée, seulement en compagnie de ses filles. Pas d'une autre femme que vous.

— Oh! marmonne Petite Chérie légèrement (elle a compris — trop tard — qu'elle a gaffé), c'est parce qu'elle va représenter la société à je ne sais quel congrès...

Qu'importe. Votre sang bout. Vos yeux lancent des flammes. Pour un peu, vous vous jetteriez par terre en grattant la moquette de vos ongles et en poussant des cris rauques.

Parce que le malheur veut que vous ayez un petit défaut. Si, si, encore un! Celui-là, tout le monde le connaît.

Vous êtes jalouse comme une tigresse.

Vous ne pouvez vous empêcher d'imaginer une rivale dans chaque créature femelle s'adressant à l'Homme. Si elle est plus belle, plus intelligente, plus jeune que vous (ce qui est de moins en moins difficile), vous commencez à délirer. L'époux ne va pas manquer de remarquer qu'elle a « tout mieux que vous ». Il va vous quitter pour elle. Évident. Vous entendez, en rêve, les compliments qu'il lui fait. Et qu'il ne vous fait plus. Vous fantasmez. L'Homme la regarde amoureusement. La prend dans ses bras. Se penche, va l'embr... Non! Non! C'est trop!

Vous allez lui arracher les cheveux, par poignées, à cette salope qui vous pique votre bonhomme. Lui écraser son (gros) nez. Pocher ses yeux (de veau). Quant à ce monstre que vous avez innocemment épousé, il y a des années, beaucoup trop d'années, vous le piétinerez comme une vieille peau de bête. A mort !

A cet instant, vous vous effondrez. Ce n'est pas lui que vous allez supprimer, mais vous. Un suicide. Ce chien va peut-être vous regretter ? Même pas. Qui vous aime ici-bas ?

En tout cas, pas un être humain, dans cette réunion de baptême où vous êtes venue, sans méfiance, boire une orangeade.

Votre mari tourne la tête vers vous. Et vous apercoit, les yeux pleins de larmes. Surpris et inquiet, il vient vers vous.

— Qu'est-ce que tu as ?

— Une sciatique atroce, inventez-vous d'un ton de mourante (vous trouvez que la migraine fait terriblement démodé).

— Bon. On s'en va, dit tranquillement le salaud.

Victoire. Vous l'avez arraché à cette mygale venimeuse. Qui était-ce ? Qu'importe. Ne rien dire. Rester digne. Rentrer en boitant — sans vous tromper de pied. Vous écrouler sur votre lit, épuisée par l'émotion. L'Homme — ce benêt — ne s'est douté de rien.

Or, voilà vingt ans que vous êtes jalouse de madame Picropus. D'abord en tant que directrice des ventes des usines B., elle voit votre mari peut-être plus longuement que vous. C'est l'aspect le plus dramatique de la vie de bureau sur lequel les ministres de la Famille devraient se pencher, au lieu de jacasser sur l'augmentation du nombre des enfants — qu'ils n'élèveront pas.

Ensuite, c'est une créature redoutablement maigre (haine ! haine !). Ce qui lui permet de porter des soldes extravagants de grands couturiers que vos huit kilos de trop ne vous permettent plus. Toujours parfaitement maquillée et coiffée (quand trouve-t-elle le temps, hein ?).

Mais surtout, surtout, ce que vous haïssez en elle, c'est qu'elle ne parle pas à l'Homme, elle MINAUDE, en battant des cils et en lui jetant des regards extasiés. Cela vous flanque dans des rages noires.

Votre époux jure qu'elle ne le regarde avec cette mine admirative et possessive que lorsque vous êtes là. Rien que pour vous embêter. Le drame est qu'elle y arrive.

Mais, bien que vous soyez aux aguets depuis vingt ans, vous n'avez jamais pu trouver la trace de la moindre complicité amoureuse entre votre mari et elle.

Jusqu'à aujourd'hui.

Ça y est ! Vous la tenez, la preuve de cette ignoble connivence entre ces chacals puants ! Des images atroces vous poignardent. L'Homme riant avec elle, en discutant chiffons. Peut-être l'a-t-il entraperçue en petite culotte de satin, dans la cabine d'essayage ? Haine ! Haine !

Vous envisagez de couper tous les boutons des chemises et des vestes de l'époux comme Fille Aînée l'a fait, lors d'une dispute orageuse avec Monsieur Gendre. Non. Elle a dû tout recoudre, après la réconciliation.

Vous allez, vous, flanquer le feu aux rideaux. Pas aux rideaux. A ce que le monstre préfère le plus au monde : ses livres. C'est ça ! Un gigantesque auto-dafé dans le salon. Immeuble en flammes. Des morts. (Titres des journaux : « Une folle brûle un quartier de Paris... ») Vous en prison. Tant pis. Tout plutôt que cette pieuvre qui vous ronge le ventre.

Le rat infâme rentre. Vous vous jurez de rester calme. Jusqu'à ce qu'il ait avoué. Mais votre figure vous trahit. Elle est de travers. Votre mari s'en aperçoit dès la porte. Même le chien Roquefort prend l'air inquiet.

— Qu'est-ce que tu as ?

— Rien.

Malgré vous, votre rien claque, bourré de sous-entendus.

— Parfait, dit l'Homme, feignant d'être rassuré et joyeux. Tu as fait des choses intéressantes, aujourd'hui ?

Ça, c'est l'indice qu'il se sent morveux. D'habitude, il dédaigne s'enquérir, dès son retour, de vos faits et gestes. Il se jette dans son fauteuil, avec son journal, en criant qu'il a faim.

— Rien, répétez-vous sauvagement, j'ai pensé...

— Tiens ? fait l'Homme insolent. Ça t'arrive ?...

Il se fout de vous, en plus ! Vous explosez comme une bombe terroriste.

— Salaud ! Depuis quand choisis-tu les robes de madame Picropus ?

— Merde ! soupire élégamment le garçon que vous avez épousé un jour de folie. Joséphine a cafté. J'ai toujours dit qu'on ne devrait jamais travailler en famille ! Où est-elle, cette petite conne ?

Tapie, terrifiée, dans sa chambre.

— Ce n'est pas le problème, piaulez-vous, veux-tu répondre à ma question : depuis quand...

— D'abord, ce n'était pas une robe, mais un tailleur... heu... une sorte d'uniforme... Elle doit représenter la société à un congrès...

— Et elle ne peut pas acheter ses vêtements toute seule, cette pute ?

— Tu sais bien qu'elle a un goût extravagant... et vis-à-vis de l'entreprise...

— Je m'en fous ! La vérité, c'est que cela t'amusait de courir les magasins avec cette salope sous-alimentée !

— On n'a pas couru les magasins! On a juste été à la boutique Per Spook...

Une flèche vous transperce le cœur. C'est votre boutique à vous. L'Homme vous trompe deux fois.

— Et, quand c'est moi, je dois t'y traîner presque de force.

— Nous n'avons pas le même goût, fait remarquer votre mari.

C'est vrai. L'époux adore les froufrous, les dentelles, les volants qui vous font ressembler à un gros bonbon enrubanné.

— Si je comprends bien, tu as le même goût que madame Picropus!

Vous éclatez en sanglots. Qu'il crève, le grand fourbe! Qu'elle crève, la traîtresse! Votre vie n'a plus de sens. Foutue. Vous allez vous suicider au gaz. Non, vous jeter par la fenêtre. Non, avaler des barbituriques...

Le rat infâme choisit cet instant pour essayer de vous prendre dans ses bras. Ah non, ce serait trop facile! Vous lui envoyez un coup de genou bien placé (il pousse un hoquet étouffé). Vous courez vous jeter sur votre lit en poussant des cris d'agonie. L'immonde salaud suit, les mains sur son ventre, d'un air accablé et furieux.

— Arrête ta comédie, grogne-t-il.

Vous poussez un hurlement strident.

— Saleté! Qu'est-ce que tu dirais si j'allais choisir mes vêtements... heu... avec Valéry Giscard d'Estaing?

— Pourquoi Valéry Giscard d'Estaing? demande l'Homme, surpris.

— Pourquoi pas? Ou avec mon éditeur?

— Eh bien, vas-y!

Et il claque la porte de votre chambre.

Vous voilà bien embêtée. Vous n'osez imaginer la

244

tête de votre éditeur, si vous le convoquiez chez Per Spook, pour vous choisir une robe. Pour le Salon du livre, par exemple. Et si toutes ses femmes auteurs en faisaient autant. Françoise Dorin, Nicole Avril. Frédérique Hébrard, Flora Groult, etc.

Cette idée vous distrait. Puis la colère vous reprend. Le rat infâme n'a fait aucune excuse. Ni sangloté pour implorer votre pardon. Ni juré qu'il ne recommencerait jamais, jamais. Pan! Pan! deux balles dans le cœur, voilà tout ce qu'il mérite!

Vous écoutez. Des cris. Petite Chérie se fait engueuler par son papa-patron pour avoir trop bavardé. Il ne veut plus d'elle comme téléphoniste. Ren-voy-ée. Elle ne se laisse pas faire. Elle crie qu'elle ira jusqu'aux prud'hommes. Qu'elle est mal payée. Que, du reste, tout le personnel des Usines B. se plaint d'être mal payé. Une grève menace. Elle en prendra la tête. Tous avec elle. Sauf le magasinier qui s'est construit une belle maison avec ce qu'il a détourné en douce. Et la chère madame Picropus à qui un client vient d'offrir un voyage en Casamance, contre quoi, on se le demande?

Et pif et paf!

Le rat infâme se traîne dans le salon pour méditer ces affreuses nouvelles qui viennent de lui tomber sur la tête, comme des pavés. Un lourd silence plane sur la maison.

Le monstre craque le premier. Il était temps. Vous aviez abandonné le suicide au profit d'un crime parfait pour occire l'époux coupable et sa *hyène* de directrice des ventes. Par exemple, en sciant les freins d'une voiture où vous les auriez attirés traîtreusement, tous les deux. Vous avez vu cela dans un film policier et le truc marchait très bien.

Le rat infâme entre dans votre chambre, l'air honteux du misérable qu'il est.

— Que veux-tu que je fasse ? demande-t-il. Je n'ai pas envie de me disputer.

— D'abord, me jurer, sur la tête de tes filles, de ne jamais retourner dans un magasin — même une simple quincaillerie — avec cette salope !

— D'accord, dit précipitamment l'Homme. J'ai fait une connerie. Mais si tu crois que ça m'a amusé de trouver des hardes pour couvrir ce sac d'os, tu te trompes ! Elle m'exaspère...

L'expression « sac d'os » adoucit un peu votre humeur.

— C'est vrai qu'elle est sèche comme un vieux sapin de Noël déplumé, remarquez-vous perfidement. Je ne comprends pas ce que tu lui trouves.

— Rien ! jure votre mari. C'est juste une très bonne directrice des ventes.

Il ajoute que s'il avait voulu avoir une liaison avec elle, il aurait agi vingt ans plus tôt, alors qu'elle était jeune et fraîche. Peut-être l'a-t-il fait ? Toujours affirmé, l'air innocent, que non. Mais une femme peut-elle se fier à l'air innocent d'un mari ?

— En plus d'être ridée et prétentieuse (vous y allez à fond), reprenez-vous doucereusement, cette vieille peau se fait offrir des séjours en Casamance par des clients... Bizarre, non ?

— Je vais la foutre à la porte ! gronda le Patron.

Un sentiment délicieux de victoire vous envahit. Enfin débarrassée de votre increvable ennemie...

Puis une idée vous frappe. Et si, pour remplacer l'odieuse et étique Picropus, l'Homme engageait une créature jeune, gaie, sexy en diable, comme nombre de ces Superwomen qui n'hésitent devant rien pour améliorer leur carrière. Y compris, agripper le cœur de leur P.-D.G., de leurs crocs d'acier. C'est reparti. Vous *flippez* devant l'image d'une Adjani, sortie de l'ENA, en train de se faire offrir plein de robes divines chez Dior. Tandis que l'Homme la regarde d'un air de toutou extasié. Pitié ! Pitié !

Encore mieux conserver votre vieille Picropus dont votre mari ne risque plus guère, c'est vrai, de tomber amoureux fou.

— Non, dites-vous d'un ton magnanime, gardons Picropus. Elle connaît bien son boulot, cette chienne ! Pensons d'abord à l'usine...

— Tu es une fille formidable ! s'exclame l'Homme, attendri. Je t'adore !

Ces simples mots vous bouleversent. Comme toujours. Au bout de tant d'années de mariage, ridicule, non ? Allez, Picropus à la poubelle ! Simplement, dans un coin de votre esprit, vous notez de creuser cette histoire de séjour en Afrique... Peut toujours servir...

Pour sceller une réconciliation générale, le papa-patron réengage la téléphoniste Joséphine.

Qui, prudente, arrête ses confidences.

Elle vous signale simplement que le métier de standardiste est un des plus stressants qui soient. Le taux de suicides y est, paraît-il, très élevé. Et que d'être la fille du président-directeur général ne facilitait pas la tâche, malgré ce que l'on aurait pu croire. Certes, il y avait les lèche-cul habituels qui venaient lui faire un baratin *béton*. Mais un grand nombre d'employés — pour montrer justement « qu'ils n'étaient pas *molleton*, eux » — adoraient lui envoyer des vacheries, lui téléphoner en se marrant, que « pin-pon, pin-pon, les ateliers étaient en feu », et lui piquer ses yaourts à la cantine qui, entre parenthèses, était *dégueu grave*.

— Tous ces petits boulots, par-ci, par-là, ne mènent notre fille à rien, déclare l'Homme, un soir, en se couchant.

Vous en convenez sombrement. Que faire ? L'aider à trouver un métier. Lequel et surtout comment ?

Par le piston.

C'est cela qui vous manque : des amis, des relations à qui téléphoner pour caser votre Petite Chérie.

Vous reprochez à votre époux d'avoir toujours refusé d'avoir une activité mondaine intense. Il répond que c'est vous qui détestez les dîners en ville. Et encore plus à la maison.

C'est vrai. La vie parisienne réclame une énergie que vous n'avez pas.

Par exemple, vous ne supportez pas d'être invitée à dîner à 9 heures du soir. Vous, vous mangez habituellement vos macaronis au fromage, à 20 heures, en regardant les infos à la télévision. Les psy prétendent que c'est la mort de la famille mais vous n'en croyez rien : c'est le moment où la vôtre se dispute le plus, pour des raisons politiques.

Si vous êtes invitée à 9 heures, c'est *chébran* d'arriver à 21 h 30. Sinon vous avez affaire au maître de maison qui vous accueille pieds nus, sans cravate et pas rasé, et vous murmure : « Servez-vous un verre, j'arrive ! » Dévorée par la honte d'être *plouc*, vous devez patienter devant un jus d'orange, et des petits biscuits salés qui font grossir.

Ensuite, le dîner est prévu pour 22 h 30. Seule, la faim vous tient éveillée. Mais vous vous devez d'être brillante au-dessus du saumon-froid-sauce-verte, servi par un beau jeune homme engagé comme maître d'hôtel à l'agence pour étudiants Ludéric. Vous ne l'êtes pas. Vous commencez à avoir sommeil et vous pensez, avec regret, au film de la télé que vous avez manqué ce soir et que vous avez oublié d'enregistrer au magnétoscope. Vous faites semblant d'écouter les conversations à la ronde, en roulant des yeux fascinés, un sourire charmé scotché sur les lèvres. Vous évitez de parler parce que c'est l'heure où vous ne savez pas retenir les gaffes. Comme d'appeler le nouveau compagnon de votre copine Sophie par le prénom de l'ancien. Dans l'impossibilité de mourir de honte sur place, vous inventez n'importe quoi. C'est le nom de votre voisin dont la femme vient d'être violée dans votre parking. L'Homme vous regarde avec stupéfaction. Vous vous étranglez avec une arête de saumon.

Vous n'arrivez plus à vous rappeler le nom du ministre de l'Intérieur. Heureusement, l'étudiant (Sciences-Po) maître d'hôtel de Ludéric vous le murmure à l'oreille.

Impoli de s'enfuir dès la dernière bouchée de la charlotte au chocolat. On traîne au salon. Vous ne vous rappelez plus le nom de famille du Pape. Heureusement, le maître d'hôtel de Ludéric est toujours là.

Quand vous rentrez chez vous, l'heure de votre sommeil est passée. Vous êtes tellement énervée à l'idée de ne pas vous endormir que vous restez éveillée. Vous serez une loque demain. Une journée de fichue. A moins que vous ne preniez un somnifère. Résultat encore plus néfaste. Vous ressemblerez à un zombie. Vous vous maudissez de ne pas être capable de faire de petits sommes réparateurs, comme Napoléon, à cheval. Peut-être parce que vous n'avez pas de cheval.

Voilà pourquoi vous avez toujours préféré bavarder avec vos copines, à l'heure du déjeuner, au-dessus d'un croque-monsieur-salade.

Eh bien, vous avez eu tort ! Vous avez laissé tomber plein de « relations utiles ». Et maintenant vos enfants en pâtissent.

Vous sortez d'un grand carton, tous vos vieux

carnets d'adresses. Et vous faites la liste des examies qui ont, croyez-vous, des enfants de l'âge des vôtres et des maris influents. Vous leur téléphonez mielleusement. Surprise de celles que vous n'avez pas contactées depuis la pension Sainte-Jeanne-d'Arc. Ça alors !... Qu'est-ce que tu deviens ? C'est inouï... Figure-toi que je pensais à toi, justement hier... (mon œil !).

Questions insidieuses de votre part : « Que fais-tu de beau dans la vie... ? Et ton mari... ? Et tes enfants ? »

Vous constatez alors qu'il existe deux catégories de mères :

Celles qui ont des rejetons qui font des études brillantes. Ma fille est en quatrième année de médecine. Mon fils sort de Polytechnique. Vous crevez d'envie. Et de culpabilité. Haro sur vous qui n'avez pas été capable d'engendrer un énarque distingué ou une chercheuse au C.N.R.S., spécialiste d'un parasite de l'intestin des turbots ! Votre seule consolation : ces sujets d'élite et leurs parents vivent dans une angoisse perpétuelle que vous avez oubliée : celle d'examens, de concours, de T.D., etc.

Deuxième catégorie de mères. La vôtre. Qui ont des enfants aux métiers incertains. Ou qui se heurtent, malgré des études convenables, au problème du premier emploi. Alors, là, règne le code farouche du troc. J'aide ta fille. Tu donnes un coup de main à mon fils.

Vous entrez dans la chaîne. Vous apportez, dans votre cabas, une mine de stages divers à la société de l'Homme. Monsieur Gazier — dont le neveu fait en douce des photocopies à la société, vous y faites allusion, en passant — est prié de les réserver aux enfants de vos relations à vous. Enfin, celles qui lèveront le petit doigt pour Petite Chérie.

Vous refaites ainsi amie amie avec une vieille copine de classe. Juliette. Journaliste. Vous lui promettez un petit boulot de magasinier, pour son dernier-né, l'été prochain, aux Usines B. Contre un stage au desk de son magazine, pour votre cadette.

Malheureusement, Juliette est également pourvue d'une fille qui a ouvert, à Paris, une boutique d'artisanat du Bas-Berry. Vous recevez l'invitation impérative de vous y rendre. Vous ne vous dégonflez pas. L'avenir de Joséphine est peut-être en jeu.

La boutique d'artisanat du Bas-Berry se trouve dans le fond d'une cour du XIV\ :sup:`e`.

Vous restez foudroyée.

Vous n'avez jamais vu tant d'horreurs.

Chandails de laine brute grisâtre, tricotés à la main tant bien que mal — et qui grattent abominablement. Tapis dans la même matière crasseuse, ornés d'un arbre rose, teint avec des plantes — qui ont bavé un peu autour — et parsemés de galets et de bouts de bois. (C'est ça qui doit faire mal aux pieds si, par malheur, on a oublié ses pantoufles !) Mais ce n'est pas un tapis de sol, s'exclame votre copine avec indignation, c'est un tapis de mur. Vous faisant comprendre que vous êtes affreusement conformiste parce que, chez vous, les carpettes sont par terre.

Voici maintenant de petits miroirs entourés de liège dans lesquels on ne voit que la moitié de son nez et le quart de sa bouche. Des oranges piquetées de clous de girofle et qui, par une diablerie, ne sentent rien. Des pots en céramique qui vous font regretter les productions industrielles de Taïwan ou les cadeaux de Petit Garçon pour la fête des Mamies. Etc.

— C'est beau, hein ? murmure la mère de l'artiste, avec ferveur.

— Superbe! répondez-vous d'un ton enthousiaste. (Plus hypocrite que vous, tu meurs. Rappelez-vous : c'est pour le bien de votre enfant...)

Vous ne pouvez vous empêcher de gaffer, cependant, en remarquant que vous aviez cru que la race des babas cool était éteinte. Votre copine s'indigne. Foin des babas cool. Il s'agit de véritables créateurs, vivant dans un village du Bas-Berry et qui se sont réunis pour ouvrir cette boutique. Louée par Juliette. Tiens! Vous n'êtes pas la seule mère à qui les petits boulots de ses enfants coûtent cher. Sans compter que c'est elle qui, en costume Saint-Laurent, fouille les poubelles, le matin, à la recherche de bouts de tissus qui serviront à sa fille pour composer d'affreux tableaux en patchwork. Et dire qu'il existe des Élisabeth Badinter pour douter de l'amour maternel!

Autre abominable découverte. Tout est hors de prix.

— C'est fait main! remarque la copine à qui votre haut-le-corps n'a pas échappé.

Tant pis. Vous ferez des économies sur les taxis. Vous marcherez à pied sous la pluie. Vous attraperez la grippe. Vous la passerez à votre mère. Qui ira à l'hôpital. Etc.

Vous achetez, en poussant des exclamations admiratives, deux minces écharpes de soie, avec des brebis obèses peintes à la main.

Vous donnez la première à votre mère, pour la consoler de sa grippe. Elle vous fait comprendre qu'elle aurait préféré un carré Hermès. Et non des brebis obèses au prix du carré Hermès.

Quant à la seconde, vous la cachez dans votre tiroir, en attendant une occasion d'être désagréable à quelqu'un.

Celle-ci se présente plus tôt que vous ne pensiez.

Le job promis par votre copine Juliette est donné à la nièce de la rédactrice en chef, au nez et à la barbe de Joséphine. Vous êtes furieuse. Plus question de stage de magasinier pour le fils de cette « faux jetonne ». De plus, il épouse une héritière. En guise de cadeau de mariage, vous renvoyez l'écharpe. Vous n'entendez plus jamais parler de cette peu sympathique famille.

Votre copine Sylvie, elle, vous fait miroiter un travail à temps complet dans un club de vidéodisques, tenu par son beau-frère. Bon, ça !

En échange, elle a une fille comédienne. Vous téléphonez à un metteur en scène de vos amis : « Je connais une petite actrice qui a un talent fou... Si tu lui donnes un petit rôle dans ton prochain film, je te file un coup de main pour ton scénario... »

Hélas, la jeune Célia rêve également de devenir un grand écrivain de théâtre. La future Balasko joue sa première pièce — écrite par elle — avec trois copains débutants dans un garage, situé dans un passage inconnu, à l'autre bout de Paris. Vous croyez comprendre que vous êtes fermement conviée à vous y précipiter. Vous et toute votre famille, le public n'étant pas encore très nombreux. Pas averti du génie de l'auteur.

L'Homme refusa d'abord, tout net, de se déplacer.

Vous le menacez de trois jours d'hostilités conjugales. Il cède.

Joséphine n'eut pas à discuter. L'expédition était dans son intérêt à elle. Vous décidez même d'emmener Fille Aînée et Monsieur Gendre (vous paierez une baby-sitter). C'est donc à la tête d'une véritable troupe que vous pénétrez dans le garage, après avoir acheté des billets à une guérite ressemblant à celle devant l'Élysée (peut-être volée là).

Vous êtes les seuls spectateurs.

Vous vous asseyez, tant bien que mal, sur des chaises disparates (la vôtre tangue bizarrement). Vous sentez que de l'autre côté d'un immense tissu noir, tendu au fond du local, on vous compte et recompte.

Arrivée d'un couple en pleine scène de ménage. C'est le critique du petit journal local de l'arrondissement, vous chuchote Célia, venue vous saluer dans « la salle ». On va jouer...

Elle vous explique que, quand le nombre des spectateurs est inférieur à celui des acteurs, le directeur de la troupe (qui fait office de metteur en scène, d'éclairagiste et de chauffeur) décide de ne pas donner de représentation. Vous frémissez à l'idée que vous auriez pu quitter votre cher canapé d'où vous comptiez regarder un de vos vieux westerns adorés, braver la mauvaise humeur de l'Homme, traverser tout Paris, garer tant bien que mal votre voiture — tout ce que vous ne faites pas, même pour aller à votre cher et élégant théâtre du Palais-Royal — pour ne pas assister au chef-d'œuvre de la jeune Célia.

Un vieux monsieur entre et s'installe en toussant.

— On va bientôt commencer, vous informe l'auteur, avant de disparaître dans un couloir obscur.

Vous vous réjouissez.

Vous avez tort.

Naturellement, vous savez que vous possédez une intelligence moyenne, que vos études sont lointaines et que vous n'avez pas dépassé le bac.

Mais vous ne comprenez rien à la pièce.

Une fois le rideau noir tiré, vous apercevez les acteurs habillés de noir sur un fond noir (un mur du garage repeint), hurlant comme des possédés, en se menaçant avec des couteaux de cuisine.

Ce qui n'empêche pas le vieux monsieur (probablement le grand-père d'un acteur ou un passant pris de folie) de se racler longuement la gorge. Et le couple de critiques de s'accuser mutuellement à voix haute d'être un *fumier* et une *pétasse*.

Malgré les cris sur la scène, l'Homme glisse dans la somnolence. Le reste de votre petite famille se ronge les ongles. Vous essayez de vous distraire en composant, dans votre tête, les menus de la semaine. Lundi : rosbeef/frites. Mardi : rosbeef froid/mayo...

Crac ! Tout devient noir. Ciel, une panne d'électricité ! Un court-circuit ! Un incendie ! Vous allez cramer dans ce garage du IIᵉ arrondissement avec les vôtres ! Ouf ! Quelques lueurs se rallument. Un projecteur.

Surprise. Les acteurs sont tout nus.

L'Homme se réveille à cet instant précis. Votre époux est un pudique. Il pousse une clameur horrifiée :

— Je n'ai pas fait la guerre pour voir des cochonneries pareilles ! crie-t-il.

Les acteurs, entendant des protestations dans le public, sursautent et *sucrent* leur texte.

Vous pincez cruellement le bras de l'Homme.

— Tais-toi ! Ou je révèle à tes filles...

— Bon ! Bon ! fait précipitamment le père de vos enfants, je vais me rendormir.

Ce qu'il fait.

Pendant ce temps-là, la troupe des acteurs s'est assise et relevée trois fois, dans une « sorte de rituel barbare » (d'après le feuillet mal photocopié qu'on vous a remis à l'entrée). Malheureusement, le ménage n'ayant pas été fait depuis la construction du garage, les fesses roses des nudistes sont recouvertes de grandes plaques grises de poussière, du plus bel effet.

Petite Chérie pouffe. Justine aussi. Les deux sœurs

échangent à voix basse, en hoquetant de rire, des plaisanteries salaces sur le sexe des acteurs. Monsieur Gendre fait la gueule.

Tout à coup, sans que vous n'ayez rien compris, le spectacle est terminé. Les morts ressuscitent et saluent. Vous battez frénétiquement des mains, au point d'en avoir mal aux paumes, en hurlant : « Bravo !... Génial !... » Vous encouragez votre petite famille à en faire autant. Elle s'exécute, toute contente à l'idée de rentrer se coucher. Le critique du journal local de l'arrondissement se retourne et vous regarde avec curiosité. Puis, il s'en va, sans applaudir, toujours plongé dans sa querelle conjugale avec sa *pétasse*.

Vous foncez ensuite dans le couloir obscur, qui sert de loge, féliciter l'auteur et comédienne. Les vôtres attendant dehors avec la mine hargneuse.

— Vraiment, vous avez aimé ? demande, épanouie, la jeune Célia.

— Formidable ! Ça *décoiffe*...

— Et le critique ? interroge-t-elle, angoissée, avait-il l'air content ?

Vous vous gardez bien de parler de la scène de ménage.

— Pouh ! les critiques ! dites-vous d'un ton péremptoire, des aigris qui détestent les jeunes talents ! Aucune importance...

La petite troupe d'acteurs, qui s'est groupée autour de nous, vous approuve chaleureusement. Vous embrassez à la ronde et vous vous sauvez.

L'Homme jure qu'il n'ira plus jamais voir des pièces de théâtre dans un garage du IIe arrondissement.

Vous non plus. La mère de Célia vous a trahie, elle aussi ! Elle a fait donner le job du vidéoclub au fils de votre ex-copine Juliette, qui lui a obtenu, pour la pièce de sa demeurée de fille, un article élogieux de trois lignes dans son magazine pourri.

Vous rayez son numéro de téléphone dans votre carnet.

Vous apprenez néanmoins, par la rumeur, que la jeune Célia — dont la pièce a tenu treize jours — a trouvé un petit boulot surprenant mais bien payé.

Deux semaines en vitrine des Galeries Farfouillettes, couchée dans un lit immense, en chemise de nuit, dans le cadre d'une promotion pour les couettes Couettissima « plus chaudes que le soleil ». En compagnie d'un autre acteur, spécialisé dans les rôles de tragédie classique et en pyjama.

Tout ce qu'elle a à faire, c'est de rester sous sa couette, l'air heureux. Pas si facile. Entre l'édredon gigantesque et les spots lumineux, il règne, dans la vitrine, une chaleur d'enfer. Elle ne doit ni fumer ni boire pour ne pas aller faire pipi tout le temps. Elle s'embête. Interdiction de lire ou d'écouter la radio. Juste le droit de regarder les passants qui s'attroupent, le nez écrasé contre la vitre. Interdit également de faire des grimaces à ceux qui osent des gestes obscènes.

Mais le plus dur à supporter est le visage brouillé de larmes de la mère du jeune acteur — qui s'est enfui de son domicile — et qui vient contempler son fils pendant de longues heures. Cette apparition muette et désespérée met le comédien dans tous ses états. Il se venge sur Célia en la pinçant sous la couette. Elle riposte par des coups de pied. Huit jours de plus et ils s'étranglaient en public, sous leur Couettissima en promotion.

Ayant épuisé les ressources de vos carnets d'adresses, vous vous emparez de ceux de l'Homme. Qui glapit d'indignation. Vous piaillez plus fort que lui. Il est un père indigne, celui qui ne veut pas donner un petit coup de pouce professionnel à sa propre fille ! (En même temps, vous vérifiez sur les agendas s'il n'y a pas de noms de femmes inconnues.)

Votre époux se venge en refusant de vous indiquer la situation de ses copains de régiment. Vous finissez par repérer néanmoins l'amiral des Bateaux-Mouches. Épatant. Sûrement une mine de petits boulots de caissières, guides touristiques, vendeuses de souvenirs, etc.

Vous sautez sur le téléphone pour l'inviter à dîner. Il est charmant. Mais pris par six mois de rendez-vous avec d'autres parents, en charge, eux aussi, de jeunes chômeurs. Vous prenez votre tour.

Deuxième trouvaille : le délégué général de l'Association des autoroutes. Il doit avoir des péages dans sa manche, celui-là.

Nouvelle invitation à dîner. Pour parler du bon vieux temps. Il n'a pas l'air surpris, après vingt ans de silence. Seulement très content d'être convoqué avec sa femme à 8 heures du soir. Excellente idée ! commente-t-il, ces invitations à 21 h 30 me rendent fou ! Ah ! Lui aussi ! Vous vous êtes fait un ami. Bonne perspective.

Il est tellement heureux qu'il arrive à 8 heures moins dix, avec sa femme, et l'Homme est obligé, à son tour, de les accueillir pieds nus, pas rasé et sans cravate (vous, vous êtes toute nue).

Vous n'avez pas lésiné sur les frais. Saumon-froid-sauce-verte. Viande en croûte. Charlotte au chocolat. Étudiant/maître d'hôtel de Ludéric.

Petite Chérie est là, lavée — vous avez vérifié même ses ongles de pied — habillée BCBG et coiffée d'un sage catogan de velours noir.

A peine installé devant le saumon-froid-sauce-verte, le délégué général de l'Association des autoroutes se tourne vers elle.

— Alors, mademoiselle, vous cherchez du travail ? interroge-t-il, jovial.

Vous restez pétrifiée. Comment ce diable d'homme a-t-il deviné ? Votre époux vous jette des regards lourds de reproches. Pourtant, vous avez été très délicate dans votre invitation.

Votre désarroi doit se lire sur votre visage car la femme du délégué éclate de rire :

— Nous avons l'habitude des parents de futurs péagers ou pompistes...

— Malheureusement, reprend son mari, il y a longtemps que je ne suis plus aux autoroutes.

Votre cœur s'arrête de battre. Vous regardez avec dégoût votre énorme poisson inutile qui a brusquement un goût plâtreux.

— Mais je suis beaucoup plus intéressant, reprend joyeusement votre invité. Je dirige une boîte de sondages et enquêtes de marché. Nous cherchons à l'heure actuelle de jeunes enquêteuses. Est-ce que cela vous intéresserait ?

— Ben... si c'est bien payé... répond Joséphine.

Vous lui écrasez le pied sous la table.

— Ça la passionne ! assurez-vous. En plus, elle a le sens des rapports humains. (Vous dites n'importe quoi pour avoir le job !) Je suis sûre qu'elle vous donnera toute satisfaction.

Le merveilleux patron des E.S.P.T (Enquêtes et Sondages Pour Tous) sort une carte de sa veste, y griffonne quelque chose et la tend à Petite Chérie.

— Allez voir, de ma part, mon directeur, dès demain. Vous commencerez immédiatement un stage de formation.

Vous vous répandez, l'Homme et vous, en exclamations de bonheur et de remerciements. Le saumon vous paraît à nouveau sublime.

— Mais, dis-moi, mon petit vieux, demande le charmant président des E.S.P.T. à l'Homme, ta société a déjà fait faire des études de marché sur tes produits ?

— Hon ! fait l'Homme réticent, tu sais, les boîtes qui achètent des cabanes de chantiers métalliques ou des...

— Tut ! tut ! fait le copain, je vais te faire une proposition pour une grande enquête de motivation concernant tes fabrications. In-dis-pen-sa-ble pour le marketing de ton entreprise. Je t'appelle demain à ton bureau.

L'Homme est coincé. Il a casé sa fille. Son copain a casé son enquête.

On appelle ça : « les affaires ».

11

Vous réalisez brusquement que vous n'avez plus de nouvelles de Fille Aînée, depuis au moins dix jours. Vous sautez sur le téléphone.

Une voix féminine, à l'accent doux et chantant, vous répond que Youstine est à son bureau.

Quel bureau ?

La voix ne sait pas. Elle a juste un numéro de téléphone qu'elle vous communique, tant bien que mal, et qui se révèle être celui des Pompiers. Vous insistez. La voix a un autre numéro, en cas d'urgence. C'est le vôtre. Vous abandonnez l'idée d'appeler tous les bureaux de Paris et demandez comment vont les enfants.

— T'ès bien, maâââââdâââme! Ils sont devant la télé en t'ain de manger des beignets de mo'ue, des chips et du chocolat...

Curieux régime.

Vous ne dérangez pas Petit Garçon qui, arraché à ses chers feuilletons américains, peut se révéler hargneux.

— Ben oui, je vais bien, Mamie, mais je regarde Santa Barbara...

Clac!

Vous rappelez à l'heure du dîner. Le numéro est occupé.

Vous le refaites toutes les demi-heures. Toujours pas libre.

A 11 heures du soir, enfin, Fille Aînée décroche.

— Allô?

— Je sais! Je sais! Tu es furieuse! crie Justine, vous empêchant habilement d'exprimer votre mécontentement. J'aurais dû te prévenir mais cela s'est fait si vite... Je travaille dans une petite agence de relations publiques depuis une semaine...

Elle se lance dans une longue tirade incohérente.

Ras-le-bol d'être une pantoufle à la maison! A bas la bobonne! Finie la dactylographie, en chambre, de textes débiles. Toutes ses copines avaient des jobs passionnants, faisaient des carrières époustou-flantes, se révélaient des « battantes ». Indépen-dantes. Brillantes. Marrantes. Pourquoi pas elle? D'autant plus que Monsieur Gendre passait sa vie en voyage, envoyé par sa salope de mère aux quatre coins du monde. Justine avait bien essayé de l'ac-compagner. Mais, pendant que Louis pérorait avec ses clients, elle devait se cacher, telle une maîtresse illégitime, dîner seule dans sa chambre d'hôtel et passer ses journées dans les musées et les zoos. Sans compter qu'au retour, la terrible Superwoman épluchait elle-même les notes de frais pour s'assurer que son fils n'avait pas emmené sa femme.

Alors Fille Aînée avait craqué. S'était associée avec une amie. Pas encore beaucoup de clients mais un boulot fou, fou, fou.

— Et les enfants ?

De sa voix haletante, Justine vous fait remarquer que toutes les jeunes femmes modernes travaillent comme des cinglées d'une main et pouponnent de l'autre.

— Toi-même, tu l'as fait ! accuse-t-elle.

— Tu me l'as assez reproché.

— Ce n'est pas la même chose.

Tiens, pourquoi ? Vous ne le saurez jamais car votre héritière numéro un vous vante, avec extase, ses nouvelles activités.

Elle s'occupe déjà de plusieurs budgets. En particulier de celui d'un fabricant alsacien d'une eau-de-vie de céleri qui ressemble à de la vodka. Vous n'avez jamais entendu parler d'eau-de-vie de céleri !

— Ah ! tu vois ! s'exclame Fille Aînée triomphante, il était temps que je m'en occupe. Malheureusement, j'ai eu des problèmes.

Car le client était fauché. Alors Justine a acheté une centaine de pieds de céleri, les a lavés elle-même, enveloppés dans un crépon vert et déposés dans les rédactions des principaux magazines féminins. Les journalistes, chargées de la chronique culinaire, furent terrorisées, prenant le pied de céleri ainsi enturbanné de vert pour une bombe islamique, et coururent courageusement le jeter dans la poubelle de la rue.

Sans se laisser démoraliser, Fille Aînée distribua alors une centaine de petites bouteilles d'échantillon. Qui furent bues par les hôtesses d'accueil et les secrétaires des secrétaires. Qui se gardèrent bien d'en parler. Le silence retomba sur l'eau-de-vie de céleri, à la grande fureur du fabricant, qui interdit à Justine de mettre les pieds en Alsace.

Mais rien ne peut calmer l'enthousiasme de Fille Aînée.

Elle a un autre client qui fabrique des rillettes allégées, du saucisson allégé, du cassoulet allégé. Les Français sont fous de minceur, vous explique-t-elle et tout est désormais allégé. Y compris le porte-feuille.

Elle est aussi chargée de vanter à la presse les mérites d'un yaourt à l'eau de source mais sournoisement purgatif, d'une poêle magique (elle va vous en envoyer une, avec laquelle vous ne raterez plus vos omelettes, merci, ma chérie !), d'un esquimau de cellules fraîches de fœtus d'agneau (pouah !) à garder au congélateur et à passer tous les matins sur les rides pour les effacer...

Elle doit raccrocher en plein milieu de votre conversation. Quelqu'un est sûrement en train de l'appeler frénétiquement, malgré l'heure tardive. Un écrivain/aventurier qui adore se faire photographier torse nu, avec un revolver accroché sous son bras. Il refuse de donner son adresse comme s'il était pour-suivi par toutes les polices de France et de Navarre. Et appelle de cabines publiques en chuchotant d'une voix rauque. Vous ricanez. Vous pariez qu'il est inscrit comme tout le monde à la Sécurité sociale. Et à la Caisse de retraite des vieux auteurs. Votre cynisme indigne votre fille. Qui vous quitte, toujours exaltée.

Mais vous ne savez pas qui s'occupe de vos petits-enfants.

Vous vous méfiez des baby-sitters depuis l'importation, l'été dernier, dans le Lot, d'une superbe Finlandaise. Tout voyage payé depuis le Cap Nord.

La magnifique créature parlait très mal le français. Mais très bien le langage des yeux. Elle n'eut pas un regard pour les enfants. Mais coula des œillades langoureuses en direction de Monsieur Gendre et même de l'Homme.

Qui la trouvèrent épatante.

Des scènes de jalousie éclatèrent entre Justine et Louis. Et, à l'étage au-dessus, entre votre époux et vous.

La Finlandaise fut renvoyée, illico, au Cap Nord, par le Front du Refus des femmes légitimes, au secret désappointement des mâles de la famille.

Chez Fille Aînée, la voix à l'accent doux et chantant appartient à une Mauricienne du plus beau noir et au charmant sourire. Elle semble adorer les enfants, ce qui vous réconforte.

Cependant, Petit Garçon a des soucis.

— Papa ne me donne pas assez d'argent de poche !

— Ah ? dites-vous prudemment. (Vous êtes une sainte mamie qui refuse d'être prise comme arbitre dans un conflit parents-enfants.)

— Je ne peux même pas offrir un Coca, tous les jours au goûter, à Odile.

— Qui est Odile ?

— Ma fiancée.

— Félicitations. Quel âge elle a ?

— Onze ans. Je sais qu'elle est vieille. Mais j'en suis fou ! Elle m'a même embrassé !

— Ah ! ah ! Et c'était bien ?

— Pas terrible, dit Petit Garçon, un peu triste, son appareil à dents s'est pris dans le mien.

Vous compatissez. Saloperies que ces engins dentaires.

— Et je n'ai pas assez de sous pour lui payer ses Cocas, reprend Sébastien, dépité. Maman refuse de m'augmenter même si je desserts la table. Pourtant, elle paie Cyrielle. Est-ce que toi, tu me donnerais de l'argent si, le dimanche, je nettoie ton four ou si je lave la voiture de Papy ?

— Je vais réfléchir. Mais ta proposition m'intéresse.

— Je sais faire aussi les carreaux... heu... un peu ! Et nettoyer les radiateurs par-derrière, là où personne n'enlève jamais la poussière.

Il vous regarde d'un air tellement anxieux que votre cœur fond.

— Écoute, si tu veux, la semaine prochaine, je t'emmène déjeuner avec Odile, dans un grand restaurant. Et elle pourra boire autant de Cocas qu'elle voudra.

— *Géant !* crie Petit Garçon, en se jetant à votre cou. Merci, *ma poule !*

— Moi aussi, j'aimais beaucoup Coluche, remarquez-vous sèchement, mais je préfère que tu m'appelles Mamie.

— *Hugh !*

Le mercredi suivant, vous faites la connaissance de la fiancée de votre petit-fils.

Vous êtes consternée.

Une vraie bêcheuse, avec des cheveux blonds permanentés et laqués, une robe surchargée de volants, le fameux appareil dentaire qui la rend prognathe. Et surtout un air satisfait d'elle-même qui ne laisse présager rien de bon.

Vous avez emmené le jeune couple au *Restaurant de la Fontaine* (très élégant, très cher) avec l'idée de vous promener ensuite dans le bois de Boulogne.

— J'ai horreur de me promener dans le bois de

Boulogne, vous annonce la dénommée Odile, d'un ton péremptoire.

— Mamie ! Elle a horreur de se promener dans le bois de Boulogne ! répète Sébastien d'un ton geignard. Est-ce qu'on est vraiment OBLIGÉS ?...

— Non, dites-vous généreusement, on pourra aller au cinéma.

— Je ne veux pas voir de film en américain. Je veux voir un film en français ! vous assène la déplaisante petite créature.

— Mamie ! Elle ne veut pas voir de film en américain. Elle veut voir un film en français, brame Sébastien.

— Inutile de répéter ! Je ne suis encore ni sourde ni gâteuse, déclarez-vous, en cachant votre agacement.

La jeune Odile sourit d'un air triomphant.

Son amoureux la contemple avec adoration.

Vous êtes écœurée. Voilà comment l'amour transforme en idiot de village un Petit Garçon si charmant et intelligent. Du moins, quand il voulait vous épouser, vous. Avant l'arrivée de cette garce.

Elle désigne la table d'un index pointu.

— Les autres ont des fleurs. Nous, on n'en a pas.

Votre petit-fils saute à bas de sa chaise et court cueillir quelques tulipes dans les jardinières qui décorent le restaurant. Vous criez :

— Non ! Sébastien ! Pas celles-là.

A votre grande gêne, les clients se retournent et le maître d'hôtel s'avance vers vous, d'un air mécontent. Petit Garçon revient, tenant trois tulipes.

— Pour toi, dit-il, en tendant ses fleurs à la jeune Odile.

Pas une pour vous.

Vous êtes ravagée de jalousie.

266

— Nous avons des menus spéciaux pour enfants, avec steaks-frites, déclare le maître d'hôtel.

— Parfait. Trois menus, répondez-vous.

— Moi, je ne mange qu'à la carte ! piaille d'une voix suraiguë la fiancée de Petit Garçon.

— Mamie ! Elle ne mange qu'à la carte, redit Sébastien qui a décidé que vous étiez devenue une vieille *pouff* sénile !

Bien que la main vous démange d'allonger une bonne claque à ces deux-là, vous réussissez l'exploit de prendre un air (faussement) indulgent.

— Qu'est-ce que tu aimerais ? demandez-vous à l'emmerdeuse.

— Du caviar, du foie gras, du saumon fumé.

— ... trop cher pour mon porte-monnaie, déclarez-vous calmement.

Et vous confirmez au maître d'hôtel les trois steaks-frites.

La princesse Odile vous regarde avec haine. Petit Garçon est effondré.

C'est alors que vous remarquez au doigt de la jeune monstresse, une bague que vous croyez bien reconnaître. Vous l'avez offerte à Fille Aînée pour ses quinze ans.

— Qui t'a donné cet anneau ?

— Sébastien. Pour nos fiançailles.

Les oreilles du Petit Garçon deviennent coquelicot.

— Heu... je l'ai trouvé dans un œuf en chocolat, à la boulangerie... marmonne-t-il.

— Malheur ! Non seulement l'amour te rend voleur mais menteur ! dites-vous sévèrement. Je te prie de remettre ça dans la boîte à bijoux de ta mère, avant qu'elle s'en aperçoive !

— Elle ne s'aperçoit plus de rien depuis qu'elle travaille, répond tristement Sébastien.

Un poignard vous perce le ventre. Décidément,

cette histoire du travail des femmes et du maternage des enfants n'est pas résolue.

La jeune Odile retire le cercle d'or torsadé de son doigt, et le tend à Petit Garçon.

— On est défiancés! annonce-t-elle.

— Parfait! vous écriez-vous venimeusement. Cela ne me faisait aucun plaisir de t'avoir dans la famille. Tu es une horrible petite chipie.

Sébastien eut un gros chagrin. Mais, Dieu merci, une certaine Marion — de la classe au-dessous — lui donna un dessin avec deux gros cœurs rouges et il retomba amoureux. Cette passion-là fut paisible, la fiancée se contentant d'un Orangina par semaine, ce qui était dans les moyens financiers du jeune homme.

Jolie Princesse avait, elle aussi, des problèmes. Elle vous téléphona.

Ou plutôt c'est Petit Garçon qui fait le numéro et vous la passe.

— Mamie, tu peux me faire un gâteau au zocolat? vous demande-t-elle, sans préambule.

— ... J'ai beaucoup de travail en ce moment, ma chérie... pas le temps de confectionner des gâteaux au chocolat.

Vous êtes en train de déjeuner avec un jeune metteur en scène qui vient-de-sortir-son-premier-film-avec-succès. Et dont la tête, gonflée de contentement, ne passerait pas sous l'Arc de Triomphe. Il vous lance des critiques à peine polies sur le scénario admirable que vous venez d'écrire. L'atmosphère est peu chaleureuse et vous avez les nerfs en pelote.

— Z'ai un goûter à l'école, pleurniche Émilie dans le téléphone. Tous les z-enfants, ils doivent apporter un gâteau au zocolat...

— Demande à Cyrielle.

— Elle zait faire que les pâtes et les curries !

Le jeune metteur en scène qui vient-de-sortir-son-premier-film-avec-succès vous regarde avec mépris. Il vous trouve visiblement une vieille cloche avec vos histoires de petits-enfants et de gâteau au chocolat.

Vous demandez à reparler à Sébastien.

— Va en acheter un chez le pâtissier. Je te le rembourserai.

— La maîtresse, elle veut pas. Elle dit que c'est les mamans qui doivent faire les gâteaux pour participer à la vie des enfants à l'école. Et Maman est partie à un festival de la Bande dessinée.

La peste soit des maîtresses qui ignorent la vie frénétique des mères et des grand-mères qui travaillent !

Vous entendez Jolie Princesse qui sanglote dans le fond de la pièce.

— Bon, je viens !

Vous laissez en plan, devant son café, le jeune metteur en scène qui vient-de-sortir-son-premier-film-avec-succès. Du reste, vous ne désirez pas travailler avec un individu, incapable de comprendre la détresse d'un enfant qui doit apporter un gâteau au chocolat au goûter de son école. Vous attendrez que son deuxième film soit un échec et qu'il redevienne un être humain. (Ce qui arriva. Vous ne donnerez pas de nom.)

Vous n'êtes pas très douée en cuisine, comme l'on sait. Votre Mamita — bien que vous ayez appris par cœur la recette dans un livre, *Des plats faciles pour tous* — sort du four, brûlé sur le dessus et pas assez cuit à l'intérieur. En plus, il se casse en morceaux mous du plus vilain effet.

La maîtresse le regarda avec horreur, le remballa

dans son papier alu et le rendit sans un mot à Jolie Princesse. Qui eut l'exquise délicatesse de ne faire aucun commentaire désobligeant.

Les coups de téléphone des enfants se font quotidiens. Vous devenez une véritable entreprise de transport. A la grande fureur de Petite Chérie à qui vous réussissez à arracher votre voiture, certains jours.

Vous courez chez le dentiste avec Petit Garçon (son appareil) d'où vous galopez chez le pédiatre (vaccins de Jolie Princesse). Vous foncez au cours de claquettes de Sébastien qui enchaîne — à l'autre bout de Paris — avec des leçons de judo. Pendant ce temps-là, vous avez à peine le temps de conduire Émilie à son atelier de poterie d'où vous partez rechercher Sébastien à son stage d'escrime. Et quand vous revenez arracher Émilie à ses dessins, elle sanglote que vous êtes en retard.

L'idée vous traverse parfois l'esprit que c'est fou ce que les enfants, à notre époque, ont comme activités. Vous, quand vous étiez petite, vous passiez vos heures libres toute seule à rêver et à jouer à la poupée. Vous aimez croire que les nouvelles générations — déjà *speedées* à dix ans — seront plus intelligentes que vous.

Vous devenez également S.V.P. Mamie/Devoirs. Bien que vous soyez une si mauvaise élève. Ils vous appellent, de préférence à leur mère, pour ne pas la déranger dans son travail.

— Mais moi aussi, je travaille ! vous exclamez-vous.

— Non. Toi, tu écris, répond Petit Garçon froidement.

Résumant ainsi l'avis familial.

Et puis un jour, voix affolée de Cyrielle dans le téléphone. Elle bredouille tellement que votre cœur descend dans vos talons.

— Appelez le Samu ! hurlez-vous.

La jeune Mauricienne continue de bredouiller en créole.

— Passez-moi Sébastien ! beuglez-vous.

Petit Garçon est parfaitement calme.

Jolie Princesse s'est enfermée à clef dans la salle de bains. Elle ne sait ni ouvrir la porte ni fermer les robinets de la baignoire qui coulent à flots. Elle va se noyer, prédit avec satisfaction son frère.

— J'arrive !

Petite Chérie, une fois de plus, a gardé les clefs de la voiture. Vous sautez dans un taxi qui proteste. Il rentre chez lui et ne va pas dans votre direction. Vous sortez, de votre sac, une très vieille carte de presse périmée mais barrée de tricolore.

— Défense nationale, murmurez-vous d'un ton dramatique. Vite ! Il s'agit d'une affaire d'État.

Chance : votre chauffeur est un patriote. Il fonce.

Quand vous arrivez chez Fille Aînée, vous trouvez Cyrielle, Petit Garçon et un groupe d'inconnus en train de patauger dans dix centimètres d'eau. Tandis que Jolie Princesse hurle à pleins poumons dans la salle de bains, derrière la porte fermée.

— Arrête de crier ! braillez-vous à votre tour. C'est Mamie !

— Z'ai peur. Ze vais me noyer.

— Mais non. Tourne la clef dans la serrure, tran-quil-le-ment.

— Ze peux pas. Ze suis trop petite.

Au moment où vous décidez d'appeler les Pompiers, un grand jeune homme brun, à l'accent étranger, vous propose de défoncer la porte à coups d'épaule. O.K. Il le fait. Émilie se jette dans vos bras et vous dans ceux de votre sauveteur inconnu. Un immigré yougoslave qui passait dans les étages vendre des vues du lac d'Annecy, toujours fabriquées à la chaîne dans les ateliers coréens. Vous lui achetez sa production entière. Il s'en va, enchanté.

(Vous distribuerez vos tableaux à tous les habitants de votre village du Lot. Ce qui surprendra un ethnologue très connu, visitant la région. Qui envisagera d'écrire une thèse sur l'émigration des ramoneurs savoyards, dans le Quercy, au XVIe siècle.)

Pendant ce temps, Petite Chérie est devenue une enquêteuse de choc. Elle travaille même pour trois instituts de sondages, à la fois.

De dix heures à dix-sept heures, elle bosse pour l'E.S.P.T. (Enquêtes et Sondages Pour Tous). Sur le terrain. C'est-à-dire dans la rue.

Qu'il pleuve ou qu'il vente, elle fonce poser, à des passants innocents, des questions aussi importantes que :

— Vous lavez-vous les dents tous les jours ?

— Ben... non !

Ou

— Aimeriez-vous avoir un manteau de vison ?

— Ben... oui !

Ou

— Utilisez-vous de la purée de pommes de terre en flocons ?

— Ben... c'est quoi ?

Ou

— Vous vous ennuyez pendant l'amour ?

— Ben... ça dépend !

D'après ses observations personnelles, les personnes abordées répondent aimablement, de seize à trente-cinq ans. Sauf les jeunes mères munies de bébés hurlant à la mort.

Avec celles de trente-cinq à soixante ans, Joséphine a souvent droit à des regards agressifs et à des réponses telles que :

— Qu'est-ce que ça peut vous faire ?...

— Je vous en pose, moi, des questions ?...

— J'ai mon opinion, mais je me la garde...

— Au lieu de vous livrer à des enquêtes idiotes, vous feriez mieux de faire marcher les trains-le-métro-les-autobus-les-avions...

Vous devez avouer que, pressée de donner le fond de votre pensée sur les savonnettes de bain au lait d'avoine, vous répondez avec un large sourire et une voix essoufflée :

— Pas le temps...! Je suis dompteuse de cirque et j'ai dix-sept tigres qui m'attendent...

Ce qui désarçonne visiblement votre adversaire. Vous ne figurez pas dans l'« échantillonnage représentatif ». Maintenant que votre fille cadette exerce ce métier, vous avez plus d'indulgence pour les pauvres « vacataires » et vous vous prêtez de bonne grâce à leurs interviews.

En revanche les mémères et les pépères ayant dépassé l'âge de la retraite ont tout leur temps. Joséphine a un mal fou à se dépêtrer de leurs confidences sur leurs maladies intimes, leurs rapports avec leurs enfants toujours en province, et les pissous difficiles de leurs vieux chiens.

Dans certains cas, une fois le passant fait prisonnier, votre cadette doit le pousser dans une caravane ou un salon d'hôtel, loué pour les circonstances. Certains hésitent avec inquiétude à y pénétrer. Dix mille personnes disparaissent tous les ans en France. Petite Chérie a appris à les convoyer d'une voix cajoleuse comme du bétail récalcitrant. Holà ! La Grise ! Ho !...

De temps en temps, un monsieur faussement goguenard lance une réflexion du style :

— Tiens, le coup de la caravane, on ne me l'avait pas encore fait !... Vous prenez combien ?

Une dame minaude :

— Moi, je ne ressemble à personne... ! Je vais fausser votre sondage !

Installée avec son patient, Joséphine se rappelle qu'elle est payée au questionnaire et qu'elle doit remplir un quota. Elle mène alors l'entretien à une rapidité folle et coche les réponses avec ardeur, même si le sondé n'a rien compris.

Vous apprenez la différence entre la « question fermée » (réponse : oui ou non, peu payée), la « question ouverte » (avec bavardage mais mieux payée) et la « question omnibus » (vous ne démêlez pas très bien ce que c'est).

Tous les enquêtés mentent, prétend votre héritière. Sur leur âge (certaines mamies de soixante-cinq ans en avouent coquettement trente-cinq). Sur leurs revenus (les riches se font passer pour pauvres et *vice versa*). Sur leurs lectures (le nombre de gens qui prétendent lire pieusement *Le Monde*, tous les jours, est le double des lecteurs avoués par le journal dans ses jours fastes). Sur leurs relations sexuelles (toujours épatantes et terriblement fréquentes). C'est le genre d'interrogation à laquelle vous adorez répondre : « C'est quoi, des relations sexuelles ? » Personne n'ose expliquer.

De dix-sept heures trente à dix-neuf heures, Petite Chérie cavale dans les immeubles déposer des échantillons de produits divers. Pour le compte de la S.T.A. (Sondages Tous Azimuts). Il lui faut franchir le barrage des portes à code, le manque d'ascenseur, la réticence des gens à ouvrir leur porte à une jeune inconnue, leur inquiétude devant la bouteille de shampooing bleue contre la chute des cheveux, l'ampoule électrique rose (elle va pas faire tout sauter ?), le tube dentifrice fluo (vraiment c'est gratuit ?).

Huit jours plus tard, Joséphine repasse pour un « entretien » sur le produit déposé.

Dans un cas, il s'agissait d'un nouveau slip pour hommes. Un colosse l'accueillit et tint à lui faire constater, en baissant son pantalon, que « ses trucs ne tenaient pas dedans ! ». Un exhibitionniste tenta de la poursuivre dans le couloir en criant « qu'elle l'avait violé moralement ». Elle l'aspergea de sa bombe à gaz et courut se réfugier chez la concierge qui la réconforta. Et remplit le questionnaire à la place de son locataire fou.

Le Père poussa des cris terribles à l'idée que sa précieuse cadette pouvait être la proie de dingues déculottés. Petite Chérie répondit que ces pauvres hommes — généralement des solitaires abandonnés par leurs femmes — n'étaient pas les plus dangereux.

Ayant confié, un jour, des boîtes de pâté pour chats, elle fut agressée, lorsqu'elle revint, par de vieilles dames hystériques.

— C'est immangeable, hurla l'une d'entre elles, en lui flanquant une assiette à la figure, vous n'avez qu'à y goûter vous-même, pour voir... !

Une autre, dont le minou était mort entre-temps, l'accusa carrément d'être une empoisonneuse et la bombarda, jusque dans l'escalier, avec les objets ayant appartenu au bien-aimé disparu.

A 19 h 30, Joséphine est de retour chez vous. Où, pour le compte de l'E.T.A.C.I. (Enquêtes Téléphoniques A Chaque Instant), elle bloque votre téléphone jusqu'à 11 heures du soir. Malgré vos récriminations. Vous êtes stupéfaite de voir combien les gens répondent poliment. Vous devez avouer que, lorsque vous êtes dérangée par une voix, même charmeuse, qui vous demande quel papier de toilette vous utilisez les jours pairs, vous répliquez par des trucs malhonnêtes.

En principe, votre fille est remboursée de ses (vos) communications. Mais elle garde l'argent pour elle, ce qui ajoute à votre indignation.

Si vous avez le malheur de bavarder vous-même avec Fille Aînée, elle tourne autour de vous, comme une louve affamée.

VOUS (agacée) : Tu as besoin du téléphone ?

JOSÉPHINE (rongeant ses ongles) : Tu raccroches quand tu le sens !

Vingt-trois heures. C'est sur vous que votre fille se précipite. Pour *bidonner* un questionnaire supplémentaire. Vous devenez une vraie pro de l'enquête. Et répondez à toute vitesse, d'autant plus que sondeuse et sondée tombent de sommeil. Du reste Joséphine fait souvent les demandes et les réponses.

— Mangez-vous du chocolat ? Rarement ? Souvent ? Tous les jours ?

Votre cadette coche la case : tous les jours.

— Ce n'est pas vrai, dites-vous plaintivement, je fais un régime.

— ... avec deux carrés de chocolat aux noisettes, en douce, tous les matins à 11 heures. Tu crois que je ne sais pas que tu caches tes tablettes derrière les coquillettes...

Quant à votre âge, vous avez décidé de vous rajeunir de dix ans. Mais votre adolescente s'en fout. Elle vous inscrit dans la tranche qui convient à son sondage. Et sous des noms différents. C'est ainsi que vous êtes, à la fois, madame Prunier, secrétaire, trente-cinq ans ; mademoiselle Vengeot, visiteuse médicale, quarante-deux ans ; et Marie d'Auteroche, chef de pub, cinquante ans. Vous avez refusé d'être madame Josette Bac, culottière.

— J'ai besoin d'une ouvrière dans mon échantillonnage ! gémit votre fille.

Vous tenez bon. Vous ignorez ce que pense une culottière de la lessive Sultanette.

Petite Chérie a établi une liste de toutes vos personnalités, scotchée sur le téléphone, en cas de vérification par les instituts de sondages.

De temps en temps, vous avez un remords.

— C'est malhonnête !

— Bah ! Tout le monde *bidonne*, répond gaiement votre fille avant d'aller interroger la concierge (cinq identités) et autres pipelettes du quartier ravies de répandre leur opinion sur tout.

Vous admirez comme votre héritière se donne farouchement à « ses missions » en cours et ne perd jamais une occasion de remplir quelques questionnaires supplémentaires (de 6 F à 150 F — moins les terribles charges sociales).

Par exemple, pendant les déjeuners du dimanche où sont réunis les divers spécimens familiaux.

Le dernier sondage provoque une tempête entre le saint-honoré et le café.

Petite Chérie sort une pile de papiers et un grand crayon.

— Il s'agit d'une enquête sur les femmes vues par les hommes, demandée par un grand magazine féminin. Première question : « Qu'est-ce qui vous agace le plus chez une femme ?... » Papa ?

L'Homme vous jette un coup d'œil chafouin.

— Rien, répond-il prudemment.

— Y'a bien quelque chose qui t'énerve chez maman ? insiste votre fille cadette.

— Heu... je ne vois pas ! dit votre époux, évitant toujours votre regard intéressé.

Joséphine se tourne alors vers Monsieur Gendre. Hélas, celui-ci n'a pas la sagesse de vieil éléphant, marié depuis très longtemps, du père de vos enfants.

— Moi, c'est quand Justine me fait une scène au moment où je m'endors !

Fille Aînée bondit.

— Quel mufle ! J'ai beau sangloter, cela ne t'empêche pas de te mettre net à ronfler... (vous prenant tous à témoin), il ne se réveille même pas si je défonce le piano à coups de marteau...

— Ma femme aussi adore se disputer au moment où je glisse dans le sommeil, confie l'Homme, oubliant sa prudence de vieil éléphant.

— Quoi ? piaillez-vous avec indignation. Et qui met sa tête sous son oreiller quand je me plains que tu as oublié notre anniversaire de mariage ?

— Voilà un autre truc qui m'énerve chez les bonnes femmes, reprend Monsieur Gendre — qui a bu trop de sancerre au déjeuner — elles vous reprochent des détails qu'on a oubliés depuis dix ans et qu'elles ont gardés bien au chaud sur leur estomac.

— Et moi, ce que je ne supporte pas, crie Justine, c'est que ce qui t'arrive à toi est toujours follement important... alors que tu n'écoutes même pas ce qui m'arrive à moi !

— J'écoute pas parce que tu as déjà tout raconté à ta mère et à tes copines, siffle Louis.

Il s'aperçoit de sa gaffe et rougit, sans oser vous regarder.

— Une maman est toujours la meilleure confidente de sa fille, déclare pompeusement votre propre mère.

— Ah non ! Toi, tu ne dis rien ! Mon questionnaire s'adresse aux moins de cinquante ans, déclare Petite Chérie à sa grand-mère. Qui le prend très mal.

— Voilà une enquête idiote et raciste ! Au-dessus

de cinquante ans, on n'a pas le droit d'avoir des idées sur la vie ?

— Bon, dit Joséphine, conciliante. Je vais t'inscrire sous le nom de madame Gervais, quarante-huit ans, ménagère.

— Qu'est-ce qu'il y a d'autre, dans ton sondage à la noix ? demande Justine, perverse.

— Toujours pour les bonshommes : « Trouvez-vous que les femmes soient possessives, jalouses, incohérentes, de mauvaise foi, susceptibles ?... »

— Oui ! Oui ! crient l'Homme et Louis, avec un bel ensemble.

— Salauds ! Salauds ! répond le chœur des femmes de la famille.

Une scène générale éclate. Fille Aînée accuse Monsieur Gendre d'être un petit-bourgeois terrorisé par sa mère et ne pensant qu'à sa retraite. Louis lui rétorque qu'elle n'a à la bouche qu'une seule phrase : « Je ne suis pas ta bonne ! » Votre époux se plaint que vous ne l'aidiez jamais à retrouver ses clefs ou ses lunettes et que vous le mettiez au régime quand vous avez quelques kilos de trop, c'est-à-dire tout le temps. Il survit, grâce aux déjeuners d'affaires. Vous sautez en l'air. Si vous le vouliez, vous pourriez, vous aussi, déverser un camion de griefs sur sa tête. Ah mais ! Par exemple, cette exaspérante manie qu'il a de nier qu'il ronfle... Et celle de lire son journal devant la télé et de vous demander ce qui s'est passé dans le film, au moment précis où vous allez apprendre qui est l'assassin. Vous êtes coupée par Petite Chérie qui gémit que le Maudit Marin (dont vous avez presque oublié l'existence) ne laisse jamais de pourboires au restau et l'appelle « maman ».

— Ça me tue ! révèle-t-elle, farouche.

Vous n'avez pas le temps de vous réjouir d'apprendre que ces deux-là se disputent. Votre mère est en train de dévoiler à la ronde que son mari (votre père, hélas disparu) lui avait été infidèle une fois. Il y a quarante ans. Elle se met à pleurer. Vous vous élancez pour la consoler tandis que l'Homme clame que l'infidélité masculine est normale. Vous insultez ce macho. Justine flanque une claque à Louis qui ne range jamais ses chaussures. Les enfants, que les adultes avaient complètement oubliés, se mettent à brailler. Louis rend sa claque à Justine. Qui se jette à son tour dans vos bras (qui êtes dans ceux de votre mère) en hurlant qu'elle veut divorcer.

Vous avez un mal fou à rétablir l'harmonie générale. Ce n'est qu'un concert de beuglements et de sanglots.

Vous sommez Petite Chérie d'arrêter ses enquêtes meurtrières en famille. Vous *bidonnerez* à la place de tout le monde, voilà tout ! Ouf !

Sonnerie du téléphone au moment où vous allez porter un petit morceau de bifteck à votre bouche. Toujours la même histoire. Vous le mangerez froid et graisseux.

Une voix masculine inconnue.

— Allô ? Est-ce à madame Prunier que je parle ?

Encore un de ces emmerdeurs qui vous dérangent pendant les infos de 13 heures. Furieuse, vous vous exclamez avec force :

— Non, monsieur !...

Là-dessus, votre regard tombe sur la liste des noms bidons dont Petite Chérie vous a affublée pour ses enquêtes.

— Si ! Si ! C'est moi ! criez-vous.

— C'est vous ou ce n'est pas vous ? demande la voix soupçonneuse du vérificateur de l'institut de sondages S.T.A.

— C'est-à-dire que c'est mon nom de jeune fille, mentez-vous hardiment (vilain! vilain!)... Je suis en train de divorcer... et je ne suis pas encore réhabituée à... heu... vous comprenez?

Le vérificateur feint de vous croire.

— Avez-vous été interrogée par une de nos enquêtrices sur Vanus, la marque de croquettes de poisson aux choux?

— Du poisson aux choux? faites-vous, avec horreur... Non! Ah si! Ah si! Maintenant, je me souviens! Une charmante jeune fille très polie et dynamique...

Trop tard. Le vérificateur sait que vous mentez. Et vous savez qu'il sait.

Il raccroche sèchement.

Vous êtes effondrée. A cause de votre manque de présence d'esprit, Joséphine risque d'être renvoyée pour *bidonnage*.

Elle l'est.

Honte sur elle. Honte sur vous.

Mais elle s'en fiche. Elle n'en pouvait plus de galoper dans les rues et les immeubles à poser des questions idiotes à des tarés.

Elle a trouvé un nouveau boulot.

Hôtesse d'accueil pour Salons-Expositions. Une copine l'a recommandée dans une agence. Où elle va se présenter demain.

— Le piston des parents, c'est bien, vous explique-t-elle, mais celui des filles qui travaillent déjà, c'est mieux.

Et vlan pour vous!

Néanmoins, pour vous faire pardonner votre gaffe et augmenter ses chances d'être engagée, vous proposez de l'habiller de pied en cap, chez Cacharel, de l'emmener chez le coiffeur et même de lui faire faire un maquillage personnalisé par une esthéticienne.

A votre surprise, elle accepte.

Et vous remercie poliment.

En français.

C'est alors que vous réalisez que votre fille a beaucoup changé, ces derniers mois.

Finies les tenues provocantes et les chevelures pas démêlées. Elle l'admet :

— Dans le boulot, faut pas avoir l'air d'un clown si on veut donner confiance.

Mais surtout, son langage s'est modifié. Le verlan et le jargon *ado* ont presque disparu de son vocabulaire. Vous vous en étonnez.

— C'est bon pour les mômes à l'école ou à l'université, explique-t-elle, hautaine. Maintenant que je suis vieille et que je travaille, *je cause plus basic.* C'est pas *looké !*

Très bien. Parfait. Encore un petit effort et la bourgeoisie aura récupéré votre héritière numéro deux en son sein.

Reste le problème du Maudit Marin.

Comment vous en débarrasser ?

En présentant d'autres garçons à votre fille.

Mais où les trouver ?

Vous êtes sur le point de reprendre vos vieux carnets d'adresses pour relancer des invitations sournoises aux mères de garçons quand un orage éclate dans le ménage de Fille Aînée.

Monsieur Gendre veut divorcer.

12

Monsieur Gendre vous a téléphoné. La voix blanche et haletante. Pour déjeuner avec vous d'UR-

GENCE-EN-TÊTE-À-TÊTE-PAS-UN-MOT-À-FILLE-AINÉE...!

Cette cachottière et terriblement pressante invitation ne vous a laissé présager rien de bon.

Vous avez fait un caprice. Rendez-vous au *Ton Yeng* où l'on rencontre le Tout-Paris, ce qui vous donne l'impression exquise d'être une personnalité importante.

Quand vous y arrivez, Louis est déjà là, la figure sombre, les doigts tapotant la table, une corne de rhinocéros en mie de pain sur le nez.

Vous avez à peine le temps d'embrasser Thérèse, la patronne, et de vous asseoir, qu'il explose.

— Ça ne peut plus continuer comme ça! tonne-t-il si fort que Robert Hossein, Steph de Monac et Pierre Grimblat se retournent. J'en ai marre de ce boulot de Justine et de sa prétendue carrière...

Il se lance dans des explications volubiles tandis que vous dégustez avec délice les *nems* et les côtes de porc grillées au miel, dont vous raffolez. Quand votre interlocuteur reprend souffle (rarement), vous émettez des grognements de sympathie.

Monsieur Gendre ne supporte pas que Fille Aînée soit en train de devenir une Superwoman de choc, comme sa mère à lui. Du reste, elle a osé dire à cette dernière :

— Machka, vous me gonflez!

Sa terrible belle-mère en est restée comme deux ronds de flan. Et l'a même regardée avec un certain respect.

Mais même Superwoman ne vit pas au rythme infernal de Justine. Les clients. Les enfants. Les dossiers. Les horaires cinglés, etc.

— ... le soir, gémit Louis, elle rentre plus tard que moi à la maison!

— Et alors ? Qui a dit que la femme doit être au foyer, avant l'homme ? demandez-vous, agressive.

Image de la mère louve défendant sa petite.

Le mari de votre héritière numéro un ne vous entend même pas. Et continue son lamento.

— ... sur le répondeur téléphonique, il y a vingt-huit appels.

Lui, Monsieur Gendre, prend un bloc et les note religieusement.

Vingt-sept sont pour Justine. Le vingt-huitième est enfin pour lui. De votre mère à vous qui désire avoir des prix dans une boutique de prêt-à-porter.

La porte d'entrée claque à toute volée. Justine entre comme un ouragan. Ne souhaite pas bonsoir à son mari et à ses enfants. Crie :

— Est-ce qu'il y a des messages pour moi ?

Se jette sur la liste.

— Oh ! la la ! Il faut que je rappelle tout ce monde avant 9 heures. Et ce numéro-là, je ne peux pas le lire ! Louis, mon chéri, pourquoi écris-tu si mal ?

Elle reste accrochée au téléphone jusqu'à 11 heures.

Le père dîne seul avec ses enfants. Qui en profitent pour jeter leurs haricots verts à la poubelle.

Il écoute sa femme cajoler une bande d' « affreux cons » (*dixit*) allant du chanteur qui ne veut pas faire de gala le vendredi (son mauvais jour) au fabricant de gaines chauffantes anticellulite (vous l'avez essayée, Justine vous ayant fait cadeau d'un modèle : votre peau a brûlé ; vous n'avez pas fondu d'un gramme).

Enfin, Fille Aînée raccroche et vient embrasser frénétiquement les siens. Qui sont déjà au lit.

Mais elle est aussi l'attachée de presse d'un metteur en scène fou (plus nombreux qu'on ne croit. Vous ne donnerez toujours pas de noms...). Qui n'hésite pas à l'appeler à 2 heures du matin pour lui faire part de son anxiété avant la sortie de son film. Puis à 3 heures, pour s'excuser de l'avoir réveillée à 2 heures. Puis à 5 heures, pour annoncer qu'il va se suicider.

— Faites-le ! hurle Louis dans le combiné.

— Je vais perdre un client, crie Justine, qui se lève à 7 heures pour préparer le petit déjeuner de sa famille. Mais court prendre le sien, somptueux, à l'*Hôtel Crillon*. En compagnie d'un industriel important qui désire qu'elle lui écrive deux curriculum vitae différents. Soit il se présente comme fils d'ouvrier, ancien ouvrier lui-même, n'ayant que le certif pour tout bagage, pour épater la C.G.T. Soit il est fils d'antiquaire, ayant fait l'E.N.A., ce qui le pose dans les milieux d'affaires.

Mais le pire, c'est que Fille Aînée voyage maintenant autant que Louis. Elle parcourt la France, derrière un homme politique, peloteur de petites filles et embrasseur de dames-pipi. En escarpins dans les terrains boueux des pistes d'atterrissage des hélicos.

Elle organise des festivals de cinéma d'épouvante albanais à Marrakech.

Emmène des colonnes de journalistes hargneux visiter des usines allemandes de saucisses sans peau. Et quand Louis lui propose un week-end à Venise, répond : « Venise ? Encore Venise ? Ça pue !... »

Comble, elle a disparu huit jours pour suivre un stage de survie pour cadres stressés (une mode américaine). Une semaine, sac au dos, dans les gorges du Verdon, à dormir seule, dans les bois, à sauter en parachute, à grimper le long des falaises à pic, à manquer se noyer en kayak. Sous prétexte d'accroître son énergie à relever les défis de l'existence.

Elle a failli se tuer dix fois et sans prévenir personne.

Même pas vous, sa mère.

Vous êtes indignée, à votre tour.

Louis est enchanté de constater que vous avez l'air contrarié.

Il reprend ses récriminations. Justine n'est plus sa Justine. Mais une *career-woman*, très élégante (habillée par un couturier connu mais malheureusement dément), qui accomplit toujours plusieurs tâches à la fois, vit à la vitesse du T.G.V., nourrit les siens de surgelés et de vinaigrette en bouteille, écoute les infos aux toilettes, remplit la salle de bains de pense-bêtes, sèche ses cheveux en ouvrant le toit de sa voiture, se maquille aux feux rouges. Et le dimanche, étudie ses dossiers camouflés dans *Paris-Match*, pour ne pas agacer son petit mari.

— ... et je ne vous parle pas de nos relations sexuelles : elles sont nulles ! crie Monsieur Gendre, perdant, dans sa fureur, sa pudeur habituelle. Ou alors, c'est elle qui m'invite à l'hôtel — sous prétexte que c'est romantique —, me déshabille, éteint, rallume, etc.

Vous marmonnez : « Hum... Hum... » Vous avez toujours horreur d'imaginer les relations sexuelles de vos filles. Votre nature réac. En revanche, Robert Hossein, Steph de Monac et Pierre Grimblat prennent l'air blasé.

— Et puis tous ces hommes célèbres qu'elle rencontre et tutoie ! Un jour, elle va me tromper !

— Mais non, voyons ! assurez-vous à cet éternel jaloux. Ses cadences infernales ne lui laissent pas le temps. Et puis les hommes, maintenant, ont la trouille du Sida. Ils restent fidèles à leurs petites femmes...

— Et les enfants ? Les enfants sont abandonnés... crie Louis en renversant son thé au jasmin.

Vous montez sur votre cheval de tournoi féministe pour défendre Fille Aînée bien-aimée.

— Ce n'est pas exact ! Elle s'en occupe beaucoup... heu... quand elle est là. Ce qui importe, c'est la qualité du temps qu'une femme donne à ses enfants, pas la quantité.

Ça, c'est la phrase-choc des mères qui travaillent. Vous l'avez utilisée, vous-même, un grand nombre de fois. Le malheur, c'est qu'au fond, au tréfonds de votre âme, vous n'êtes pas sûre que ce soit vrai. Il vous est souvent apparu que vos enfants tombaient malades ou désiraient bavarder avec vous, précisément aux moments où vous étiez appelée ailleurs par d'autres tâches im-por-tan-tes... Mais vous n'allez pas l'avouer à un représentant du sexe dit fort.

— En fait, reprend ce dernier, je me sens un con. Justine assume tout mieux que moi. Elle gagne même plus d'argent et m'offre un week-end en *Concorde* à New York pour mon anniversaire. Au lieu de la cravate habituelle. Elle a décidé que nous n'aurions pas de troisième enfant. Si cela continue, je vais devenir pédéraste. Je préfère divorcer.

Tel est le message qu'il voudrait que vous transmettiez à sa femme qui est aussi votre fille. Et qui a une tête de mule.

Pas facile.

Bon. D'abord appeler Justine à son bureau. Une secrétaire vous répond frénétiquement :

— De la part de ?... Quittez pas... Occupée !... Rappelez !

Et clac, elle vous raccroche au nez.

Vous refaites le numéro.

— Ici, la présidence de la République. Passez-moi madame Justine Béraud. Priorité absolue.

Dans la seconde, voix tendue de Fille Aînée :

— Oui !

— Ici, ta mère ! J'ai à te parler sé-rieu-se-ment et d'ur-gen-ce ! martelez-vous d'un ton qui rappelle à votre héritière numéro un les engueulades et même les fessées de son enfance.

Elle n'hésite pas.

Elle a reconnu le cri de guerre.

— O.K. Demain, déjeuner. Je décommanderai les Cafés Grand-Mère.

— O.K. 13 heures au *Ton Yeng*.

Quand vous y arrivez, le lendemain, Thérèse a l'air surpris. Encore vous. Vous dites bonjour à Jean-Claude Brialy, Edmond de Rothschild et Pierre Grimblat qui ne vous connaissent pas mais font semblant (on ne sait jamais. Vous êtes peut-être la femme d'un député ou d'un sous-directeur de chaîne de la télévision).

Arrive Justine comme une bombe. Elle embrasse tout le restaurant. S'assied, essoufflée.

— Qu'est-ce qui se passe ?

Vous la regardez fixement, dans un silence froid. Sa belle assurance s'évanouit. Dans ses yeux, une lueur d'inquiétude. Vous êtes submergée de tendresse. Cette brillante, blonde et ravissante jeune femme, c'est toujours votre petite fille adorée qui a peur d'être grondée.

— Il faut que nous discutions d'une situation... commencez-vous, emphatique.

Tut... tut... cri... cri... cri...

Une curieuse sonnerie électronique. Fille Aînée se jette sur son énorme sac de cuir noir d'où elle extrait un appareil téléphonique qu'elle décroche.

— Allô ?... Qui ?... Ah ! C'est vous, cher maître... !

Elle vous chuchote : « C'est mon vieil académicien !... »

— Quoi ? Non, non, ne pleurez pas, maître !... Qu'est-ce que c'est qu'une mauvaise critique pour vous... du pipi de souris... Ignorez ! Ignorez !... Je sais que vous vous êtes mis à nu dans votre livre et que c'est dur de vous faire attaquer... Mais vous êtes au-dessus de cela... Hein ? Oui, je passerai chez vous, vers 5 heures. A tout à l'heure, cher maître...

Elle raccroche son miraculeux téléphone.

— Quel emmerdeur, ce vieux con ! Il n'a plus de dents, ne mange que de la bouillie pour bébé, ne se lave plus. Il a six cents bouquins dans sa baignoire... (elle inscrit quelque chose sur un énorme carnet noir entièrement gribouillé). Je ne suis pas sûre de lui avoir Apostrophes... Pivot ne peut pas le supporter... Il va me faire un infarctus...

Tut... tut... cri... cri... cri...

— Ah ça ! Ça doit être mon marchand de moutarde ! Il ne comprend pas pourquoi la France entière ne mange pas de lapin à la moutarde, tous les jours, au *breakfast* !

Vous tapez avec vos baguettes sur la table.

— Je ne t'invite pas à déjeuner pour être coupée tout le temps par le téléphone. Raccroche avec ton moutardier de malheur ou je m'en vais. Et je ne prends pas tes enfants aux prochaines vacances !

Là, vous jouez au poker. Vous seriez aussi embêtée qu'elle, de ne pas avoir Petit Garçon et Jolie Princesse adorés. Ouf ! Justine se dégonfle. Elle débranche l'appareil et fait porter son sac au vestiaire. Adios, moutardier !

— Mais il y a le feu ou quoi ? Tu divorces ?

— Non. Toi.

— Quoi ? Tu es folle ! Louis m'adore et je l'adore.

Vous lui balancez dans les gencives les reproches de Monsieur Gendre, en les aggravant, si possible.

— Ce n'est pas vrai, tout ça ! se défend-elle. J'assure. Tout. Le boulot. Le bonhomme. Les enfants. La maison. C'est vrai que c'est une existence démentielle. Mais j'y arrive.

— Sauf que tu n'as pas remarqué que ton mari était bourré de complexes et que ton fils avait eu son premier chagrin d'amour.

Fille Aînée est secouée. Mais fait front.

— J'adore mon métier. Je vis à deux cents à l'heure. Je m'éclate. Je m'accomplis. J'ai la pêche. Je n'abandonnerai jamais.

— Personne ne te le demande.

— Alors, qu'est-ce que je dois faire ?

— Mentir.

Vous développez avec passion votre point de vue très personnel sur le mariage.

1. Le mâle est une plante fragile, vestige du crétacé supérieur, qui a besoin, pour s'épanouir, d'encouragements comme un géranium d'eau, en plein été. Ne jamais lésiner sur l'arrosage. « Tu es le plus beau... le plus fort... le plus intelligent... le plus drôle... le plus gentil... (sauf s'il vous bat). » Sinon, n'importe quelle petite gourde, plus douée que vous pour les compliments, vous le piquera. Même si elle est bigleuse et nunuche.

2. L'homme a toujours peur, au fond, de la femme. Il sait instinctivement qu'elle est le sexe fort. Assurer constamment à cet inquiet le contraire. C'est lui, le seigneur et maître. Qui gagne la vie de sa petite famille alors que sa pauvre épouse ne fait que « s'occuper ».

— Comment oses-tu révéler à ton mari que tu gagnes plus que lui ? reprochez-vous à votre fille. Tu blesses mortellement sa vanité masculine.

— Ben, qu'est-ce que je dois dire ?

— Couiner régulièrement que tu as besoin d'argent. Le ruiner. Nos grands-pères adoraient les danseuses qui les ruinaient ! Ton père hurle que je suis une folle dépensière mais il est secrètement ravi d'avoir une petite femme aussi peu débrouillarde.

Justine vous regarde avec stupéfaction.

— Je te croyais une vieille féministe et tu me tiens des propos d'un rétro... infect !

— J'ai toujours été une vieille féministe mariée à un macho. Et comme je tenais à mon monstre, j'ai dû faire des concessions...

— Eh bien, moi, je ne veux pas en faire ! crie Fille Aînée. Je veux un mec avec des rapports d'égalité, nets, cool...

— L'égalité, mon cul ! braillez-vous grossièrement, tu te retrouveras toute seule...

— Je n'ai pas peur de rester seule !

— Toutes mes copines, qui ont divorcé, ont dit ça. Et quand elles se sont retrouvées seules le soir, elles n'ont pas supporté. Elles me téléphonent, en larmes, à minuit, pour que je leur trouve un bonhomme, n'importe lequel, qui vienne faire juste un peu de bruit dans leur appart.

Justine verse furieusement trop de soja dans son riz.

— Bref, tu me demandes de ne pas réussir ma carrière.

— Absolument pas. Ton boulot, c'est ton amant. Tu t'arranges pour cacher ta passion à ton mari légitime. Sauf à lui raconter des anecdotes amusantes, par-ci, par-là. Pour qu'il soit fier de toi. Mais qu'il reste persuadé que le numéro un, c'est LUI !

— Je te remercie de tes mauvais conseils, dit Fille Aînée en rigolant. Jamais, je n'aurais cru que j'avais une mère aussi faux jeton et cynique.

— Un mariage, c'est comme n'importe quel boulot. On ne réussit pas qu'avec de bons sentiments !

Deux mois plus tard, au déjeuner familial du
dimanche, Justine annonça à la tribu qu'elle atten-
dait un troisième enfant.
— C'est Louis qui a décidé, ajouta-t-elle d'un air
modeste, nouveau chez elle.
Et elle vous fit un énorme clin d'œil.

Pendant ce temps-là, vous avez vécu avec une
nouvelle fille cadette, que vous avez du mal à
reconnaître dans les couloirs.
Joséphine déguisée en hôtesse d'accueil.
Légèrement boudinée dans un uniforme orange,
un peu étroit pour ses rondeurs. Et titubante sur des
talons hauts. Finies les *ketsbas* ! Perpétuellement à
l'affût de boutons éventuels sur sa figure.
— C'est mal vu, dans mon métier, explique-t-elle,
angoissée.
Vous la rassurez. Avec le platras de maquillage qui
recouvre sa peau, aucun bubon ne peut se voir. Ses
cheveux, qu'elle brosse nerveusement sans cesse,
sont tirés en arrière sans qu'aucune mèche ne
dépasse. Vous n'en revenez pas.
Elle est toujours sur le départ pour la Porte de
Versailles, Le Bourget, Bercy, Villepinte, Vincennes
et autres salons.
Et revient le soir, abrutie par le bruit et la fatigue
d'avoir répondu à des centaines de milliers de
visiteurs, en six langues.
Comment ça, en six langues ?
Parfaitement. Elle a appris à dire en anglais,
allemand, espagnol, italien, japonais, suédois : « Les
toilettes sont en face. »
Elle vous assure que les W.-C. sont la préoccupa-

tion numéro un des visiteurs, quel que soit le salon visité. Quatre-vingt-dix pour cent demandent où « ils » sont, en chuchotant d'un air gêné. Quand la journée a été longue et embêtante, Joséphine adore feindre d'être sourde jusqu'à obliger les PDG les plus distingués à hurler : « Vous ne comprenez pas le français ? Les *chiottes*, nom de Dieu ?... »

Quelle que soit l'heure à laquelle elle rentre, tous les soirs, votre cadette lave sa blouse en acrylique blanc dans son lavabo et la fait sécher sur le grand radiateur de l'entrée. Puis elle suspend pieusement son uniforme orange sur un cintre. Au lieu de balancer le tout par terre ou sur le lampadaire, comme à son habitude.

Vous avez été stupéfiée par cet ordre soudain. Jusqu'au moment où elle vous a révélé que l'agence qui l'emploie, par contrat, lui facture son uniforme si elle l'abîme. Et cher ! Vous regrettez violemment de n'avoir pas utilisé vous-même, depuis sa naissance, cette méthode merveilleusement éducative.

Il vous arrive de ne pas voir Petite Chérie pendant dix jours. Surtout en cas de nocturnes. Ensuite, quelques jours de repos avant un autre salon, séminaire, congrès, inauguration, cocktail, etc. Selon l'habitude qui vous est chère à toutes les deux, vous lui portez son petit déjeuner au lit et vous bavardez.

Les règles de son nouveau boulot sont impitoyables :

— Rester souriante, polie, affable, même si une visiteuse qui a rendez-vous avec son mari, au milieu de 1 000 mètres carrés où courent 200 000 visiteurs, vous insulte parce qu'elle n'a pas le droit de lancer un appel privé au micro : « Josette attend Popaul au stand Trucmuche... » Josette ne retrouvera jamais Popaul.

— Rester souriante, polie, affable, même quand

un P.-D.G. vous traite de *conasse* (oh ?) et menace de vous faire renvoyer (« Je suis monsieur Barbecue et j'ai beaucoup de relations, ma petite ») parce qu'on n'a pas de jetons de téléphone à lui vendre ni de monnaie pour en acheter.

— Rester souriante, polie, affable, même si on a une envie folle de fumer une cigarette sur le stand. C'est interdit ! Si la surveillante de l'agence déboule et te pique avec une clope, tu ne travailles jamais plus pour eux (bravo !).

— Rester souriante, polie, affable, même si vos escarpins vous torturent les pieds, couverts de pansements Urgo. « Une bonne chaussure fait la bonne hôtesse », tel est le slogan de votre héritière.

— Rester souriante, polie, affable, et surtout ne pas répondre : « Je vous emmerde », si l'inspectrice (toujours elle) vous dit sèchement : « Remettez-vous du blush, mademoiselle ! » ou « Le rouge de l'ongle de votre petit doigt s'écaille... » Une hôtesse doit rester maquillée, comme une geisha, même si elle s'écroule de fatigue. Au moindre eye-liner qui coule, virée... !

Vous qui n'avez jamais réussi, au bout de tant d'années de combats quotidiens, à rendre Petite Chérie impeccable et ordonnée, vous êtes enchantée de voir que l'agence s'en charge pour vous. Vous auriez dû y mettre votre adolescente en pension plus tôt. Cela vous aurait épargné beaucoup de cris et d'insomnies. (Curieusement, c'est vous qui devenez je-m'en-foutiste. Est-ce l'âge ? Ou le mauvais exemple de votre fille qui fait enfin son œuvre ?)

— Rester souriante, polie, affable, même si les officiels chargés d'inaugurer le Salon ont été empêchés d'entrer — par vous — sous prétexte qu'ils n'avaient pas leurs badges. Et ressemblent à autant de frelons menaçants. Ne jamais répondre à un sénateur inconnu qui se croit irrésistiblement célèbre : « Moi, je suis le Pape ! »

— Ne pas expliquer, hilare, à une visiteuse affolée qui demande où se trouve le métro : « Vous pouvez l'attendre ici. Il passera dans trois ans. »

— Rester imperturbable quand, à 6 heures du matin au Salon agricole, une équipe de télévision, venue filmer la traite des vaches, fait sauter toute l'électricité. Plus de trayeuses électriques qui pendent, inutiles, au pis des vaches qui meuglent, désespérées. Invectives des agriculteurs (« Faites quelque chose, mademoiselle ! »). Galopades des techniciens (« Appelez le Central, mademoiselle ! »). Fureur des conseillers généraux (« Mademoiselle, à qui puis-je me plaindre ? »).

En bonne mère, vous interrogez, inquiète. Tous ces hommes ne tentent-ils pas de draguer votre précieuse cadette ? (Encore que vous ne voyiez pas d'un mauvais œil un jeune et beau P.-D.G., style Tapie, remplacer le Maudit Marin. Tiens, plus jamais de nouvelles de celui-là ! Mais vous restez sur le qui-vive.)

Petite Chérie vous assure que, seuls, quelques vieux gâteux essaient de lui pincer les fesses. Ou des viticulteurs, en goguette, lui flanquent de grandes claques sur le popotin. Mais les mâles sont, en général, beaucoup trop occupés à s'agiter dans les stands et à réunir des dizaines de kilos de documentation sous lesquels ils succombent. (Toujours des arbres coupés pour pas grand-chose !)

Joséphine adore son métier. Certes, on travaille dur pendant quelques jours mais on est bien payé, on rigole avec des copines, on se dispute avec d'autres. C'est vivant. Et puis, elle a la chance d'être appréciée, pour sa bonne humeur, par sa directrice qui lui a promis plein de salons, de foires, d'expositions, etc., à la rentrée.

Malgré cela, vous explique-t-elle, avec ardeur, le but essentiel d'une hôtesse avisée est de travailler directement pour les exposants. On gagne beaucoup plus qu'avec l'agence qui prélève une forte commission au passage. Aussi, c'est elle qui drague les chefs d'entreprise sur leurs stands (attention à ne pas faire de jaloux car ces messieurs se détestent entre eux, paraît-il).

Elle a déjà l'accord, pour l'année prochaine, d'un Comité pour la promotion de la quiche lorraine (elle devra en manger pendant trois jours de suite). D'un fabricant de tenues d'été au Salon du prêt-à-porter. A condition de se promener, en caleçon hawaiien, en plein hiver. Et d'un Congrès d'un syndicat des pompes funèbres. Où elle servira du champagne au milieu d'une exposition de cercueils, de couronnes de fleurs en plastique : « A mon époux bien-aimé », de draperies noir et argent. (Quelle horreur ! Mais Petite Chérie garde son flegme. Ça ou des machines-outils !...)

En attendant, cet été, comme l'activité des salons est pratiquement inexistante — et alors qu'elle pourrait toucher des allocations de chômage et rester les doigts de pied en éventail —, elle s'est fait engager comme guide dans un château historique classé. En Bourgogne.

Vous restez bouche bée.

— Je croyais que tu devais tenir une épicerie de camping avec Yann ?

— J'ai changé d'avis, répond-elle froidement.

Vous n'en tirez pas un mot de plus. Le Matelot Tatoué participe-t-il, lui aussi, à l'opération « Donjon hanté du XIIIe siècle » ? (S'il pouvait tomber dans une oubliette et y rester, quel bonheur !) Va-t-il diriger, seul, son épicerie de camping ? Y a-t-il eu dispute entre les amoureux ? Le cauchemar de l'*Andouillette de Plou-les-Ajoncs* s'éloigne-t-il ?

Vous avez beau bouillir de curiosité. Essayer toutes les allusions, les pièges. Rien. Votre fille est muette. Elle refuse de se confier à sa mère. Inouï, non ? Vous allez écrire aux journaux du cœur de vos magazines préférés et en appeler à toutes les malheureuses dans votre cas.

Vous faites part de votre émotion à l'Homme. Qui ne vous écoute pas. Il est fou de rage contre vous, parce que le fils de votre copine Pascale (dont le mari expose au Sicob) que vous avez fait rentrer, en échange, comme stagiaire à la comptabilité des Usines B., s'est trompé dans les centimes, en tapotant la paie du personnel de l'ordinateur. Les employés au salaire de 7 000 francs ont reçu 70 francs, ceux de 8 500 francs, 85 francs, etc. La révolution gronde aux Usines B. L'Homme vous en tient pour responsable, vous et votre protégé. « Ce minable que tu m'as forcé à prendre et qui sabote mon entreprise... et grâce à qui tu retrouveras ma tête au bout d'une pique !... »

Malgré cette affreuse perspective, vous filez vers le Lot avec votre 2 CV bourrée de petits-enfants, de chien, de livres, de vieux vases — qui ont échappé à Joséphine, la brocanteuse, de vêtements, de raquettes de tennis, de thé chinois (pousse pas dans l'épicerie du village), d'un bateau en caoutchouc représentant un zèbre, etc.

Les voyages des rois capétiens traversant la France avec leur vaisselle, leurs coffres et leurs tapisseries, n'étaient rien à côté de vous, vous rendant à la campagne. Des gendarmes vous arrêtent sur la route, en vous demandant pour quelle entreprise de déménagement vous travaillez. Ils ne vous croient pas quand vous leur avouez que vous n'êtes qu'une simple mère de famille, partant en vacances. Heureusement, vous avez toujours votre vieille carte de journaliste périmée et tricolore et ils vous laissent passer, au garde-à-vous.

La campagne est ravissante. Vous adorez votre vieille maison. L'Homme vous téléphone gentiment. Il vous a pardonné ses ennuis d'ordinateur et a distribué des primes à son personnel qui, de joie, s'est abstenu de lui couper le cou. Il se réjouit de venir bientôt se reposer en famille. Fille Aînée, dont le ventre s'arrondit, et Monsieur Gendre passeront quelques jours en amoureux. Petite Chérie vous envoie des cartes postales d'un énorme vieux château croulant, avec des commentaires extasiés : « Magnifique...! Sublime !!!... Grandiose !!!... Suis fière d'aider à sauver le patrimoine français... »

Vous ignoriez qu'elle connaissait le mot *patrimoine*.

Un délicieux mois de juillet.
Vous ne vous méfiez pas.
Vous avez tort.

13

Vous êtes dans votre bain. Sonnerie du téléphone. Votre faute. Vous avez oublié de décrocher.

— Sébastien, va répondre ! hurlez-vous.

— Je peux pas, Mamie, je dors ! crie Petit Garçon, du fond de son lit.

Vous jaillissez de votre baignoire et traversez la maison, une petite serviette entourant votre forte personne dégoulinante d'eau à l'essence de romarin. Par un bonheur inexplicable, la sonnerie ne s'arrête pas au moment où vous décrochez.

Petite Chérie ! Vos filles ont l'art de vous appeler — alors qu'elles connaissent, par cœur, vos horaires quotidiens — quand cela vous dérange le plus. Si vous leur faites remarquer qu'elles peuvent vous joindre, par exemple dans l'après-midi, à 5 heures, où vous ne faites rien de particulier, elles répondent que vous n'êtes pas là.

Aujourd'hui, vous êtes si contente d'avoir des nouvelles de Joséphine que vous ne manifestez aucune mauvaise humeur. Seul, Roquefort vous regarde avec reproche, ainsi que la flaque d'eau au romarin qui se forme à vos pieds.

La voix de votre cadette vibre de gaieté.

— Toute la famille va bien ? demande-t-elle, avec intérêt.

Tiens ? C'est nouveau ! D'habitude, elle ne songe guère à s'en préoccuper. Considérant, avec raison, que les mauvaises nouvelles voyagent très vite.

— Et toi, ça marche, ton travail ?

— Ouais ! *Canon !*

— Beaucoup de touristes ?

— Ouais. Mais ce n'est pas pour cela que je te téléphone. J'ai quelque chose à te dire.

Oh ! la la ! Vous n'aimez pas ce préambule, annonciateur, à votre avis, d'une flopée d'embêtements. D'autant plus qu'elle ajoute :

— Ne t'évanouis, pas, hein ! Tu promets ?

— Oui ! Oui ! Laisse-moi juste m'asseoir...

Tant pis. Vous allez tremper le paillage de votre fauteuil rustique posté près du téléphone. Vous sentez que c'est grave. Quelle bêtise votre héritière numéro deux a pu commettre ? (L'idée ne vous vient pas qu'il puisse s'agir d'un exploit bénéfique.)

— Je vais me marier !

Vous avez eu raison de vous asseoir. La catastrophe. Malheur au Maudit Marin ! Pourquoi la colère des flots n'a-t-elle pas englouti ce monstre de Matelot Tatoué !

Vous chevrotez :

— Je croyais que Yann et toi, aviez décidé d'attendre... heu... que...

— Mais je n'épouse pas Yann, voyons ! s'indigne Petite Chérie. J'en avais marre de son *Andouillette*... Il est parti naviguer, tout seul, dans les îles grecques...

Bon vent.

Vous êtes ravie. Puis une idée vous terrasse :

— Mais alors, tu épouses qui ?

— Le marquis de La Ritournelle.

— Le QUI ?

— Le marquis de La Ritournelle.

— Quel âge a-t-il ?

Pour vous, un marquis est un vieux monsieur, un peu obèse, avec une perruque blanche frisée, des jabots de dentelle, une canne à pommeau d'argent. Et la goutte.

— Heu... vingt-sept ans. Son père est mort et il a hérité du titre.

— J'espère que ce n'est pas pour cela que tu te maries avec lui, dites-vous sévèrement. La noblesse, ça ne veut plus rien dire. Il a quoi, comme métier ?

— Ben... (à votre avis, la future marquise devra perdre l'habitude de ses peu aristocratiques « ouais » et « ben »...) Il a fait sciences-éco... Mais il veut vivre dans son château et l'exploiter.

— Ça rapporte de quoi vivre ? demandez-vous, incrédule et terre à terre. Comme toute mère préoccupée de l'avenir de sa folle de fille et éventuellement d'une lignée de nouveaux petits-enfants.

— Ouais. Entre les visites guidées, les spectacles son et lumière, les hôtes payants du week-end, les cartes postales et tout, on se débrouille. Regarde : à Thoiry et en Angleterre, les mecs s'en sortent très bien !

(Les mecs ? Quels mecs ?)

— Formidable, dites-vous lâchement, ayant du mal à reprendre vos esprits. D'autant plus que le facteur entre avec le courrier et semble un peu surpris de votre tenue légère. Mais il s'enfuit, poursuivi par Roquefort qui porte une haine inouïe au représentant de la Poste. (Pourquoi les chiens détestent-ils tant les facteurs ? Mystère que vous n'avez jamais élucidé.)

Vous hurlez :

— Roquefort ! Couché ! (et à votre fille). Qu'est-ce que tu disais ?

— Ce n'est pas la peine de crier comme ça, répond calmement Petite Chérie. Tu vas adorer Emmanuel. Il est beau ! Il est gentil ! Il est poli ! Il est intelligent ! Il est débrouillard !

Vous pensez : « Cause toujours, ma jolie ! » Vous savez que cette jeune créature amoureuse n'aura pas d'oreille pour les sages suggestions de sa mère telles que : « Vivez d'abord ensemble dans votre vieux château ! On verra plus tard ! » Vos filles adorent se marier. Incroyable à l'époque du concubinage si commode.

Joséphine ne vous laisse pas le temps de discuter.

— Lili voudrait t'inviter à déjeuner avec Papa.

— Qui est Lili ?

— Ben... ma future belle-mère... Alix... la marquise douairière de La Ritournelle.

Ah ! Parce qu'il y a aussi une marquise douairière de La Ritournelle.

Celle-là, vous l'imaginez en train de se promener

en manteau de cour, dans son parc, une couronne d'or sur la tête.

— Et elle vit également dans le château?

— Bien sûr. Elle y travaille aussi. Tu vas voir! C'est une famille très *chouettos*.

L'Homme fit une crise de républicanisme aiguë quand il apprit que sa précieuse cadette envisageait de se marier avec un aristocrate.

— Je croyais qu'à la Révolution, on les avait tous guillotinés, gronda-t-il, comme un sanglier furieux... Et voilà qu'il en reste un pour épouser ma fille!

— Moi, à première vue, je le préfère au Maudit Marin, remarquez-vous plaintivement. Un château bourguignon, c'est plus rassurant qu'une goélette vagabonde.

— Pas sûr! marmonna le Père, farouche. Ces La Ritournelle ne m'inspirent aucune confiance. Sûrement une bande de snobs dégénérés qui vont faire des bébés souffreteux à ma belle petite chérie...!

Le jour de l'invitation marquisale, vous avez du mal à partir pour la Bourgogne, à l'heure. Le papa de la (future) mariée n'arrive pas à s'habiller pour la circonstance. Il en tient pour son costume bleu marine des grands jours, avec sa cravate Dior. Vous, pour un pantalon de flanelle grise et une chemise Lacoste.

— Joséphine a bien précisé qu'il s'agissait d'un déjeuner à la bonne franquette, remarquez-vous. A la campagne, on ne se met pas en bleu marine.

En dépit de ses grognements furieux, vous comprenez que, malgré lui, l'Homme est épaté qu'un jeune homme dont les ancêtres remontent à 1120 lui demande la main de son héritière. Il ne veut pas passer pour un *plouc*. Au cas où le gentilhomme le reçoit en armure et crie « Montjoie ! » en brandissant son épée.

Du coup, vous enfilez, à votre tour, votre plus élégante robe de crêpe sauvage. Et regrettez amèrement, à voix haute, le gros diamant qui irait si bien avec. Pour une fois, votre époux ne répond rien de grossier.

C'est donc dans vos plus beaux atours (et avec une demi-heure d'avance : l'Homme énervé a conduit comme le vent) que vous franchissez les grilles (classées, elles aussi, d'après le Guide) du château de La Ritournelle. La demeure historique apparaît au bout d'une allée de cèdres centenaires que vous verriez avec plaisir autour de votre fermette. Délabrée comme vous l'aviez remarqué sur les cartes postales, mais grandiose. Des tours, un donjon, des créneaux, des mâchicoulis, des douves, un pont-levis... Bref, toute la panoplie.

— Superbe ! vous exclamez-vous.

— En ruine ! riposte l'Homme. Ces La Ritournelle sont complètement fauchés. Je l'avais prévu. Ah ! ah ! Qu'ils ne comptent pas que je donne une dot à Joséphine pour relever leurs murs branlants.

Vous garez la voiture près d'un car vide, devant un perron. Une pancarte ornée d'une flèche : « Visite en cours. Prière d'attendre dans la Salle des Gardes. » Un silence impressionnant. Personne en vue sinon un couvreur sur le toit.

— Il a des années de boulot devant lui, remarque le Père aigrement. Tu as vu ces hectares de toiture à refaire ?

— Si nous allions nous promener dans le parc ? proposez-vous. En attendant que quelqu'un apparaisse.

Vous partez, nez au vent. L'Homme finit par

admettre, de mauvaise grâce, que les parterres sont bien entretenus. Derrière une allée de buis taillés, vous découvrez un potager où travaille une clocharde.

Vêtue d'une robe noire déchirée, à l'ourlet décousu, coiffée d'un chapeau de paille cabossé où vacille une rose en tissu, elle arrache les mauvaises herbes avec ardeur.

— Ils ont encore des serfs comme au Moyen Age! chuchote votre époux. Je te parie qu'ils ne la paient pas, ni les charges sociales...

Vous vous approchez de l'humble créature.

— Bonjour, ma brave dame! dit l'Homme d'un ton mielleux, est-ce que nous avons le droit de nous promener dans le parc?

— Par ici, c'est privé! répond laconiquement la jardinière en haillons. Mais si cela vous fait plaisir, allez-y...!

— Merci, fait votre mari en tirant une pièce de dix francs de sa poche et en la tendant à la pauvre femme qui l'empoche sans hésitation.

— Heu... Vous travaillez au château? demande votre mari, curieux.

— Hélas! soupire la malheureuse.

— ... Vos patrons ne sont pas gentils? insinue l'Homme, perfide.

— Boh! répond l'esclave. Ils sont surtout fauchés!

Vous abandonnez la miséreuse à son travail ingrat. Vous repartez vers la demeure historique d'où jaillit un bruit de jacassements aigus. Un groupe de Japonais sort tumultueusement de la Salle des Gardes et court, en tous sens, prendre des photos.

A votre grand effarement, derrière eux, vous apercevez Petite Chérie, en robe à paniers, fichu Marie-

Antoinette et perruque à la française ornée d'une guirlande de fleurs.

Les Japonais lui demandent, avec de grands rires, de se laisser photographier avec eux. Et la couvrent de pourboires qu'elle enfouit, avec une visible satisfaction, dans un petit sac en soie effilochée. Puis sur un cri rauque de leur conducteur, tous les touristes du pays du Soleil Levant se ruent dans leur car et disparaissent en un clin d'œil.

Joséphine se jette dans vos bras.

Vous lui faites part de votre étonnement devant son costume.

— Je l'ai trouvé dans le grenier et j'ai un succès fou... trois fois plus de pourboires que lorsque je suis en jeans et baskets !... Et puis si tu les voyais pleurer, mes touristes, quand je leur raconte l'histoire de la grand-mère guillotinée à la Révolution, dans ce costume...

— Dans ce costume ! vous exclamez-vous épouvantée.

— Mais non ! J'arrange un peu la vérité... Mais tu sais, les visiteurs, ce qu'il leur faut, c'est de belles histoires. Roland et son cor... Bayard... Du Guesclin... Catherine de Médicis et ses poisons... Henri IV et Ravaillac... Marie-Antoinette et le Dauphin...

La voilà partie dans son commentaire historique, qui surprendrait peut-être le cher Alain Decaux, mais passionnant !

— Où est ta future belle-famille ? coupe le Père. Pour l'instant, je vois surtout le château de la Belle au Bois Dormant.

— Lili doit nous attendre dans le petit salon Louis XVI.

Vous entrez dans la fameuse Salle des Gardes, traversez des enfilades de pièces diverses, des salons, des galeries avec des armures et des portraits d'ancêtres sévères, des bibliothèques bourrées de livres reliés (votre rêve), etc.

Vous arrivez enfin dans un charmant petit salon Louis XVI, aux fauteuils et aux rideaux de soie bleu pâle. Dans un coin, une jeune femme (enfin, de votre âge...!) est en train d'arranger un magnifique bouquet de fleurs.

La clocharde du potager.

Dans un ravissant ensemble de toile grège (Givenchy ?).

— Mes parents... la mère d'Emmanuel... présente Petite Chérie.

Vous restez pétrifiée devant la marquise douairière de La Ritournelle. L'Homme, pour la première fois de votre vie commune, devient rouge pivoine.

— Je... heu... nous... désolés..., balbutie-t-il.

— C'est moi qui suis confuse, dit la marquise douairière, en éclatant de rire. Je ne vous avais pas reconnus ! Et je suis parfois un peu agressive avec ces pauvres touristes qui me traquent, non seulement dans mes affûtiaux de jardinage, mais même au pied de mon lit, le matin.

— Ils adorent cela ! explique Joséphine. La première fois, cela fait un drôle d'effet de se réveiller sous un baldaquin, avec toute une famille d'Allemands en short, en train de te regarder comme si tu étais Charlotte Corday.

A cet instant, entre un grand jeune homme à l'air décidé (habillé, lui, en pantalon de flanelle grise et chemise Lacoste).

— Voilà Emmanuel ! crie votre cadette, en se jetant dans ses bras.

— Ma Doudou ! s'exclame tendrement le jeune marquis.

Il vous semble déjà l'avoir vu quelque part. Ah oui, sur le toit. Le couvreur.

— Ici, il faut savoir tout faire, confirme, avec bonne humeur, votre futur Monsieur Gendre numéro deux.

Qui vous baise cérémonieusement la main en disant :

— Mes hommages, madame.

(Si tous les couvreurs du Lot vous baisaient la main en disant : « Mes hommages, madame », vous trouveriez leurs factures plus légères.)

— Emmanuel est aussi plombier, électricien, peintre, maçon, etc. Et Lili va m'apprendre à décaper les boiseries, recouvrir les fauteuils et faire les rideaux, s'exclame Petite Chérie avec ferveur.

Parfait. Pour quelqu'un qui n'a jamais cousu un ourlet de sa vie et qui raccourcit ses jeans trop longs avec des épingles doubles, voilà une sacrée conversion. Mais vous en avez déjà vu de toutes les couleurs depuis un an.

— Si nous prenions un verre de champagne pour fêter ces fiançailles, propose gaiement Lili.

— Ne bougez pas, maman, je m'en occupe !

L'exquise politesse du prétendant vous va droit au cœur. Vous le regardez à la dérobée. Il est beau et bien bâti, ma foi ! Peut-être le nez busqué, un peu fort (bourbonien ?). Vous voyez que, de son côté, l'Homme l'observe à la dérobée et jette un regard mauvais sur la chevalière armoriée que le jeune marquis porte à son annulaire et dans laquelle est resté incrusté un peu de ciment.

Le champagne est délicieux. Un de mes cousins, le baron de La Tourmelière, m'en envoie régulièrement, déclare la marquise. Vous découvrirez, au fur et à mesure des conversations, que les La Ritournelle sont cousins de toute la noblesse française et que ce petit monde s'échange sans cesse des cadeaux, des services, des jeunes filles au pair, etc. Un vrai club. Ou plutôt une chaîne en or pour les petits boulots.

Déjeuner somptueux. Le chevreuil a été tué lors de la dernière chasse et sort du congélateur, acheté grâce à la vente d'une commode Régence, précise Lili. Les petits légumes viennent du potager et Joséphine a aidé sa future belle-mère, entre deux visites guidées, à les mettre en conserve. Ça alors ! Voilà maintenant que votre fille qui récolte à peine, malgré vos cris, une poignée de mûres pour une tarte dans le Lot, ramasse des haricots verts, écosse des tonnes de petits pois et bourre le congélateur de produits du jardin.

Elle n'a cependant pas préparé le déjeuner, malgré les cours de grande cuisine chèrement payés par son papa. Mais une vieille bonne qui vit depuis trente ans avec la famille, tapie dans un sous-sol, près des oubliettes. Et qui refuse d'en sortir. Elle envoie les plats par un monte-charge qui grince horriblement. Emmanuel et Petite Chérie galopent les attraper, les posent sur la table et hop, tout le monde se sert... comme chez vous !

(Vous soupçonnez l'Homme d'être un peu déçu de n'avoir pas de valet de pied à la française, tenant une torche, derrière lui.)

— Je suis ravie de ce mariage ! annonce gracieusement la marquise douairière. Bien que, si j'ai exactement compris la situation, ni l'un ni l'autre de nos enfants n'aient un sou pour vivre. Alors qu'une belle dot américaine nous aurait bien arrangés, pour retaper nos quatre tours idiotes, notre donjon qui s'écroule dans les douves, nos kilomètres de gouttières crevées... Non seulement, il pleut dans les greniers mais les robinets fuient, les peintures s'écaillent, les baldaquins s'effondrent, etc.

— Vous n'êtes pas aidés par les Monuments historiques ? s'étonne votre époux, avec indignation. (Le château est déjà entré dans votre famille.)

— Si. Mais ils sont comme nous : fauchés ! soupire Lili.

En père responsable, l'Homme pose la question de confiance. De quoi comptent vivre les tourtereaux ? Emmanuel a-t-il une profession sérieuse ? Dans la finance ? (il a un oncle président-directeur général d'une grande banque). Dans les ambassades ? (il a des cousins aux Affaires étrangères). Etc.

Non. Toutes ces situations mirobolantes n'intéressent pas le jeune marquis.

Il veut vivre de et dans son cher château.

Le réparer. Le faire visiter. Créer des activités (payantes) diverses. Et tirer de quoi subsister, lui et sa petite famille. Comme beaucoup de châtelains fauchés. Ça se fait de plus en plus, particulièrement en Angleterre et maintenant en France.

— Nous avons trois chambres d'hôtes avec meubles d'époque et salles de bains installées par Emmanuel, dans la petite tour, précise Petite Chérie, folle d'admiration.

— Nous recevons les *paying-guest* pendant le week-end. Surtout des Américains. C'est fou comme les Yankees adorent vivre avec une vieille famille française. Heureusement que je suis bavarde et que je connais beaucoup d'histoires, ajoute Lili, en se tordant de rire.

— Ce qui les épate, c'est de dormir dans des draps brodés avec une couronne ! s'écroule Joséphine.

— Et cette vie te plaît ? demandez-vous brutalement à votre fille.

— Je l'adore, répond-elle. Tu comprends, Ma Maman, c'est formidable de maintenir une tradition et de recevoir des gens du monde entier dans cette demeure où les La Ritournelle ont vécu sept cents ans...

Décidément, c'est fou ce que l'amour fait aux filles ! Voilà une petite créature qui vous a embêtée, pendant toute une année, avec des histoires de grand-voiles, de balises, de focs, de quarantièmes rugissants et de charter aux Antilles. Et qui, maintenant, ne jure que château historique et ancêtres.

— Je dois vous prévenir que mon père n'était qu'un petit instituteur de campagne, déclare l'Homme que le coup des sept cents ans d'arbre généalogique a un peu agacé.

— Bah ! dit la marquise douairière, nous avons bien une tante folle qui vivait dans de la ouate, dans un lit accroché au plafond, et qui a fini par se jeter dans la rivière...! Joséphine, jolie, intelligente, et bien élevée comme elle est, fera une adorable petite marquise.

Vous avalez de la crème fraîche avec ces compliments !

Ces La Ritournelle, quand même, quelle classe !

Petite Chérie baisse les yeux avec tact. Vous saurez plus tard comment ce nouvel amour l'a frappée. Emmanuel, venant visiter un Salon où Joséphine était hôtesse, reçut le coup de foudre. Il entreprit de faire à votre héritière une cour à laquelle le capitaine de l'*Andouillette de Plou-les-Ajoncs* ne l'avait pas habituée. Une rose rouge par jour. Des baisemains. Des promenades le long des quais, au clair de lune. Pour finir par une attaque foudroyante. Il l'accompagna au train de Bordeaux où elle se rendait pour une exposition, lui fit ses adieux, sauta en douce dans le dernier wagon et fut la première personne que Joséphine trouva à l'arrivée, les bras pleins de fleurs. Le cœur de votre cadette se rendit.

— Nous aimerions nous marier le plus vite possible. Si vous êtes d'accord, naturellement, monsieur, dit Emmanuel, en s'adressant au Père. Qui, flatté qu'on tienne compte si poliment de son opinion, sourit d'un air affable.

— ... vers septembre, après le gros de la saison touristique, remarque sagement votre fille.

— Vous voulez un grand mariage ? chevrotez-vous.

Le souvenir de ce que vous avez vécu avec Fille Aînée vous hante encore. Alors, mille invités et toute la noblesse française dans une demeure historique du Moyen Age... quel cauchemar !

La marquise douairière intervient avec autorité.

— Il est de tradition, pour les héritiers de la famille, de se marier dans la petite chapelle du château qui ne contient pas plus d'une vingtaine de personnes. D'autre part, je ne vous cacherai pas que je préférerais dépenser l'argent d'une grande réception dans la transformation de l'Orangerie en salon de thé.

— Formidable ! s'exclame Petite Chérie, ravie. En attendant de créer un Mac Do à l'entrée.

— Un Mac Donald dans la Salle des Gardes ? vous exclamez-vous avec horreur.

— Et alors ? rigole Emmanuel, on appellera les hamburgers : « Les petites entrées du Roy après la chasse. »

Votre cadette se tourne vers son père :

— On a déjà installé dans le pigeonnier du xve, derrière les douves, une machine à griller le pop-corn. Lili en vend des tonnes.

— Vous vendez vous-même du pop-corn ? dites-vous, ébahie, à la marquise douairière de La Ritour-nelle.

— Je fais un très gros chiffre d'affaires en pop-corn salé et sucré, confirme joyeusement celle-ci. C'est le plus clair de nos revenus !

— Quand j'ai fini avec mes agneaux, mes veaux, et mes singes, je les conduis au pigeonnier et hop, pop-corn, Coca et cartes postales, corrobore votre fille.

Vous êtes curieuse de savoir qui sont ces agneaux, ces veaux et ces singes dont elle parle.

Les trois principaux groupes de touristes.

Les agneaux sont contents de tout, écoutent avec passion, en hochant la tête, les légendes de la famille, frissonnent à l'évocation du fantôme du donjon, s'exclament devant le moindre bibelot. Leur principale question : « Avec quel produit entretenez-vous vos parquets ? »

Les veaux écoutent sans rien dire, impassibles, les yeux ternes. On ne sait pas s'ils entendent, si même ils parlent. Caractéristique : ils mâchent du chewing-gum et collent des boulettes gluantes sous les marbres des commodes. Ou jettent leurs mégots dans la potiche Ming alors que des cendriers sont disposés partout.

Et les singes, ah les singes ! ils savent tout, connaissent chaque détail mieux que vous.

— Si tu as le malheur de parler d'une très belle bergère Louis XVI, se plaint Joséphine, ils signalent à la cantonade que c'est une copie fabriquée au XIXe. Ou que le tableau de chasse de Van Loo n'est pas de Van Loo mais « de son école ». Un cauchemar. Quand on a repéré un singe dans son groupe, toujours dire prudemment : « on pense que... », « attribué à... », etc.

Petite Chérie a retrouvé, une fois de plus, une vieille ennemie : la fauche. Les visiteurs tripotant tout : porcelaines, livres, écritoires. D'autant plus que les touristes ont tendance à s'égailler en tous sens et à ouvrir les placards où ils sont persuadés de découvrir des trésors qu'on leur cache. On en retrouve parfois (des touristes) la nuit, dans des couloirs lointains, égarés et hagards.

Vous écoutez, passionnée, les mille et une anecdotes de la vie du château de La Ritournelle.

Bruit de moteur. Un car s'arrête devant le perron.

— Merde! s'exclame populairement la marquise douairière, déjà les premiers clients!

— J'y vais! dit Joséphine en rajustant sa perruque et son fichu de dentelle. C'est quoi?

— Un groupe du troisième âge, auvergnat, précise Emmanuel, tirant une petite fiche de sa poche.

— Ah! j'adore les groupes du troisième âge! Tous des agneaux! Malheureusement, avec leurs râteliers, ils n'achètent pas trop de pop-corn (elle se tourne vers son fiancé). N'oublie pas de remettre du papier Q dans les W.-C. et de donner un coup de serpillière.

— J'ai parfois l'impression que les touristes viennent ici, du monde entier, dans le seul but d'utiliser mes toilettes, gémit le jeune marquis de La Ritournelle.

Votre cadette disparaît hâtivement. Lili en profite pour s'excuser de ne pas vous garder pour le week-end, les trois chambres d'amis étant occupées par des hôtes payants.

— Cela me fait penser, ajoute-t-elle, qu'il faut absolument me débarrasser de la chouette du grenier, avant ce soir. Sa respiration et ses chuchotements terrorisent les invités. Ils croient que c'est le fantôme et tapent comme des fous à ma porte, alors que je dors très tranquillement.

Vous lui faites part de vos problèmes avec les loirs dont les bonds, de poutre en poutre, dans votre modeste bergerie, vous réveillent régulièrement.

— Je vous prêterai de grandes souricières qu'il faut placer avec des fruits...

La porte se rouvre. Votre fille, dans son costume Marie-Antoinette, réapparaît à la tête de ses petits vieux auvergnats. Elle déclare, d'une voix haute et claire, en vous désignant :

— Vous êtes ici dans la salle à manger Louis XIII où les descendants authentiques de la famille de La Ritournelle ont toujours pris et continuent à prendre leurs repas...

La marquise douairière, la bouche pleine de camembert, salue aimablement de la tête. Vous en faites autant. Bien que cela soit difficile de manger élégamment du vulgaire camembert sous le regard passionné et admiratif de trente touristes. Ils se poussent du coude en vous dévisageant. Un peu déçus, à leur tour, que vous n'ayez pas de couronne d'or sur la tête. Et que l'Homme ne soit pas en armure. Pour montrer que leur bonne éducation vaut bien la vôtre, ils se parlent à voix basse et marchent sur la pointe des pieds. Puis disparaissent, poussés par Joséphine dont vous entendez la voix qui s'éloigne... :

— ... et maintenant, nous allons traverser la galerie des portraits d'ancêtres de la famille... avant de nous rendre dans le Grand Salon où la marquise de Sévigné écrivit de nombreuses lettres...

— Cette chère marquise de Sévigné est une vraie bénédiction pour la Bourgogne, explique Lili. Elle a visité tous les châteaux du coin. Nous avons, chacun, une chambre où elle a dormi, une bergère où elle s'est assise, un secrétaire où elle a griffonné... Emmanuel, as-tu nourri les chiens ?

— Pas encore, maman, mais j'y vais. Si vous voulez bien m'excuser... dit le jeune marquis en s'inclinant devant vous.

— Nos chiens, ce sont nos meilleurs défenseurs. Nous avons été cambriolés à quatorze reprises. J'ai vendu un cartel Louis XIV pour installer des alarmes partout. Mais, la dernière fois, les bandits ont essayé de voler le canon dans la cour, en pleine nuit. Et quand j'ai ouvert ma fenêtre, ils m'ont tiré dessus, à la carabine !

— Et alors ? vous exclamez-vous avec l'Homme, fascinés.

— J'ai toujours mon fusil de chasse chargé près de mon lit, raconte calmement la marquise. Je les ai canardés à mon tour. Ces malfrats se sont sauvés en hurlant, le derrière percé de plombs à sangliers. J'ai sauvé mon canon.

Elle rit, enchantée de ce bon souvenir.

— Mais les gendarmes m'ont quand même conseillé d'avoir une meute de chiens que nous lâchons, la nuit, dans le parc. Mon favori, un bas rouge nommé Flambeau, a une curieuse manie. Il ne mord pas. Il déshabille. Rien qui désarçonne plus un voleur que de se retrouver à poil sur le pont-levis !

Votre époux la regarde avec admiration. Vous vous promettez, *in petto*, de mettre aussi un fusil de chasse chargé, près de votre lit. Vous n'allez pas laisser à cette vieille (non ! pas vieille... votre âge) aristocrate, le monopole de l'héroïsme. (Et qui sera bien surpris ? Le pauvre gitan qui voudra, un jour, vous piquer votre unique casserole en cuivre.).

Au moment où vous allez remonter en voiture — après des adieux charmants : « J'ai été raâââârvie de vous connaître... à bientôt désormais... Je suis sûûûûûre que nous nous entendrons très bien... » Petite Chérie vous entraîne à l'écart.

— Qu'est-ce que vous comptiez, Papa et toi, me donner comme cadeau de mariage ? chuchote-t-elle.

— Heu... je ne sais pas trop ! Peut-être le joli collier de perles de ta grand-mère, suggérez-vous, et un four à micro-ondes...

— Je préférerai un lion, dit-elle paisiblement.

— Un QUOI ?

— Un LION. Tu comprends, si on pouvait installer un zoo, comme les La Panouse à Thoiry, cela attirerait les enfants.

— Et où je vais le trouver, ton lion ? ripostez-vous. Tu ne t'attends pas à ce que ton père et moi, nous allions au Kenya chasser le fauve, pour le ramener avec nous, dans ma 2 CV, jusqu'en Bourgogne ?

— Mais non, il y a plein de lionceaux qui viennent de naître dans un zoo de Vendée et qui sont à vendre.

— Ah bon ! Je vais en parler à ton père.

(Vous faites une petite prière pour que l'idée ne vienne pas à Joséphine de déposer une liste de mariage audit zoo. Vous imaginez la tête de tante Madeline en train d'hésiter entre un serpent naja et un bébé zèbre.)

L'Homme pousse un long gémissement, un peu plus tard lorsque, les grilles du parc dépassées, vous lui parlez du présent réclamé.

— Un LION ??? Qui a jamais entendu parler d'un LION comme cadeau de mariage. Déjà, nous avons une Fille Aînée qui est folle. Voilà que la cadette s'y met. Pourquoi n'avons-nous pas des filles comme tout le monde ?

— Bah ! remarquez-vous gaiement, on s'embêterait...

— C'est vrai, reconnaît l'Homme, on ne s'est jamais embêtés avec elles !

Et il sourit de ce sourire charmeur qui vous fait fondre le cœur, depuis tant d'années.

FIN

Littérature extrait du catalogue

Cette collection est d'abord marquée par sa diversité : classiques, grands romans contemporains, témoignages. A chacun son livre, à chacun son plaisir : Henri Troyat, Bernard Clavel, Guy des Cars, Frison-Roche, Djian, Belletto mais aussi des écrivains étrangers tels que Virginia Andrews, Nina Berberova, Colleen McCullough ou Konsalik.

Les classiques tels que Stendhal, Maupassant, Flaubert, Zola, Balzac, etc. sont publiés en texte intégral au prix le plus bas de toute l'édition. Chaque volume est complété par un cahier illustré sur la vie et l'œuvre de l'auteur.

Achevé d'imprimer en Europe (France)
par Brodard et Taupin à la Flèche (Sarthe)
le 26 juillet 1993. 6370H-5
Dépôt légal juillet 1993. ISBN 2-277-22880-X
1er dépôt légal dans la collection : août 1990

Éditions J'ai lu
27, rue Cassette, 75006 Paris
Diffusion France et étranger : Flammarion

2880